SO-AKH-693

La galaxie Trump :
l'empire du chaos

Du même auteur

Les Billary. Enquête sur le couple de pouvoir le plus fascinant,
Flammarion, 2016

Olivier O'Mahony

La galaxie Trump : l'empire du chaos

PLON
www.plon.fr

© Éditions Plon, un département de Place des Éditeurs, 2018
12, avenue d'Italie
75013 Paris
Tél. : 01 44 16 09 00
Fax : 01 44 16 09 01
www.plon.fr
www.lisez.com

Mise en page : Soft Office
Dépôt légal : octobre 2018
ISBN : 978-2-259-26402-0

Le Code de la propriété intellectuelle interdit les copies ou reproductions destinées à une utilisation collective. Toute représentation ou reproduction intégrale ou partielle faite par quelque
procédé que ce soit, sans le consentement de l'Auteur ou de ses ayants cause, est illicite et
constitue une contrefaçon sanctionnée par les articles L. 335-2 et suivants du Code de la propriété
intellectuelle.

À Riccardo

Prologue

On ne m'a rien promis. Quand je reçois un email des services secrets américains m'enjoignant de passer au « Bureau des accréditations de la Maison Blanche », je n'ai aucune idée de ce qui m'attend. Le rendez-vous est fixé fin octobre, juste avant Halloween. Je me rends, comme demandé, dans la Press Briefing Room, la fameuse salle de presse construite à deux pas du Bureau Ovale, dans une partie de la West Wing[1] qui, autrefois, servait de piscine pour soigner les maux de dos de Franklin Delano Roosevelt. Me voilà dans l'antichambre du bureau du porte-parole, situé juste derrière le podium. Je découvre de grandes photos des occupants des lieux : Donald Trump et Melania, habillée en robe longue jaune, et « The Beast », la limousine présidentielle, garée dans la cour de l'Élysée, pendant le séjour parisien pour le 14 juillet 2017 à l'invitation d'Emmanuel Macron. Une jeune femme du service de presse me demande de la suivre. Elle m'emmène dans l'Eisenhower Building[2], situé juste à côté de la West Wing. Ce bâtiment de style « français Second Empire » abritait autrefois les ministères de la Guerre, de la Marine et des Affaires étrangères, mais il est aujourd'hui occupé par le staff de la présidence. Mon accompagnatrice me confie à un jeune homme âgé d'une vingtaine d'années tout au plus. C'est un des nombreux stagiaires qui passent quelques

---

1. « L'Aile Ouest » : nom du bâtiment abritant les bureaux du président.
2. Aussi appelé Eisenhower Executive Office Building (EEOB).

mois à la Maison Blanche, en attendant de reprendre leurs études. Il m'explique qu'il est très fier de travailler là car ça lui donne l'occasion de «rencontrer des journalistes», ce qui m'étonne, vu les relations entre le président et la presse. Ensemble, nous traversons un grand couloir qui ressemble au hall d'une gare du XIXe siècle, avec de très hauts plafonds, des boiseries bien astiquées et de larges escaliers en colimaçon. Puis nous arrivons à ce fameux «Bureau des accréditations», où une dame me reçoit avec le sourire. C'est plutôt rare à la Maison Blanche. Voilà qui commence bien. On me fait signer des documents que je ne suis pas sûr de totalement comprendre. Puis on me tend un badge gris clair avec ma photo dessus, mon nom, un drapeau américain et une inscription en lettres capitales : «PRESS». «Surtout, ne le perdez pas», me dit mon interlocutrice. Ça ne risque pas... C'est le *hard pass*, l'accréditation permanente à la Maison Blanche, délivrée au compte-gouttes après un examen minutieux des services secrets.

Deux jours plus tard, à l'issue de son point-presse quotidien, Sarah Huckabee Sanders, porte-parole de la présidence, annonce que, «pour ceux que ça intéresse», le président est prêt à les recevoir, avec leurs enfants. C'est la tradition : le week-end qui précède Halloween, les journalistes amènent leurs chères têtes blondes, déjà déguisées pour l'occasion, à la Maison Blanche pour une rencontre avec le maître des lieux. Bien entendu, ça m'intéresse. Alors je suis le mouvement. Comme il fait beau dehors, on nous fait entrer dans le Bureau Ovale par une porte-fenêtre qui donne sur la roseraie. L'endroit vient tout juste d'être redécoré avec un papier peint beige à motifs surimprimés. Trump n'a pas attendu longtemps avant d'imprimer sa marque pour faire oublier la décoration version Obama. Tout le monde m'avait dit que le Bureau Ovale n'était pas aussi grand qu'on le croit, et en effet, ce n'est pas la taille qui impressionne, mais sa beauté : à l'intérieur, il règne une atmosphère accueillante, malgré le caractère volcanique de l'occupant des lieux. Cette sensation vient sans doute de la forme de la pièce, ainsi que des fleurs et des arbres que l'on aperçoit au travers des larges fenêtres. Donald Trump nous attend, assis derrière le Resolute Desk, la table de travail présidentielle. Il semble maquillé, comme s'il s'apprêtait à tourner un épisode de «The Apprentice». «Oh, mais comme ils sont mignons !» s'exclame-t-il en voyant les enfants des membres de la presse. Et très vite, il ne peut pas s'empêcher de lâcher : «Je n'en reviens pas que des journalistes aient pu produire des gamins aussi merveilleux !» Rires des conseillers, dont certains sont eux aussi déguisés. «Veux-tu devenir comme papa plus tard ?» demande-t-il à une petite fille, avant de poursuivre, devant la mine incrédule de la gamine : «Tu n'as pas besoin de répondre, ça va me valoir des ennuis !» Inutile, en effet, d'en rajouter : en deux minutes, tout est dit. Sur le ton de la boutade, certes. Les réseaux sociaux ne vont pas tarder à s'enflammer contre cette «nouvelle insulte contre la presse».

C'était la première fois que je mettais les pieds dans le Bureau Ovale. Ça commençait bien.

Ce livre est l'aboutissement d'un long voyage à travers les États-Unis qui a commencé en juin 2015, quand Donald Trump a descendu le fameux escalator de sa tour à New York pour présenter sa candidature. Je l'ai suivi dans de nombreux meetings en campagne et, comme beaucoup de monde, j'ai cru aux sondages et aux enquêtes d'opinion qui le donnaient perdant. Dès son élection, je l'ai suivi dans la Trump Tower pendant la transition, puis à la Maison Blanche, dans sa résidence d'hiver (Mar-a-Lago à Palm Beach en Floride) et d'été (Bedminster dans le New Jersey, près de New York). Moi qui suis arrivé aux États-Unis en janvier 2009, au moment de l'investiture de Barack Obama, j'ai vu une autre Amérique prendre le pouvoir, qui n'a rien à voir avec celle que je connaissais. J'ai eu l'occasion de parler avec de multiples proches et ennemis du président, en *off* ou en *on the record*, à l'occasion de mes reportages parus dans *Paris Match*. Steve Bannon, l'artisan de la victoire de Trump et ancien «stratège en chef», m'a accordé plusieurs interviews, tout comme Roger Stone, ami de près de quarante ans de Trump et conseiller officieux. J'ai rencontré Corey Lewandowski, son premier directeur de campagne, aujourd'hui conseiller officieux et auteur d'un livre élogieux *Let Trump Be Trump* (Hachette Book Group USA, 2017). J'ai rencontré George Papadopoulos, l'ancien conseiller en politique étrangère, qui fut le premier à plaider coupable dans l'affaire russe. J'ai interviewé James Comey, l'ex-patron du FBI, à l'occasion de la sortie de son livre, *Mensonges et Vérités* (Flammarion, 2018), en France. J'ai parlé à de multiples proches du président qui m'ont donné des accès inédits et permis de le suivre au plus près.

J'ai voulu chroniquer ses vingt premiers mois de présidence, en démêlant l'accessoire de l'essentiel, et ce ne fut pas facile. Ma sélection est forcément subjective et non exhaustive: j'ai choisi d'évoquer les moments qui m'ont le plus frappé ou semblé les plus importants pour comprendre ce qui restera dans l'Histoire. Donald Trump est une cible mouvante. Il l'avait dit pendant la campagne: il veut «prendre les gens par surprise», et sur ce point il a tenu parole. Une vérité un jour peut être oubliée, ou démentie le lendemain. On ne compte plus le nombre de fois où l'on a annoncé − à tort − un «tournant» ou «la pire semaine» de sa présidence, avant de se rendre compte que rien ne s'était passé comme prévu. Maître du contre-pied, Donald Trump a été élu contre le parti républicain dont il a fini par prendre le contrôle dès les premiers mois de 2018, forçant ses opposants à prendre leur retraite. Il a insulté Kim Jong-un, le dictateur nord-coréen à la tribune de l'Onu avant de lui

serrer la main en grande pompe, lors d'un sommet minutieusement préparé à Singapour. Ceux qui prédisaient un
effondrement de l'économie ou le départ de John Kelly de
son poste de *chief of staff* du président en ont été pour leurs
frais. Ce livre est le récit de vingt mois de présidence hors
norme. Bienvenue dans l'empire du chaos !

1

Soirée électorale

Deux manutentionnaires vêtus de noir montent sur la scène du Javits Center. L'immense podium bleu épouse la forme des États-Unis d'Amérique. C'est le chaos autour d'eux, mais ce n'est pas leur affaire. Les ordres sont les ordres : il faut tout ranger. L'endroit a été loué par la campagne de Hillary Clinton jusqu'à 2 h 30 du matin, ce 9 novembre. Il n'est pas question de payer des heures sup, vu le résultat… Écrou après écrou, ils démontent les deux téléprompteurs qui entourent le pupitre. Pour les quelques centaines de supporters en pleurs, assommés, c'est le coup de grâce. Leurs espoirs sont définitivement douchés. Hillary Clinton, défaite, ne viendra pas parler ce soir. La fin d'un monde.

Il est temps d'aller voir ce qui se passe du côté de Donald Trump. Quand j'arrive, vers 3 heures, ce n'est pas vraiment l'ambiance des Champs-Élysées un soir de victoire des Bleus, mais je vois des couples exubérants, bien habillés, costume avec pin's du drapeau américain sur le revers pour Monsieur, robe de cocktail et hauts talons pour Madame. Ils exultent. Sur le trottoir, des supporters de Hillary engagent avec eux une discussion animée qui tourne au vinaigre. Les flics interviennent pour disperser tout le monde. Je tombe sur un avocat venu assister à une victoire qu'il « avait vue venir », m'assure-t-il. Mais autour de lui, c'est la surprise qui domine.

15

Trump a organisé sa Victory Party à l'hôtel Hilton, bunker en béton armé sur l'Avenue of the Americas, qui présente l'avantage de se trouver à deux pâtés de maison au sud de chez lui. Il connaît bien l'endroit. En juillet 2016, quelques jours avant la convention républicaine, Trump y avait déjà tenu conférence pour présenter son colistier, candidat à la vice-présidence, Mike Pence, gouverneur de l'Indiana, ex-président du groupe républicain au Congrès. L'événement s'était déroulé dans un des grands salons du deuxième étage, juste à côté d'une réunion de fans de tatouages. Une fois de plus, Trump avait fait du Trump : c'est-à-dire qu'il avait attendu jusqu'à la 28e minute de son discours pour se souvenir quel en était l'objet… faire l'éloge du vice-président. Ce mardi 8 novembre, en début de soirée, l'ambiance y est joyeuse, mais l'endroit est modeste : il semble plus calibré pour une défaite que pour un triomphe. «On aurait dit un congrès d'ostéopathes!», plaisantera plus tard Mark McKinnon, stratège politique et producteur du show télévisé «The Circus»[1]. En début de soirée, une rumeur court : s'il perd, Trump ne viendra pas. Peu importe : les invités sont heureux d'être là, ravis d'adresser un dernier bras d'honneur à la favorite de la campagne.

Ce mardi 8 novembre. Le Metropolitan Opera a fermé ses portes comme c'est la règle en cas de cyclone et cette élection présidentielle y ressemble, même si le ciel est bleu, et la température, clémente. Devant la Trump Tower, vers midi, je croise Hope Hicks, 27 ans, la porte-parole du candidat et future directrice de la communication du président. Elle se faufile sur la 5e Avenue, en petite robe courte d'automne, au milieu des touristes et des badauds qui ne la reconnaissent pas. Elle porte un sac en papier à la main, dans lequel se trouve probablement son repas. Elle ne sait pas encore que son destin va basculer dans quelques heures.

---

1. Mark McKinnon, «The Circus», Showtime, saison 1, épisode 26.

La journée commence comme prévu : jusqu'à la fin d'après-midi, Hillary est en tête.

« À 17 h 01, je reçois les premiers résultats sortis des urnes. Ça nous a fait l'effet d'une douche froide », témoigne David Bossie, un des proches du candidat républicain[1]. À cette heure-là, une première alerte tombe sur Drudge Report, le très influent site de droite, qui annonce que le milliardaire est, au mieux, au coude à coude, au pire, derrière sa rivale dans tous les *swing states*, ces États qui décident du sort de l'élection.

Donald Trump suit le dépouillement depuis son penthouse, au sommet de sa tour. Ses troupes, elles, sont massées au cinquième étage, dans un local qui servit autrefois de studio de tournage du show de téléréalité « The Apprentice ». C'est le centre opérationnel de sa campagne. Contrairement au reste de la tour qui dégouline de dorures et de marbre, dans cet espace les murs sont nus, des parpaings de béton bruts de décoffrage. La seule décoration, ce sont les quelques affiches du candidat. Les conseillers s'entassent dans une petite salle de dix mètres carrés autour de Bill Stepien, le directeur des opérations de terrain, dont l'ordinateur est relié à un grand écran qui projette les résultats au fur et à mesure qu'ils tombent, sur une carte électorale. Ils sont tous là : Kellyanne Conway, Reince Priebus, Sean Spicer, Steve Bannon, et plus tard, Ivanka Trump et Jared Kushner.

Bill Stepien fait et refait ses calculs. Les résultats viennent tout d'abord des grandes villes. Le compte n'y est pas. « État après État, Trump était tellement loin derrière que j'étais certain qu'il allait perdre », se souvient Frank Luntz, expert républicain en sondage, qui sait que « les résultats sortis des urnes ne se trompent jamais[2] ».

---

1. PBS Frontline, « The road to victory ».
2. *Ibid.*

Une rumeur se propage : certains, dans le camp de Trump, commenceraient déjà à faire leurs cartons, notamment Reince Priebus et Sean Spicer[1], dont tout le monde pense qu'ils n'ont jamais cru à l'élection de leur mentor. Le premier est le président du parti républicain[2], le second est son directeur de la communication. Ce sont deux apparatchiks de Washington, pas des trumpistes patentés. Trump est bien obligé de faire avec, car ils lui servent de courroie de transmission avec les instances du parti. Pendant la campagne, Spicer et Priebus ont été très gentils et conciliants avec le milliardaire. Ils sont souvent montés au créneau à la télé pour le défendre. Pour les républicains « traditionnels » (non trumpistes), ce sont des « traîtres », des « opportunistes » qui auraient passé un « pacte avec le diable ». Et ce soir du 8 novembre, alors que les premiers résultats tombent, tous très mauvais pour Trump, ils seraient les premiers à quitter le navire. Quelques jours avant le scrutin, ils avaient d'ailleurs discrètement rencontré des journalistes et des patrons de chaînes de télé pour expliquer que la défaite, tenue comme certaine, n'était pas la leur, mais « celle de Trump[3] ».

19 h 04 : le spécialiste des sondages Nate Silver, fondateur du site FiveThirtyEight, qui a prévu la victoire d'Obama aussi bien en 2008 qu'en 2012, annonce qu'en Géorgie « c'est serré selon les premiers résultats[4] (48-47) », ce qui est de mauvais augure pour Trump dans un État *a priori* acquis à sa cause.

19 h 22, un bandeau défile au bas des écrans de télé branchés sur CNN : « Il faudra un miracle pour gagner. » La confidence émane d'une source anonyme membre du « premier cercle » des conseillers de Donald Trump. Tout le

---

1. Joshua Green, *Devil's Bargain*, Penguin Press, 2017.
2. Pour être précis : il est *chairman* du Republican National Commitee.
3. Joshua Green, *Devil's Bargain, op. cit.*
4. http://fivethirtyeight.com/live-blog/2016-election-results-coverage.

monde pense alors qu'il s'agit de la très bavarde Kellyanne Conway, la directrice de campagne, devenue égérie télévisuelle, pro des sondages qui, tous ou presque, annonçaient la défaite du milliardaire.

Pendant la campagne, Kellyanne était sur tous les fronts à la télé pour défendre son patron. Je me souviens de cette intervention surprise à l'issue d'un meeting particulièrement électrique à Hershey (Pennsylvanie), en pleine terre trumpiste, à moins d'une semaine avant le premier tour[1]. Alors que la plupart des 13 000 supporters avaient déserté le stade, elle était venue voir les quelques journalistes restés sur place pour envoyer leurs papiers. Je m'étais alors posé la question : pourquoi un personnage aussi important qu'elle dans la galaxie Trump vient-elle passer une vingtaine de minutes ? Je n'avais pas pu m'empêcher de penser qu'elle profitait des derniers instants de cette folle campagne pour faire sa pub auprès de ceux qui s'intéressaient encore à elle. Avant Trump, qui connaissait Kellyanne Conway ? Personne en dehors des cercles politiques conservateurs. Peut-être avais-je tort, mais j'ai eu le sentiment ce jour-là qu'elle s'apprêtait à retourner à sa vie d'avant, auréolée de son rôle éminent dans la campagne. Et apparemment, elle n'était pas la seule. Dans l'entourage de Trump, rares étaient ceux qui y croyaient, à part, peut-être, Steve Bannon, l'infatigable chantre de la « droite alternative », promu grand ordonnateur de la campagne du milliardaire, et Trump lui-même.

Chez Hillary Clinton, la confiance règne encore.

« C'est bon, c'est pas terrible, mais ça tient », analyse Robby Mook[2], après la fermeture des bureaux de vote en Virginie et en Floride, à 19 heures. Hillary suit la soirée au

---

1. https://www.parismatch.com/Actu/International/Donald-Trump-en-forme-rameute-les-foules-en-Pennsylvanie-1110731.
2. Jonathan Allen et Annie Parnes, *Shattered: Inside Hillary Clinton's Doomed Campaign*, Random House, 2017.

Peninsula, un 5-étoiles où elle a ses habitudes sur la 55ᵉ Rue, à l'angle de la 5ᵉ Avenue. De ses fenêtres, elle peut presque apercevoir la Trump Tower qui domine Central Park, où se trouve son rival installé dans son penthouse, l'œil rivé sur ses écrans de télé. À ce moment précis, trois pâtés de maison les séparent. Hillary suit l'élection assise dans un gros fauteuil, avec Bill, dans le canapé juste à côté d'elle. Un buffet est dressé avec, au menu, du saumon, des pizzas végétariennes, des carottes grillées et des frites. À environ 19 h 15, elle convoque ses conseillers Jake Sullivan, Dan Schwerin et Megan Rooney, pour réfléchir à son discours de victoire. La séance de travail dure trente-cinq minutes[1].

19 h 45 : un coup de fil vient assombrir l'ambiance au Peninsula. C'est Steve Schale, consultant politique en Floride, ancien des deux campagnes victorieuses d'Obama, qui appelle avec de mauvaises nouvelles. Cet État compte 29 grands électeurs. Basé à Talahassee, la capitale, il connaît l'électorat local mieux que personne. Et ce qu'il voit dans les bureaux de vote est sans appel : Trump a gagné la Floride.

À Brooklyn, personne ne veut le croire.

À ce moment, 50 % des votes seulement ont été dépouillés[2] et il reste encore des bureaux de votes à dépouiller favorables à Hillary, notamment celui de Broward[3]. Avant le 8 novembre, les votes par anticipation avaient été excellents pour Hillary. À 20 heures, le site FiveThirtyEight place encore Hillary deux points devant Trump en Floride[4]. La candidate démocrate affiche de meilleurs résultats que Barack Obama en 2012 dans bon nombre de comtés acquis aux démocrates.

---

1. Clinton Pool Report, 8 novembre 2016, 20 h 39.
2. http://www.breitbart.com/live/2016-election-day-live-updates.
3. Ce qui explique que l'annonce du vote en Floride arrive tard dans la soirée : la victoire de Trump est annoncée à 22 h 50 par Associated Press, alors qu'il n'y a déjà presque plus de suspens.
4. http://fivethirtyeight.com/live-blog/2016-election-results-coverage.

Bill Clinton en était même persuadé : le vendredi précédant la soirée électorale, il avait confié à un membre de l'équipe de campagne que l'État était « dans la poche »[1]. Dans les grandes villes, il a raison. Mais dans les campagnes, c'est une autre histoire. Là, le mardi 8 novembre, Trump réalise des scores à couper le souffle. Le « vote caché » en sa faveur s'exprime de manière bien plus importante que ce que les sondages réalisés par la campagne d'Hillary avaient anticipé. Steve Schale a compris ce que personne ne veut voir : là où il est fort, Trump a réalisé des scores tels que sa rivale n'a aucune chance de combler son retard. Mathématiquement impossible.

Quand Robby Mook, le directeur de campagne, vient voir Bill et Hillary pour leur annoncer des résultats « décevants mais pas désespérés », l'ex-président appelle son ancien directeur politique basé en Floride, Craig Smith, qui officia à la Maison Blanche à ses côtés dans les années 1990. « Je suis désolé d'être celui qui annonce la mauvaise nouvelle, mais ici, c'est perdu », lui confirme son ancien conseiller. Bill Clinton raccroche et comprend. Il compose le numéro de son fidèle complice, Terry McAuliffe, gouverneur de Virginie, qui a l'intention de venir à New York pour fêter la victoire au Javits Center. « Ce n'est pas la peine que tu te déplaces[2] », lui lance-t-il. Pour lui, ce qui se passe aux États-Unis est une réédition du Brexit, version américaine. Une révolte de l'Amérique d'en bas contre les élites bienpensantes. Ce scénario noir, il le pressentait, même s'il n'y croyait pas vraiment. À côté de lui, Hillary écoute, prostrée. Quand ses conseillers viennent la voir, elle se contente de dire : « OK, OK », secouant la tête. C'est tout ce qu'elle peut dire, alors qu'elle encaisse le choc et sent ses rêves de victoire s'envoler.

---

1. *Shattered, op. cit.*
2. *Shattered, op. cit.*

Jusque tard dans la nuit, les porte-parole de la campagne de Clinton vont nier l'évidence. Ils s'obstinent à voir en Floride une simple contre-performance locale, limitée au sud du pays, alors qu'en réalité elle annonce une vague qui balaie aussi le Nord-Est américain. Le Sunshine State est en effet peuplé de retraités venus de la *rust belt*, cette ceinture ouvrière du Midwest américain (le Michigan, l'Illinois, et le Wisconsin) qui vote traditionnellement démocrate depuis des lustres mais semble pencher pour Trump cette fois-ci. À 20 h 39, les Hillary boys se disent encore « confiants » dans leur dernière déclaration à la presse publiée avant le désastre : « Nous l'étions ce matin et pendant l'après-midi, rien n'a changé depuis[1]. » Belle langue de bois.

Car au même moment, au Javits Center, alors que la soirée progresse, l'angoisse monte, la sécurité se relâche. Subitement, je suis autorisé à m'installer juste à côté de la scène où, normalement, Hillary aurait dû parler vers 23 heures. Une photographe de Barack Obama qui a suivi toute sa première campagne présidentielle s'inquiète à côté de moi : « Je reçois plein de textos paniqués. » À 21 heures, je vois Juan Bautista Dominguez s'approcher. Il a à peine 30 ans. C'est un des membres du staff chargé d'encadrer les journalistes pendant les déplacements de la candidate. Les journalistes l'apprécient. C'est la fin du marathon de la campagne, j'en profite pour le remercier. Il reste muet. Il sait déjà. Il est 21 heures. Et il pleure.

Chez Trump, on exulte depuis déjà longtemps.

Les résultats tombent les uns après les autres, et partout la tendance est la même : là où il doit gagner, Trump dépasse les scores les plus optimistes. « On n'a pas besoin de gagner autant », s'enthousiasme Bill Stepien[2] en recevant les résultats de Okaloosa en Floride. Vers 21 heures, Ivanka,

---

1. Clinton Pool Report, *ibid.*
2. *Devil's Bargain, op. cit.*

présente dans le QG du cinquième étage, reçoit un appel de son père, resté dans son penthouse. Il veut descendre pour rejoindre ses équipes. Tout le monde se retrouve dans la War Room du quatorzième étage, une grande salle dotée d'un mur d'écrans. Trump est debout, au centre de la pièce, scotché devant les télés. Dès qu'un résultat tombe, il pose chaque fois la même question : « Combien avait fait Obama ici en 2012 ? » Très rapidement la salle se remplit. On s'autocongratule. Les supporters viennent féliciter Mike Pence qu'ils appellent déjà « Mr Vice-President ». Mais ils hésitent à s'approcher de Trump. Lui, c'est le président. C'est comme la reine d'Angleterre : on ne lui adresse pas la parole, c'est lui qui décide. Aux flagorneurs, ceux qui viennent quand même lui présenter leurs félicitations, il répond : « Pas encore ! », racontera plus tard Kellyanne Conway.

Vers 23 heures, il décide de remonter dans son penthouse. Il faut rédiger le discours de victoire. Il n'en a pas. Par superstition, il n'a pas voulu écrire la moindre ligne avant d'avoir les résultats. Le voilà dans la cuisine de son appartement avec Steve Bannon, Stephen Miller, Ivanka et Jared Kushner. Vers minuit, le penthouse se remplit de VIP et applaudit quand, à 1 h 35 du matin, Associated Press annonce que la Pennsylvanie bascule en faveur de Trump. Pendant ce temps-là, le quasi-président élu écrit son discours dans la salle à manger. À 2 h 29, AP déclare Trump président des États-Unis. Le coup de fil d'Hillary arrive juste après.

— Bonjour, Kellyanne, Hillary Clinton souhaiterait parler à Mr Trump.

Huma Abedin a tenté le numéro de portable de Kellyanne Conway à plusieurs reprises. Et avant elle, Robby Mook a aussi essayé en vain. Dans le brouhaha de la fête au penthouse de Trump, la directrice de campagne du président élu n'entend pas. Il faut que le fils de Chris Christie la prenne par le bras. « Eh, Kellyanne, il y a quelqu'un qui essaie de te joindre. » Elle regarde l'écran. C'est Huma Abedin, la coprésidente de campagne de la candidate battue.

— Vous voulez dire tout de suite ? lui demande Kellyanne.

— Oui, s'il est disponible.

— Il est disponible !

Hillary a attendu jusqu'au dernier moment pour passer ce coup de fil. Certains de ses fidèles ont tenté de l'en dissuader. Ils ont en mémoire Al Gore qui, en 2000, a jeté le gant trop vite[1]. Mais Barack Obama a pesé de tout son poids pour qu'elle reconnaisse la défaite au plus vite. Le président s'est fait son opinion avant même que la Pennsylvanie ne bascule en faveur de Donald Trump : pour lui, Hillary n'a aucune chance de l'emporter. À 23 h 11, il a donné l'ordre à son directeur politique, David Simas, de faire passer le message à son ancienne secrétaire d'État : « Reconnaissez la défaite. » Elle a tergiversé. Elle n'est pas prête à passer ce coup de fil. La veille encore, elle en était à composer son gouvernement, persuadée qu'elle allait gagner, comme elle le reconnaîtra après l'élection[2]. Elle envoie John Podesta au Javits Center dire aux gens de rentrer chez eux. Au micro, voilà le malheureux émissaire réduit à faire croire aux supporters qu'un miracle est encore possible. Quand il arrive, il trouve une salle à moitié vide. Ceux qui sont restés sont en larmes. « Je suis désolée », me dit une dame d'âge mûr, cheveux poivre et sel, genre intello, de l'Upper West Side à New York.

— Bien joué Donald, lâche Hillary au président élu.

— Vous avez été une remarquable adversaire, lui répond-il.

---

1. Le scrutin était si serré qu'il a fallu recompter les voix en Floride. George W. Bush n'a été proclamé président que le 12 décembre 2000, plus d'un mois après l'élection.

2. « Women in the World », interview avec Nick Kristoff du *New York Times*.

En moins d'une minute, Donald Trump devient président des États-Unis.

Quand il apparaît victorieux devant ses supporters, les agents du Secret Service sont dépassés. Les photographes profitent de la bousculade pour s'approcher à quelques centimètres du président élu : impensable avec Barack Obama, le soir de sa victoire en 2008 – et ça l'aurait été davantage encore plus pour Hillary Clinton si elle l'avait remporté.

Le lendemain, Hillary concède finalement la défaite, vêtue du tailleur Ralph Lauren gris anthracite à revers violet (la couleur de la réconciliation, paraît-il) qu'elle avait prévu de porter la veille, mais qui est toujours d'actualité dans une Amérique plus divisée que jamais[1]. Son discours où elle rend hommage à Donald Trump, « notre président », lui vaut des hommages de tous bords, même si elle sourit un peu trop, ce qui fait dire à ses détracteurs que, décidément, elle est fausse jusqu'au bout. Derrière elle, Bill Clinton a l'air d'un cadavre. Hillary va saluer le premier rang des supporters venus l'applaudir une dernière fois. Ils sont tous défaits, c'est elle qui a l'air de les consoler… Quelques semaines plus tard, un artiste nommé Levee, activiste à ses heures perdues, va lancer une initiative originale : la « Subway Therapy », une thérapie où les voyageurs sont invités à écrire une pensée sur post-it qu'ils collent sur le mur d'un couloir de la station « 14th Street »…

Mercredi matin 9 novembre, le lendemain de la défaite, je prends le métro où règne une ambiance mortifère. « *God save Hillary Clinton* », dit une dame âgée en sortant à la 66e rue, sur la ligne 1. Longue vie à Hillary Clinton. La ville de New York a voté à 79 % pour elle… Mon chemin s'arrête à la station suivante : Columbus Circle, juste à côté de la Trump Tower. Le nouveau centre de l'univers.

---

1. Voir la couverture de *Time* du 9 décembre 2016 : « Donald Trump, President of the Divided States of America ».

2

«Mr Trump goes to Washington»
10 novembre 2016

C'est la foule des grands jours devant la West Wing. À la gauche du portique qui rehausse l'entrée principale, des micros sont installés au *stake out*, cet endroit où les dignitaires viennent parler pour raconter comment s'est passé leur rendez-vous avec le président. Et ce qu'espèrent les journalistes en cette belle matinée ensoleillée du 10 novembre 2016, c'est une déclaration de Trump après sa rencontre avec Obama qui est prévue à 11 heures du matin.

Comme toujours dans ces moments d'attente, l'atmosphère est sérieuse au début, puis se détend à mesure que rien n'arrive. On voit un présentateur connu s'asseoir et s'allonger au bord de la pelouse pour prendre le soleil, ce qui est totalement interdit par le règlement. D'habitude, les Marines postés devant l'aile ouest interviennent, mais là, il flotte une telle incertitude qu'on sent du relâchement. Caroline Adler, la directrice de la communication de Michelle Obama, passe furtivement entre les caméras. Personne n'ose l'arrêter pour lui poser des questions. Nul besoin. La réponse est écrite sur sa mine sombre et fermée. Elle a le moral dans les chaussettes comme tous ses collègues. J'en aurai la confirmation quelques heures plus tard, dans la soirée, en discutant avec une des proches du président sortant qui l'a suivi au quotidien pendant la quasi-totalité de ses deux mandats et qui s'apprêtait à rejoindre le staff d'Hillary : «J'ai besoin d'un baume au cœur, lâche-t-elle, avant d'ajouter : On a deux mois devant nous pour tout verrouiller, sauver les meubles, et empêcher Trump de détruire l'héritage d'Obama[1]. »

Les espoirs de voir la première entrée de Trump à la Maison Blanche sont douchés : après avoir atterri au Reagan Airport, l'aéroport des vols domestiques de la capitale américaine, son escorte est entrée par la porte «de derrière». Seuls quelques privilégiés, membre du *pool* de journalistes et photographes chargés de relayer l'information pour l'ensemble de la presse, peuvent immortaliser la scène. Trump arrive accompagné de plusieurs membres de son staff, dont son gendre, Jared Kushner qui est accueilli par Dennis McDonough, le *chief of staff* d'Obama, Dan Scavino, son directeur du numérique et des réseaux sociaux, et sa porte-parole Hope Hicks.

Roger Stone dit qu'il «était écrasé par la solennité des lieux». Il est surtout en terrain inconnu. Aucune photo n'existe de lui dans ce Bureau Ovale avant cette visite. Et c'est la première fois qu'il rencontre Obama, après l'avoir éreinté tout au long de la campagne. Quand, à l'issue de leur entretien, le président sortant, assis devant la cheminée, prend la parole devant la presse pour évoquer leur conversation, Trump regarde les murs et les portraits qui y sont accrochés. À l'évidence, il est paumé et n'essaie pas de le cacher, ni Jared Kushner d'ailleurs, qui prend des photos de

---

1. Entretien avec l'auteur, 10 novembre 2016. La période qui va de l'élection de novembre 2016 à l'investiture de janvier 2017 va en effet être mise à profit pour «sauver les meubles» contre les assauts des Républicains. Il déclare ainsi l'interdiction du forage pétrolier au large des côtes atlantiques et gracie Chelsea Manning, l'ex-militaire transgenre condamnée pour trahison, qui avait toutes les chances de rester en prison à vie sous Trump.

l'endroit avec son téléphone comme un vulgaire touriste. En se levant, l'entrant passe la main dans le dos du sortant, ce qui, paraît-il, est contraire au protocole, relèvent les puristes accrédités qui froncent les sourcils... Mais il en faudrait plus que ces amabilités d'usage pour réchauffer l'ambiance. Obama a le visage fermé. Il confiera plus tard à des proches son agacement face à «ce type prêt à raconter n'importe quoi[1]». Lors de leur tout premier coup de fil, deux jours plus tôt, pendant la nuit électorale, il l'avait appelé pour le féliciter à 3 h 30 du matin et l'inviter à la Maison Blanche. Trump lui avait alors fait un numéro de charme sur le mode «j'ai énormément d'admiration pour vous», et quand Obama avait raccroché, il était furieux, scotché par tant d'audace de la part de quelqu'un manifestement prêt à raconter tout et son contraire...

Sur le coup de midi, Trump quitte la Maison Blanche, son futur domicile. Son escorte met le cap sur le Capitole où l'attend Paul Ryan, le *speaker of the House* (président de la Chambre des représentants). Les deux hommes sont du même parti donc *a priori* ils devraient s'entendre, mais ce n'est pas le cas. Ryan est l'ancien colistier de Mitt Romney, le candidat malheureux à la présidentielle de 2012 et l'auteur d'un discours au lance-flammes contre celui qui lui a succédé dans ce rôle en 2016. Ryan a traîné avant d'apporter du bout des lèvres son soutien à Trump[2], et ce dernier n'a pas oublié. L'un et l'autre se sont traités de noms d'oiseaux pendant la campagne, alors ce premier meeting officiel depuis

---

1. http://people.com/politics/what-does-barack-obama-really-think-of-donald-trump-hes-nothing-but-a-bullsh-ter.
2. Le 5 mai 2016, il déclare qu'il n'est «pas prêt à soutenir Donald Trump» mais finit par le faire un mois plus tard, puis le 7 octobre 2016, il affirme être «écœuré» par la vidéo Grab them by the pussy, «Prends-les par la chatte». https://www.washingtonpost.com/news/powerpost/wp/2016/10/10/paul-ryan-wont-defend-or-campaign-for-trump-ahead-of-election/?utm_term=.d15803172295.

l'élection ne peut être que protocolaire et de pure forme. Paul Ryan essaie bien de détendre l'atmosphère en lui montrant la belle vue panoramique depuis le balcon de son bureau, qui surplombe l'esplanade où, le 20 janvier, son hôte doit être investi président des États-Unis. Flagorneur, il lui montre, au loin, l'horloge de l'ancienne poste de Washington (Old Post Office) reconvertie en... hôtel de luxe du groupe Trump. « Très beau, très beau », répète le président élu, avec Melania silencieuse à ses côtés. Mais rien n'y fait : Ryan sourit, en fait des tonnes côté convivialité, Trump reste de marbre. Il ne se déridera pas plus quand il rencontre l'autre grand baron du Capitole, Mitch McConnell, le président du Sénat, lui aussi contrôlé par les républicains[1]. Élu depuis trente ans dans le Kentucky, ce cacique à la voix de bariton et aux lunettes rondes qui lui donnent un air lunaire auquel il ne faut pas se fier, est marié à une femme de pouvoir, Elaine Chao, fille d'une famille richissime chinoise, ministre sous George W. Bush et bientôt ministre dans l'administration Trump[2]. Ce calculateur froid était la bête noire d'Obama pour avoir bloqué nombre de ses projets[3]. Il symbolise l'establishment républicain qui a tout fait pour empêcher Trump de décrocher l'investiture du parti à la présidentielle[4]. Bref, avec lui non plus, la première réunion du président élu n'est guère chaleureuse. Au Capitole, Trump est un intrus. Beaucoup n'en reviennent pas de voir sa chevelure dorée émerger dans les couloirs lambrissés de cet auguste bâtiment,

---

1. « On aime tous Mike Pence », 14 novembre 2016.
http://thehill.com/homenews/administration/305588-trump-and-mc-connell-washingtons-most-powerful-odd-couple.
2. Nommée ministre des Transports par Trump le 29 novembre 2019 et confirmée par le Sénat le 31 janvier 2017.
3. En particulier, la nomination du juge à la Cour suprême Merrick Garland.
4. Steve Bannon dira à « 60 Minutes », le 10 septembre 2017 : « C'était très clair, dès le début, il était contre nous. »

symbole de la démocratie parlementaire américaine, où il n'a probablement jamais mis les pieds ou, si c'est le cas, c'était il y a très longtemps. Juchée sur ses talons aiguilles, Melania détonne tout autant avec son allure de top model au sourire figé, qui se demande ce qu'elle fait là. Dans l'après-midi, Hope Hicks, la porte-parole, fait savoir que son patron va rester la nuit à Washington. Et puis deux heures plus tard, elle annonce qu'il a changé d'avis, et qu'il rentre finalement chez lui à New York. Déjà lassé, peut-être, par ce qu'il a vu dans la capitale…

3

Trump Tower, la tour infernale
La transition
Novembre 2016-janvier 2017

Comme chaque matin depuis l'élection, le défilé des VIP commence très tôt à la Trump Tower. Amis, soutiens et conseillers débarquent dans le hall d'entrée tout en marbre, sous l'œil des journalistes, qui passent des heures à attendre, parqués derrière un cordon rouge face à l'ascenseur. Le manège est filmé par une caméra de télévision qui tourne en permanence et partage les images avec toutes les chaînes. À 7 h 45 ce 13 décembre, le général Mike Flynn, futur conseiller à la sécurité, arrive, accompagné de son adjointe K.T. McFarland. Il est suivi de Sean Spicer (à 7 h 58), qui va bientôt être nommé porte-parole de la présidence, puis du conseiller spécial Steve Bannon (à 8 h 20) et du vice-président élu Mike Pence (à 8 h 37)... Tous saluent et s'engouffrent dans l'ascenseur aux portes dorées. Ce sont en général les mêmes têtes que l'on voit arriver le matin à cette heure-là. Certains passent discrètement, d'autres, comme Kellyanne Conway, n'échappent pas aux selfies des fans qui attendent dans le hall comme les badauds au festival de Cannes... Parfois, ils échangent des banalités d'usage, du genre «une grosse journée nous attend», ce qui n'est pas faux, car tous ces *happy few* doivent apprendre à diriger la première puissance mondiale, tâche à laquelle la plupart d'entre eux ne s'attendaient pas. Mais à 9 h 13, un visage inhabituel apparaît : Kanye West. Le rappeur est accompagné d'un cameraman personnel et de quelques gardes du corps. Branle-bas de combat chez les journalistes : Kanye West, c'est une star, avec à l'époque plus de 10 millions d'abonnés sur Twitter (il en a 28 millions aujourd'hui). Il est de surcroît marié à Kim Kardashian, papesse de la téléréalité, dont l'un des illustres représentants vient d'être élu président des États-Unis… Bref, médiatiquement parlant, c'est du lourd… Sans prononcer un mot, West s'engouffre dans l'ascenseur, puis en redescend une quarantaine de minutes plus tard, accompagné cette fois de Donald Trump. C'est la deuxième fois qu'on voit le futur maître de la Maison Blanche en chair et en os apparaître dans ce grand hall depuis le 8 novembre. Les questions fusent. Trump se contente de répondre qu'avec Kanye, qu'il connaît «depuis longtemps», il a parlé «de la vie»… Le rappeur black, teint en blond, l'air absent, reste muet. Alors un reporter lui demande pourquoi il n'a rien à dire. «Parce que je suis juste là pour me faire photographier», répond-il en esquissant un vague sourire. Il sort de l'hôpital, où, confiera-t-il plus tard, il s'est fait faire une liposuccion et il est encore sous l'emprise des antidouleurs… Trump se rend peut-être compte qu'il n'est pas dans son état normal, alors il met fin à la séance photo qui va faire la une des sites Web avant d'être oubliée, puis salue tout le monde et disparaît dans l'ascenseur… Bienvenue à la Trump Tower qui, depuis le 8 novembre 2016, est devenue un cirque.

Cet endroit n'était pas prévu pour devenir l'antichambre de la Maison Blanche. À l'origine, c'était juste une tour avec des bureaux jusqu'au 26e étage, et des appartements privés au-dessus. Quand elle fut inaugurée, le 14 février 1983, c'était un petit événement à Manhattan. Le maire Ed Koch, démocrate bon teint, a fait le déplacement pour faire l'éloge de cet immeuble qu'il n'aime pourtant pas (ni son promoteur). S'il n'est pas un HLM dont beaucoup de New-Yorkais modestes auraient besoin, il est néanmoins «utile» à New York qui a besoin de riches pour payer les taxes… À l'époque, la tour est saluée comme une réussite, même par la critique d'architecture du *New York Times*, c'est dire. C'est l'une des adresses les plus luxueuses de la ville. Et un pari énorme pour Donald Trump, qui, bien qu'héritier, a dû s'endetter lourdement pour financer l'essentiel de ce projet à 200 millions de dollars. «C'est le premier bâtiment qu'il a construit de toutes pièces, le plus réussi aussi», nous dit Barbara Res, qui a supervisé les travaux, et qui, depuis, s'est brouillée avec son ex-patron. «La construction était rendue compliquée par la façade en forme en zigzags anguleux, poursuit-elle. À l'époque, c'était un projet unique, avec des petites boutiques au rez-de-chaussée, alors que d'habitude, il faut un grand magasin pour attirer la clientèle.»

Le bâtiment attire alors les célébrités du monde entier: Sophia Loren, Steven Spielberg, Paul Anka, Bruce Willis ou encore la star de la télé américaine Johnny Carson achètent des appartements pour des montants records pour l'époque, «jusqu'à 12 millions», note Steve Cuozzo, l'ex-patron du *New York Post*, spécialiste de l'immobilier dans la Grosse Pomme. Dans les années 80, la tour figure dans les guides touristiques qui célèbrent le grand hall et ses boutiques de luxe, «vitrine du rêve américain». Trump dit que sa tour est un bon baromètre de l'état du monde. Quand il y a un problème dans un pays, ses riches ressortissants débarquent chez lui. Les Moyen-Orientaux, puis les Mexicains affluent. Des exilés fiscaux français achètent aussi, effrayés par François Mitterrand, ce président «très dangereux» car il est non seulement socialiste mais il «vend au plus offrant de la technologie nucléaire», écrit Trump, déjà très en verve, dans *The Art of the Deal* («L'Art de la négociation»), son autobiographie écrite avec Tony Scharwtz parue en 1987. Le futur patron de la Maison Blanche vend aussi beaucoup aux Japonais, tout en s'en plaignant, «parce qu'ils ne rient jamais».

Trump, on le sait aujourd'hui, est un maître de la promotion. La tour compte officiellement 68 étages, alors qu'elle n'en a en réalité que 58 : le promoteur n'a pas pu s'empêcher d'exagérer et d'en rajouter 10, car plus c'est haut, mieux c'est, commercialement parlant. Il a mis au point une «stratégie marketing inversée» : au lieu de forcer les investisseurs à signer, il les fait lanterner. «Plus la file d'attente s'allongeait, plus j'augmentais les prix : j'ai pu le faire douze fois», écrit-il dans son livre. Il s'amuse enfin à faire courir la rumeur – infondée, mais excellente pour les ventes – que le prince Charles, fraîchement marié avec Diana, va acheter un appartement chez lui. Bref, il a très tôt compris l'intérêt de manipuler les médias, faire courir les fausses rumeurs, ancêtres des *fake news*. Et ça marche, comme en 2016 pendant la campagne électorale : la tour rapporte beaucoup d'argent – 300 millions de dollars selon Steve Cuozzo, ce qui, à l'époque, est un record.

La tour est connue pour attirer des investisseurs pas toujours recommandables, comme le marchand d'art Helly Nahmad qui a dû faire de la prison à cause d'une sombre affaire de réseau illégal de jeu d'argent, l'ancien dictateur Jean-Claude Duvalier, Vadim Trincher, un ancien champion russe de poker lié à la mafia et condamné à cinq ans de détention, ou encore Steven Hoffenberg, qui a passé dix-huit ans derrière les barreaux pour escroquerie financière, aujourd'hui supporter trumpiste de la première heure…, mais tant qu'ils paient, Trump les accepte bien volontiers, sans discrimination, quel que soit leur casier judiciaire…

Pour lui, peu importe le nom des occupants. Cette tour a fait de lui un homme riche. Surtout, elle lui a permis de s'émanciper de son père, qui s'était un nom dans le Queens, quartier modeste, mais s'était tenu à l'écart de Manhattan, le cœur de la ville de New York. Grâce à sa tour, le jeune

Donald s'est offert un ticket d'entrée dans la cour des grands de la promotion immobilière. En 1983, il remarque, dans le *New York Times* : «Il est rare que les fils réussissent mieux que leur père[1].»

Son nom s'étale sur la 5ᵉ Avenue, et la Trump Tower est devenue un des lieux saints du trumpisme. Il est tellement fier de sa tour qu'il lui a consacré un chapitre entier de près de cinquante pages dans son best-seller, *The Art of the Deal*, désormais la bible des trumpistes. L'immeuble est l'emblème de sa gloire. Il y travaille au 26ᵉ étage, dans une pièce remplie de photos de lui en une de magazines, dont certaines sont imaginaires… Cette salle n'a pas changé depuis son départ à la Maison Blanche : elle a été «sanctuarisée» par ses deux fils Eric et Donald qui ont pris les rênes de l'empire immobilier. Lors de leur première interview après la victoire de leur père, ils déclarent benoîtement espérer «que tout ce qui se trouve dans cette pièce sera un jour transféré dans sa bibliothèque présidentielle[2]», institution traditionnellement créée par chaque président des États-Unis après son départ de la Maison Blanche. Donald Trump vient à peine d'y entrer mais ses fils pensent déjà à la postérité du nom…

Cette tour, c'est sa chose, son bébé. Les murs ne lui appartiennent pas mais son fantôme rôde partout, à tous les étages. Il habite dans un triplex situé au sommet. Rempli de dorures et de marbre, ce petit palais imitation Louis XIV figure parmi les appartements les plus chers de New York. Le personnel utiliserait des patins pour éviter de rayer le sol. Dans un éclair de lucidité, le milliardaire a confié dans son livre : «Je n'ai aucun besoin de vivre dans un salon de vingt-quatre mètres de long, mais le simple fait d'en posséder un me procure un

---

1. https://www.nytimes.com/1983/08/07/business/the-empire-and-ego-of-donald-trump.htm.
2. https://www.google.com/amp/s/www.nytimes.com/2017/02/12/us/politics/eric-trump-donald-trump-jr.amp.html.

immense bonheur.» À chacun ses plaisirs. Il y aurait chez lui une fontaine avec des angelots, au bord de laquelle Michael Jackson, quand il louait un appartement deux étages plus bas pour plus de 100 000 dollars par mois, adorait passer des heures pour trouver l'inspiration en regardant la vue panoramique. Le *king of pop* était un ami du *tycoon*, qui lui laissait entrouverte la porte d'entrée de son appartement pour lui permettre de s'y rendre à toute heure de la journée…

Aujourd'hui, les choses ont bien changé. Située dans la partie «basse» (Midtown) de la 5ᵉ Avenue, c'est-à-dire pas la meilleure, ceux qui y achètent un appartement pour plusieurs millions de dollars le font surtout pour la perspective de plus-value, pas forcément pour y vivre. Le grand hall semble démodé avec ses escalators dorés et son marbre rose dans l'atrium. Il ne reste plus qu'une marque de luxe : la boutique Gucci, et encore, l'entrée principale de la boutique donne directement sur la 5ᵉ Avenue, sans communiquer sur le reste de la tour. Les autres enseignes, c'est Starbucks (sur la mezzanine), le Trump Bar, un lounge qui ne paie pas de mine mais où les cocktails sont hors de prix, le Trump Grill, où trône le portrait de Fred, le père de Donald, mais qui n'a rien d'un restaurant étoilé… Pour un New-Yorkais, habiter dans cet endroit, c'est le summum du ringardisme. Depuis que son promoteur est devenu président des États-Unis, l'endroit est carrément devenu une tour infernale.

Les appartements en vente ou à louer ont du mal à trouver preneur. La 56ᵉ Rue, où se trouve l'entrée des résidents, a été bloquée à la circulation. C'est devenu Fort Knox. Juste après l'élection, on a vu une milliardaire indienne, propriétaire dans l'immeuble, piquer une crise parce qu'elle devait attendre dix minutes sous la pluie, le temps que le futur président quitte les lieux…

Guido Lombardi en rigole. Cet entrepreneur de l'immobilier est l'un des plus anciens résidents. Il habite depuis plus de vingt ans au 63ᵉ étage, avec sa femme Gianna, vice-présidente du syndic de copropriété de la tour. Il connaît bien le président élu. Le soir de son élection, il organisait une fête chez sa voisine de palier, une Russe, avec une soixantaine de personnes. «Donald nous avait promis de venir mais les agents du service secret s'y sont opposés car nous n'avions pas été passés au détecteur de métaux[1]», regrette-t-il.

Entre novembre et janvier 2017, tout a changé dans la Trump Tower. L'Amérique profonde afflue. Les électeurs de Trump veulent voir à quoi cette tour ressemble vraiment. À nouveau, la Trump Tower se retrouve citée dans les guides (en tout cas ceux que lisent les trumpistes). Fin novembre dernier, Eileen, retraitée du Maryland, a une bonne surprise, en allant, comme chaque année, fêter son anniversaire au Trump Grill, le restaurant situé dans l'atrium. Elle se retrouve assise à côté de… Donald Junior, le fils aîné du nouveau président, venu déjeuner là avec sa femme Vanessa (dont il est aujourd'hui en instance de divorce) et Tristan, 5 ans, l'un de leur fils qui, dit-elle, a commandé du saumon, ce qu'elle a trouvé extraordinaire. «À cet âge, c'est incroyable, il doit déjà avoir un palais très raffiné», s'enthousiasme-t-elle, charmée par ce petit Lord Fauntleroy «si bien élevé» en chemise Oxford. À quelques mètres d'elle, est assis un autre Trump : Eric, le cadet, aux côtés d'un invité avec lequel il semble «causer business». Autour d'eux, s'affairent des bodyguards à oreillette, postés entre les tables, immobiles et aux aguets, tandis qu'à quelques mètres le «Naked Cowboy» fait le pitre. Robert John Burke, de son vrai nom, chante la sérénade en slip et en chapeau tout en faisant rouler ses muscles. Autrefois basé à Times Square, pas très loin, ce trumpiste patenté a, depuis l'élection, migré à la tour, «car il y a plus d'ambiance», nous dit-il.

Pendant ce temps-là, dans les étages supérieurs, Trump réfléchit à la formation son gouvernement. À sa façon…

---

1. Entretien avec l'auteur, décembre 2017.

Les «demandeurs d'emploi» dans le futur gouvernement se succèdent. Comme dans le show de téléréalité «The Apprentice», ils doivent défiler devant les caméras de télé, avant et après leur rendez-vous avec le boss, ce qui peut paraître un tantinet humiliant. Mais pour Trump, les apparences comptent. Entre eux, les candidats appellent ce défilé le *perp walk* : la parade du suspect, que les policiers font défiler devant les caméras et photographes pour lui ôter toute envie de recommencer le crime dont il est soupçonné... Une méthode très américaine, et parfaitement inhumaine, surtout quand le suspect en question est finalement déclaré innocent au terme du procès... Ce procédé est original : aussi bien George W. Bush que Barack Obama se contentaient de voir personnellement les finalistes à un poste à pourvoir. Ils n'avaient pas besoin de les faire défiler devant les médias.

Une fois au 26ᵉ étage, les candidats attendent leur tour, parfois longtemps. Sean Spicer, membre de l'équipe de transition, me confie que «les rendez-vous ont lieu dans le bureau de Donald Trump, généralement en présence de Reince Priebus (son *chief of staff*) et Steve Bannon (son conseiller spécial)». Le futur président s'appuie aussi sur l'avis de sa fille Ivanka et son mari Jared Kushner, lequel est parfois présent aux auditions, qui prennent généralement la forme d'une conversation à bâtons rompus. Robert Johnson, le fondateur de Black Entertainment Television, une chaîne de télévision, témoigne[1] : «Il a commencé l'entretien en me demandant si je pensais qu'il allait gagner. J'ai répondu non. Ça l'a fait sourire. Puis, sans fioritures, il m'a très vite demandé si ça m'intéressait de rejoindre le gouvernement[2].» Certains font preuve de créativité, comme Sonny Perdue, l'ancien

---

1. S'adressant prioritairement à un public afro-américain. Robert Johnson a rencontré Trump à son club de golf de Bedminster dans le New Jersey.
2. https://apnews.com/657f18f078994225a9fd78ae9c5ae9f7.

gouverneur de Géorgie, venu avec une cravate estampillée de motifs de tracteurs pour postuler à la tête du ministère de l'Agriculture, qu'il a obtenu…

Pendant toute cette période de transition entre l'élection et l'investiture, Trump semble tâtonner. Il a encore la tête dans la campagne. Son premier réflexe est d'aller remercier ses électeurs, de repartir sur le terrain, d'organiser à nouveau des meetings, une tournée appelée *Thank you tour*. Confronté à la fronde de ses conseillers unanimes, il recule. Pendant quinze jours, il s'enferme dans sa tour, sans sortir. Le 15 novembre, il s'offre sa première sortie en catimini au restaurant Club 21, où le nom de son père est inscrit sur une plaque dorée. Deux jours plus tard, il quitte enfin New York et part à la campagne pour le week-end, à Bedminster, son domaine du New Jersey où il a créé un golf privé pour clientèle très huppée…

Au début, on croit que Trump va rentrer dans le rang. Il fait venir les caméras de l'émission « 60 Minutes » dans son penthouse. À l'occasion de sa première interview post-victoire, il tient un discours étonnamment conciliant. Il semble ouvert à tous les compromis, y compris sur la construction du mur. Lui qui avait promis d'envoyer Hillary Clinton en prison dit désormais avoir mieux à faire. Mais très vite, quand il reçoit le Premier ministre japonais Shinzo Abe dans le même penthouse, en présence de sa fille Ivanka, alors qu'il n'est même pas encore installé dans le Bureau Ovale, ce qui est parfaitement contraire à la tradition, on comprend qu'il ne sera pas un président comme les autres.

Cette période de transition qui dure soixante-treize jours entre l'ancien et le nouveau président est cruciale : c'est le moment où les premières nominations importantes sont annoncées, l'heure où se font les grandes décisions qui donneront le ton du mandat qui commence.

Rien n'est préparé. Contrairement à Hillary Clinton qui se vantera plus tard disposer d'un « plan d'action » très au point pour gérer cette période[1], Trump n'a pas voulu en entendre parler. Question de karma. Il ne voulait pas vendre la peau de l'ours… Durant la campagne, il a confié à Chris Christie, gouverneur du New Jersey, le soin de s'occuper de la transition, sans trop y croire. La loi américaine oblige les candidats investis par leur parti à nommer quelqu'un pour gérer cette période très en amont pendant la campagne. Christie, après avoir été un très proche, n'est plus en odeur de sainteté. Il a face à lui Jared Kushner, qui, selon la rumeur, lui en voudrait toujours d'avoir envoyé en prison son père Charlie Kushner pour financement politique illégal. Pressenti pour être colistier à la vice-présidence, Christie a de surcroît brillé par son absence au moment où Trump était au fond du trou, après la diffusion de la fameuse vidéo *Grab them by the pussy* par le *Washington Post*. Juste après l'élection, il commet l'erreur de fanfaronner sur les chaînes de télé aux émissions matinales, comme au «Today Show» de NBC, le 10 novembre, où on lui demande s'il est intéressé par le poste de *chief of staff* du président… Chris Christie est donc viré sans ménagement le 11 novembre[2] et remplacé par Mike Pence, le vice-président. Ce qui veut dire que, pour la transition, il faut recommencer de zéro.

«On a tout de suite vu que ça partait mal[3]», commente aujourd'hui un observateur qui a suivi de près la transition. Trump a ses candidats en tête pour les postes clés, et ne veut rien entendre. Il cherche avant tout à placer Mike Flynn à la tête du Conseil national de sécurité, contre l'avis de tout

---

1. Hillary Clinton, *What Happened*, Simon & Schuster, 2017, trad. française : *Ça s'est passé comme ça*, Fayard, 2017.
2. http://www.politico.com/blogs/donald-trump-administration/2016/11/lobbyists-leave-trump-transition-team-ethics-rule-231641.
3. https://www.washingtonpost.com/politics/it-went-off-the-rails-almost-immediately-how-trumps-messy-transition-led-to-a-chaotic-presidency/2017/04/03/170ec2e8-0a96-11e7-b77c-0047d15a24e0_story.html?utm_term=.4bfb15c87253.

le monde à cause du profil et des liens troubles de l'intéressé avec les Russes. Le président élu finit par l'imposer, et va le payer très cher.

Il commet aussi une grosse erreur le 13 novembre, le jour où il annonce la nomination de Reince Priebus *chief of staff* et Steve Bannon conseiller spécial et stratège en chef. Les deux hommes sont placés au même niveau hiérarchique. « À ce moment-là, on a compris que la Maison Blanche allait devenir conflictuelle, avec la bénédiction du président », explique Martha Joynt Kumar, directrice du White House Transition Project, un projet non partisan qui vise à faciliter la transition entre l'ancienne et la nouvelle administration. Ce « service public » a été mis en place par une loi votée sous Obama en 2015 (la Presidential Transitions Improvements Act), mais il a été d'emblée mis de côté par Trump, qui voit d'un mauvais œil tout ce qui vient de son prédécesseur.

Il préfère diriger la transition en petit comité, avec Mike Pence et sa famille. Avec un mot d'ordre très clair : les *never trumpers* qui se sont opposés à lui pendant la campagne sont bannis. Bon nombre d'entre eux font néanmoins acte de candidature pour aider la nouvelle administration : ils sont taxés de *losers*, perdants. Ce qui réduit considérablement le champ des candidats valables. L'heure est à la vengeance. Or il faut pourvoir les 4 000 postes recensés dans le *Plum Book*, ce livre de couleur mauve qui sert de règlement à suivre pour sélectionner les CV des dirigeants d'agences fédérales. L'attitude de Trump engendre de gros retard dans les nominations, au département d'État en particulier, ce qui ralentira considérablement l'action gouvernementale tout au long de la première année de son mandat.

Mais à la fin de la transition, il est à des années-lumière de ces considérations bureaucratiques. Le 18 janvier, avant-veille de son investiture, il fait un aller-retour à Washington, pour un dîner en l'honneur de Mike Pence. Ce soir-là, il aurait très bien pu rester dans la capitale, mais il préfère rentrer vers minuit à New York, pour y passer sa dernière nuit dans sa tour fétiche, et repartir le lendemain, cette fois pour de bon, dans le sens inverse. De toute évidence, il n'a pas envie de quitter sa tour. Pour lui, c'est la «fin de l'innocence», pour reprendre l'expression d'Emmanuel Macron. Et le début des ennuis…

Pour tout président élu, ils commencent véritablement la veille de l'investiture, en fin de journée. C'est là où, traditionnellement, le futur *commander in chief* est briefé sur la façon d'utiliser les codes nucléaires contenus dans la mallette en cuir appelée «the football» qui va le suivre partout. Le poids de la charge présidentielle commence alors à prendre toute sa signification, avec ce qu'elle signifie en nombre de vies humaines… Donald Trump n'a pas échappé à ce moment de solitude que tous ses prédécesseurs ont connu. Le 19 janvier 2017, il se retrouve en tête à tête avec le chef d'état-major des armées, Joseph Dunford, accompagné de son chef de cabinet, Reince Priebus. Ce dernier a raconté ce moment saisissant au journaliste Chris Whipple : «Le président élu m'a regardé et a lâché : *"Wow. This is big stuff*[1]" («Wow, c'est du sérieux»). »

---

1. *The Gatekeepers*, Broadway Books, 2017.

4

Trump contre Washington

Investiture, 20 janvier 2017

C'est l'acte fondateur de la présidence Trump : quelques minutes après sa prestation de serment, ce vendredi 20 janvier 2017, il fait poser des rideaux dorés dans le Bureau Ovale. L'or est sa couleur fétiche, sa marque de fabrique. Il a promis d'enrichir l'Amérique, il faut donc que cela se voie. Plus tard dans la journée, juste après la parade, Donald Trump s'est installé derrière le Resolute Desk, le bureau présidentiel, pour signer trois décrets. Le premier confirme le général James Mattis secrétaire à la Défense, le second place le général John Kelly à la tête du Homeland Department (l'équivalent du ministère de l'Intérieur), et le troisième entérine le début de la fin d'Obamacare, l'assurance-maladie mise en place par son prédécesseur. Trump montre ainsi qu'il est au travail dès son premier jour à la Maison Blanche, comme il l'avait promis. Il est entouré de sa garde rapprochée : son gendre Jared Kushner, ses conseillères Kellyanne Conway et Hope Hicks, son vice-président Mike Pence, son *chief of staff* Reince Priebus. Dans le Bureau Ovale, il a remis le buste de Winston Churchill que Barack Obama avait relégué au placard, et changé les canapés. À peine installé, il a pris soin de marquer son territoire. Avec une obsession :

45

d'urgence en finir avec le fantôme de ce prédécesseur qui s'obstine encore à lui voler la vedette.

Les cérémonies de l'investiture ont commencé la veille, le lundi 19 avril. À 12 h 05, Donald Trump atterrit sur le tarmac de la base aérienne d'Andrews, l'aéroport des présidents, à proximité de Washington. C'est la première fois qu'on le voit faire un salut militaire aux soldats au garde-à-vous. Comme le veut la tradition, il va au cimetière d'Arlington pour y déposer une gerbe, puis se rend chez lui, dans son hôtel, situé sur la Pennsylvania Avenue, comme la Maison Blanche, où un grand banquet VIP l'attend. À 16 heures, il met le cap sur le Lincoln Memorial pour une *welcome celebration*, une cérémonie de bienvenue. Beaucoup, à Washington, s'étranglent en le voyant marcher main dans la main avec Melania sur les marches de ce monument, dominé par l'immense statue de son prédécesseur, l'ancien président mythique des États-Unis, Abraham Lincoln, l'homme qui a aboli l'esclavage. Image saisissante, destinée à légitimer sa présidence, contestée par beaucoup d'élus démocrates qui ont décidé de boycotter la cérémonie d'investiture.

Deux heures durant, Trump offre un show à la mise en scène parfaite, avec écrans géants et éclairages sophistiqués, mais avec des artistes de série B, toutes les grandes stars américaines pressenties s'étant désistées. Dans le public, l'ambiance est morne, loin de l'excitation des grands meetings de sa campagne. Malgré le temps clément pour un mois de janvier, la foule est beaucoup moins nombreuse que pour Obama en 2009. À Washington, où il n'a recueilli que 4 % des voix (contre 90,9 % pour Hillary), Trump arrive en terre hostile.

Mais le nouveau président n'en a cure. « *I love you !* », lance-t-il à la foule. « On s'est dit qu'on allait organiser un petit concert, peut-être sur les marches du Lincoln Memorial. Je ne sais pas si ça a été déjà fait, mais si oui, c'est arrivé très rarement. Et puis vous êtes venus, par milliers. » Et d'ajouter : « Dans le dernier mois de la campagne, les sondages ne nous donnaient pas gagnants, mais ils oubliaient beaucoup de monde. Je vous le garantis, aujourd'hui, vous n'êtes plus oubliés. » Un feu d'artifice vient conclure les festivités. Donald Trump, entouré de toute sa famille, pose longuement en haut des marches. Il se recueille quelques minutes devant la statue d'Abraham Lincoln. Moment d'émotion, filmé en gros plan, face à l'esplanade. L'image est parfaite. Le Trump Show ne fait que commencer.

Pendant ce temps-là, la Maison Blanche se vide. Il est 18 heures quand l'officier de garde chargé de surveiller l'entrée de la West Wing quitte sa guérite, signe que le futur ex-président a quitté les lieux. Les agents des services secrets ont autorisé les journalistes à prendre des photos des couloirs et des bureaux vides. On dirait une maison fantôme. Les photos souvenirs du président et de la Première dame en voyage officiel ont disparu des murs. Le site Web de la présidence affiche, pour quelques heures encore, une photo d'Obama seul marchant sur la pelouse sud, en train de rejoindre le Bureau Ovale, avec son dernier slogan : « *Yes, we did. Yes, we can* » (« Oui on l'a fait. Oui on peut »). Ce n'est pas l'image de Giscard d'Estaing disant un au revoir aux Français sur le mode dépouillé « après moi le déluge » à la suite de sa défaite face à François Mitterrand, mais ça n'en est pas loin…

À quelques pâtés de maison, dans la soirée, les esprits s'échauffent au National Press Club sur la 20ᵉ Rue, qui abrite le DeploraBall : le bal des « déplorables », qualificatif utilisé par Hillary Clinton pendant la campagne pour désigner les supporters de Trump, qui en ont fait leur cri de ralliement. À l'intérieur, les orateurs se succèdent à la tribune pour prononcer des discours au lance-flammes contre « l'élite » et les médias. À l'extérieur, les antitrumpistes manifestent. « Ce sont des fascistes », accuse un des participants à cette fête qui réunit plusieurs milliers de militants trumpistes *hard core*, comme Martin Shkreli, *alias* l'homme «le plus détesté des États-Unis», connu pour avoir augmenté de 7 000 % le prix d'un médicament qu'il vend sur son site de biotechnologie. Il a depuis écopé d'une peine de prison ferme pour fraude sur les valeurs mobilières. Mais ce soir-là, il parade, sourire aux lèvres, donnant des interviews aux médias de droite qui lui veulent du bien. Pour tous ces supporters, la victoire a un goût de revanche. Diplômé de la prestigieuse université de Stanford, Jeff Giesea est un jeune entrepreneur qui connaît bien le milliardaire Peter Thiel, fondateur de PayPal, grand soutien du nouveau président. Le libertaire dans l'âme n'était pas particulièrement engagé en politique avant de tomber sous le charme de Donald Trump. C'est lui qui, la veille de l'investiture de son héros, a organisé ce DeploraBall : «Beaucoup d'entre nous ont souffert d'ostracisme, confie Jeff, qui se souvient avoir été "bloqué sur Facebook ou exclu de dîners"». Aujourd'hui, il a l'intention de dynamiter le parti républicain : «Nous voulons créer un nouveau type de militant et doter le courant trumpiste de structures institutionnelles.» Francophile, il me confie avoir «découvert l'importance du contrôle aux frontières lors d'un récent voyage en France, en pleine crise des réfugiés». Et rêve de rencontrer Marine Le Pen. «Nous sommes prêts à la soutenir. Ce serait formidable si une femme représentait le mouvement.» Jeff se dit adepte de la rupture représentée par Trump. «Les soixante-huitards se croient alternatifs, mais les nouveaux bourgeois, ce sont eux», accuse-t-il. Un autre invité du DeploraBall qualifie même Donald Trump de «président punk rock»…

Au même moment, pourtant, le ton n'est ni punk ni rock dans le magnifique hall de la gare Union Station, dont les hauts plafonds voûtés et richement décorés ont été récemment rénovés. Trump a convié quelques centaines de *happy few*, grands donateurs de sa campagne et du parti républicain, pour une «soirée aux chandelles», avec smoking et robe longue. Il rend hommage à ses proches, à commencer par Jared Kushner, dont il dit que «s'il n'arrive pas à résoudre le conflit au Moyen-Orient, alors personne ne pourra». Vaste défi… Il fait monter sur scène son ex-directrice de campagne Kellyanne Conway, qui fait des courbettes… Le champagne coule à flots, les millionnaires se frottent les mains.

Mardi 20 janvier, 9 h 30, jour J : Donald et Melania Trump arrivent sous le portique nord de la Maison Blanche, où l'attendent Barack et Michelle Obama. Conformément à la tradition, l'ancien président part en laissant une lettre à l'intention à son successeur. Cette missive, révélée sept mois plus tard, est d'une remarquable froideur. D'habitude, le sortant appelle l'entrant par son prénom[1]. Pas Obama, qui commence la lettre par «Dear Mr President», puis se lance dans une leçon de démocratie et de gouvernance :

> «Le leadership sur le monde est vraiment indispensable, écrit-il. Il nous appartient, par nos actes et par l'exemple que nous donnons, de soutenir l'ordre international qui s'est mis en place depuis la fin de la guerre froide, et dont notre prospérité et notre sécurité dépendent. Nous ne sommes que des occupants temporaires de ce bureau. Cela fait de nous les gardiens des institutions et des traditions démocratiques – tel que l'État de droit, la séparation des pouvoirs, la protection pour tous et les libertés publiques. Quelles que soient les tensions politiques au jour le jour, il nous appartient de laisser ces instruments de notre démocratie au moins aussi solides que l'état dans lequel nous les avons trouvés.»

---

1. George H.W. Bush a donné du «Dear Bill» à son successeur Bill Clinton, qui venait pourtant de le défaire lors d'une campagne très rude. Clinton a donné du «Dear George» à George W. Bush, qui lui-même a donné du «Dear Barack» à son successeur à l'issue d'une phase de transition qui, de l'aveu des Obama, s'est déroulée dans une ambiance des plus courtoises.

Qu'en termes choisis ces choses-là sont dites. Sous couvert de «donner quelques conseils», Obama croit pouvoir mettre en garde son successeur qu'il soupçonne de s'attaquer aux plus vulnérables, promouvoir l'isolationnisme et faire peu de cas des règles de base de la démocratie américaine... Nul doute que le message n'a pas été du goût de l'intéressé, lequel ne s'en est néanmoins pas plaint – du moins publiquement.

Les deux hommes partagent ensuite la même limousine pour remonter en grande pompe la Pennsylvania Avenue jusqu'au Capitole pour la cérémonie d'investiture. Après avoir prêté serment à midi exactement, Trump fait du Trump, sans fioriture : son premier discours de président, résolument populiste, ne dure que seize minutes. C'est l'une des allocutions d'investiture les plus courtes de l'histoire des États-Unis. Il promet de «redonner le pouvoir au peuple» et lance : «À partir de maintenant, c'est l'Amérique d'abord.» Il a de la chance : quand il commence à parler, la pluie fine s'arrête. Michelle Obama, juste derrière lui, ne cache pas son exaspération.

Trump n'a pas un mot pour Hillary Clinton, pourtant présente, à quelques mètres de lui, en tant qu'ancienne First Lady. Il se rattrape un peu plus tard à la fin du déjeuner parlementaire au Congrès qui se tient juste après la cérémonie, où il affirme avoir un «profond respect» pour les Clinton. Les deux anciens adversaires s'échangent une poignée de main glaciale : Trump adresse à son ex-rivale quelques mots, puis se détourne sans attendre sa réponse...

À ce moment-là, à la Maison Blanche, les déménageurs s'activent. Ils ont commencé à midi précis, au moment du serment du nouveau président. Dans la résidence présidentielle, c'est un «ballet incroyable, un chaos organisé», me confie un témoin. Les matelas des lits sont changés. Les cartons étiquetés de la famille présidentielle entrante sont ouverts, les effets personnels sont placés là où il faut, chambre par chambre, puis l'armée de fleuristes débarque pour accueillir toute la famille Trump qui va passer la première nuit à la Maison Blanche. Les employés de la Maison Blanche, dont les plus anciens ont commencé leur service sous Reagan, gèrent ce manège avec l'expérience des vieilles troupes. Mon interlocuteur se souvient avoir vu quand même « quelques larmes couler ». Visiblement, au sein de certains membres du personnel, nostalgiques des Obama, l'arrivée du nouvel occupant provoque tristesse et inquiétude…

Pendant ce temps, Trump défile seul avec Melania, sur la Pennsylvania Avenue dans « The Beast », la limousine présidentielle, entourée de véhicules de sécurité et d'une multitude de Harley Davidson pilotées par des officiers en grande tenue. L'image, classique, repasse en boucle tous les quatre ans, vers la fin du mois de janvier, à l'occasion de cette parade qui se tient après chaque élection depuis 1801. La seule tête qui change, c'est celle du président et de la First Lady. Sauf que Trump n'est pas un président comme un autre, et surtout, son nom s'étale déjà en lettres dorées sur la Pennsylavnia Avenue, au fronton de son hôtel, le Trump International Hotel, situé dans un magnifique bâtiment à clocher construit à la XIXᵉ siècle pour abriter la grande poste centrale de la capitale. En arrivant à hauteur du bâtiment, il fait arrêter son escorte pour sortir de sa voiture et faire quelques pas avec Melania, devant les cameramen et photographes massés sur une estrade, qui immortalisent ce président-hôtelier, devant son palace, en route vers son nouveau domicile. La photo symbolique heurtera de nombreux détracteurs. L'un d'eux, David Frum, prix Pulitzer 2001, auteur de *Trumpocracy* (paru en janvier 2018 chez Harper Collins), y voit un évident conflit d'intérêts entre un homme qui utilise allègrement sa fonction de chef de l'État pour promouvoir sa marque… Ce qui me frappe aussi à ce moment-là, c'est le manque d'enthousiasme. Il m'a fallu vingt petites minutes pour passer les portiques de sécurité installés en bordure de l'avenue. Huit ans auparavant, pour Obama, au même endroit, la file d'attente était si longue que j'avais dû renoncer… Cette fois, le seul qui ait l'air content, c'est Tom Barrack, ami de Trump et organisateur des festivités. Assis à l'arrière d'une voiture suiveuse, il salue la foule, la vitre baissée, avec un grand sourire aux lèvres… Il est bien le seul.

Triste sacre !

Pour Roger Stone, ce n'est pas surprenant. Cet ami de Trump de quarante ans, ancien conseiller de Richard Nixon, est arrivé à la cérémonie d'investiture en chapeau haut de forme, redingote et lunettes à la Harry Potter, un style qui détonne dans la grisaille de la capitale. Il a tweeté sa photo avec la mention #dandy sur son site @stoneonstyle. Stone est un original qui cultive sa différence en assurant la «correspondance mode» du site Web d'extrême droite Daily Caller. Il me confie avoir mis Trump en garde dès son élection : «La pire erreur serait de céder aux lèche-cul de Washington.» Ici, le nouveau président est entouré d'ennemis. Y compris au siège de la CIA, où il se rend dès le lendemain de sa prise de fonction. Roger Stone est déjà convaincu que le fameux «dossier confidentiel» sur la vidéo sulfureuse de Trump en galante compagnie dans un hôtel de Moscou est une «manœuvre typique des services de renseignements américains, plus soucieux de préserver leurs intérêts que de servir le président des États-Unis». Son analyse est manifestement partagée par beaucoup dans les rangs de la droite trumpiste. Elle préfigure les attaques contre l'enquête russe de Robert Mueller, le procureur indépendant, qui sera bientôt qualifiée sans relâche de «chasse aux sorcières» par Trump lui-même.

Avec Trump, c'est une nouvelle Amérique qui débarque, encore étonnée de sa victoire, à Washington. «Lui-même était préparé à perdre», poursuit Roger Stone, l'un des rares, dans l'entourage du président, à reconnaître qu'il a été aidé par la décision du FBI, à dix jours du scrutin, de rouvrir l'enquête sur les mails d'Hillary Clinton. «Dans le Michigan, six jours avant l'élection, les sondages nous mettaient à 9 points derrière elle. Puis nous avons vu les courbes s'inverser. Sans le FBI, nous aurions peut-être gagné, mais ça aurait été difficile.» Trump aurait-il donc eu de la chance? Roger Stone n'est pas d'accord: «Ce qui l'a sauvé, c'est le dernier mois de sa campagne. Je ne l'ai jamais vu comme ça. Il enchaînait cinq meetings par jour. En général, Trump dit: "Je ne suis pas un gros bosseur, mais je travaille intelligemment." Sauf que là, il a réalisé une performance physique incroyable. Grâce à son sondeur en chef, Tony Fabrizio, il a très bien senti le vent tourner dans les États ouvriers où la colère était palpable, et il y est allé pour arracher les voix avec les dents.»

Selon Roger Stone, Alex Jones est l'un de ceux que Trump a remerciés en premier, juste après son élection. Ce Texan est le fondateur du site d'information Infowars. Pour beaucoup à Washington (et dans le reste du pays), Alex Jones est le diable en personne, un adepte de la théorie du complot, un danger pour la démocratie, à tel point qu'il a inspiré le sinistre personnage de Brett O'Keefe, un présentateur télé provocateur d'extrême droite, dans *Homeland*, la célèbre série télévisée. Et qu'il a été banni à vie par Apple, Facebook, Twitter, Spotify et YouTube. Selon Alex Jones, la vérité sur le 11 Septembre serait dissimulée par le gouvernement américain: certains «savaient à l'avance» et n'auraient rien fait pour empêcher les attentats. Infowars est un site d'«information alternative», nouveau terme qui fait florès dans la capitale, par opposition à la «presse traditionnelle» (CNN, *The New York Times*), conspuée par l'Amérique de Trump. Une rumeur court: le nouveau président aurait l'intention de donner aux journalistes d'Alex Jones une accréditation dans la salle de presse de la Maison Blanche, qu'il envisage d'ailleurs de délocaliser hors de la West Wing, l'épicentre du pouvoir, pour l'installer dans un immeuble voisin, plus éloigné. L'initiative (qui ne débouchera pas) fait hurler les correspondants en place, mais ravit les trumpistes. «La presse traditionnelle est complètement dépassée, plus personne ne lui fait confiance», insiste Roger Stone, qui se souvient d'un déjeuner en octobre dernier avec Danney Williams. Ce trentenaire métis affirme être le fils caché que Bill Clinton aurait eu avec une prostituée noire à l'époque où il gouvernait l'Arkansas. «La clientèle du restaurant où nous étions était essentiellement afro-américaine, et les gens défilaient à notre table pour demander à Danney un autographe. Ils avaient tous vu ses vidéos sur YouTube, comme des millions de personnes. C'est à partir de ce moment-là que j'ai réalisé que l'électorat noir allait faire défaut à Hillary Clinton et que la Maison Blanche était à portée de main.»

Seulement voilà : «Quand vous faites campagne, le charme est une arme. Quand vous dirigez le pays, ça ne sert plus à rien», affirme le financier Tom Barrack, organisateur des festivités de l'investiture, l'homme qui sourit dans l'escorte. Installé au pouvoir, le nouveau président a promis qu'il allait «nettoyer le marécage» (*drain the swamp*) washingtonien, mais il est surtout obsédé par le procès en légitimité qui lui est fait par ses détracteurs.

Le lendemain de son investiture, Trump découvre, furieux, dans le *Washington Post*, des clichés montrant la foule de la veille qui fait pâle figure par rapport à celle, beaucoup plus nombreuse, d'Obama huit ans plus tôt. Le nouveau maître de la Maison Blanche appelle son *chief of staff* Reince Priebus à 6 heures du matin sur son portable pour lui intimer l'ordre de partir en guerre contre ses propres services administratifs. Ces derniers se sont rendus coupables d'avoir retweeté une photo aérienne qui montre cette vérité que le président ne veut pas voir. Priebus, qui ne connaît pas encore très bien son patron, n'en revient pas. Il tente de le convaincre que c'est un combat inutile et perdu d'avance, rien n'y fait : Trump hurle au téléphone, il veut son démenti[1]. Alors Priebus s'exécute. Il fait interdire aux fonctionnaires de son gouvernement de poster quoi que ce soit... jusqu'à nouvel ordre. Sous pression, Sean Spicer, le porte-parole de la présidence, n'a d'autre choix que de convoquer les médias à la hâte dans la salle de presse de la Maison Blanche l'après-midi même, pour affirmer de manière martiale, et contre toute évidence, que «l'audience de l'investiture [de Trump] a été la plus élevée de tous les temps, point final». La présidence Trump commence : bienvenue dans l'empire du chaos.

---

1. Chris Whipple, *Vanity Fair*, 14 février 2018.

5

L'apprenti président

La blague est tombée à plat. Mais il n'a pas pu s'en empêcher. Ce 2 février 2017, Donald Trump assiste à son premier National Prayer Breakast. Ce petit déjeuner annuel, qui se tient chaque premier jeudi du mois de février, au Hilton de la Connecticut Avenue, épicentre des mondanités washingtoniennes. L'événement est un rite de passage obligé pour tout président des États-Unis, depuis Dwight Eisenhower. Il est organisé par la Fellowship Foundation, fondation chrétienne très puissante dans la capitale. Tous les participants sont des VIP, beaucoup d'entre d'eux sont des élus au Congrès. Ce 2 février 2017, le roi de Jordanie Abdallah II est l'invité d'honneur. En général, les discours ont de la tenue mais celui de Trump détonne. Il remercie les différents orateurs qui se sont succédé avant lui, dont Mark Burnett, le créateur du show de téléréalité « The Apprentice », avec qui il a travaillé pendant quatorze ans. Et depuis quelques semaines, l'émission a été reprise par un « rival » de Trump : Arnold Schwarzenegger. Mais l'ancien gouverneur de Californie a du mal à séduire les téléspectateurs. Trump, tout président qu'il est, s'en réjouit : « Prions, si vous le voulez bien, pour les audiences d'Arnold. » Rires gênés dans le public qui n'en revient pas. Ce genre d'humour passe mal auprès des éminences de Washington. Pendant ce temps-là, depuis son pupitre, Trump s'esclaffe…

Il n'est intronisé que depuis douze jours et semble encore avoir du mal à y croire. Sa tête est ailleurs. Dans la campagne. Dans ses succès passés, ceux de «The Apprentice», où il est devenu une star de la télé. Il est le premier à le reconnaître : sans ce show, il aurait été bien incapable d'accéder à la Maison Blanche. L'homme à qui il doit cette improbable promotion s'appelle donc Mark Burnett, l'orateur du National Prayer Breakfast. Cet Anglais venu de nulle part est arrivé à Los Angeles avec rien en poche, mais beaucoup d'idées. Après avoir vendu des tee-shirts à 18 dollars à Venice Beach, il s'est fait remarquer par des studios de télé. En 1999, il lance un concept qui va faire fureur : le show de téléréalité «Survivor». Fortune faite, Mark Burnett a un problème : ses enfants vivent à New York et il ne les voit pas grandir, car les tournages ont lieu dans des contrées lointaines et exotiques. En contemplant en Amazonie des colonies de fourmis se dévorer entre elles pour une carcasse lui vient une idée lumineuse : et si on remplaçait les insectes par des hommes en train de se battre pour un job ? Le concept de «The Apprentice» est né. New York, après tout, n'est-elle pas une jungle urbaine ? Et qui mieux que Donald Trump pour incarner le roi de cette jungle ? En 2002, en plein tournage dans Central Park, Burnett rencontre Trump qui lui laisse sa carte de visite. Six mois plus tard, Burnett appelle le *tycoon* à son bureau, qui lui répond de passer tout de suite. Trump aime bien «Survivor» mais n'est pas un fan de téléréalité. Pas très chic, entend-il dire. Lui qui aspire à la reconnaissance sociale, que va-t-il faire dans une telle galère ? Tous ses proches – enfants et conseillers – lui déconseillent d'y aller. Mais quand Mark Burnett lui explique le potentiel publicitaire qu'il peut en tirer, Trump n'hésite pas une seconde. Le show, en effet, met en concurrence plusieurs candidats à un poste haut gradé dans son empire immobilier.

C'est un long publireportage pour son nom et sa marque. En une heure, au premier rendez-vous, l'affaire est conclue. « Une décision instinctive, typique de lui », commentent Michael Kranish et Marc Fisher du *Washington Post* dans leur biographie *Trump Revealed* (éd. Scribner).

Au départ, Trump s'implique peu : il ne veut pas consacrer trop de temps à ce show, qu'il voit un peu comme une distraction par rapport à ses affaires. Pour le convaincre de s'engager, Burnett lui a promis que tout se passerait dans la Trump Tower. Pour rencontrer les candidats, le magnat n'a qu'à descendre quelques étages. Mais rapidement, il se prend au jeu : ses répliques, ses dialogues, il ne les travaille pas à l'avance, tout est improvisé, à commencer par la fameuse formule fétiche « *You are fired* ». Les premiers essais sont tellement concluants que les producteurs, qui n'avaient pas prévu de lui accorder beaucoup de temps d'antenne à l'origine, décident de braquer les projecteurs sur lui. Trump devient subitement le personnage principal de l'émission. Il s'y implique désormais totalement. Quand le premier épisode paraît, 28 millions de personnes sont rivées devant le poste. Trump change de statut : de promoteur immobilier milliardaire dans les années 1980 puis ruiné dans la décennie 1990, il renaît sous la forme de star de la télé, un statut qu'il adore. Le photographe français Antoine Verglas, qui l'a connu aux alentours des années 2000 quand il photographiait Melania dans son Boeing pour le magazine *GQ*, pense que « Trump a changé avec "The Apprentice" : il a vu le pouvoir qu'il avait sur les gens et sur les médias[1] ». Finies les unes tapageuses du *New York Post*, le tabloïd qui raconte par le menu ses démêlés avec ses conquêtes féminines : Trump conquiert le cœur de la Middle America, l'Amérique profonde.

---

1. Entretien avec l'auteur, 24 juin 2018.

Le show était initialement prévu pour durer une seule saison avec lui. Mark Burnett et la chaîne de télé NBC qui diffuse l'émission avaient en tête des candidats pour lui succéder, comme Richard Branson par exemple. Mais le public aime et en redemande. En 2008, il faut faire évoluer le concept : « The Apprentice » devient « The Celebrity Apprentice ». Les candidats sont des célébrités plus ou moins avérées. On est dans le mélange des genres total. C'est en gagnant la première saison que, malgré son accent british à couper au couteau, le candidat Piers Morgan, ex-patron du tabloïd anglais *Daily Mirror*, prendra plus tard la succession du show beaucoup plus prestigieux de Larry King de fin de journée sur la très sérieuse chaîne CNN... Piers Morgan croisera ainsi dans ce show Omarosa Manigault Newman, une Black flamboyante qui lui propose d'être sa maîtresse dans le seul but de créer le buzz. Du moins, c'est ce que Piers raconte[1]. Il n'en est pas revenu de s'être fait traiter d'homo après avoir refusé les « avances » de la fougueuse Omarosa, que Trump adore. Car pendant la campagne électorale, elle a été l'une des rares Afro-Américaines à le défendre bec et ongles, notamment après la vidéo compromettante où l'on entend le milliardaire se vanter d'être capable d'attraper les femmes « par la chatte » à cause de ce statut de star que « The Apprentice » lui a permis d'obtenir... En remerciements de ses bons et loyaux services, Omarosa a été nommée directrice de la communication du bureau de liaison publique à la Maison Blanche, un poste prestigieux et très bien payé[2], avant de se faire virer par le général John Kelly dès que ce dernier prit ses fonctions de *chief of staff*... puis de régler ses comptes en publiant son

---

1. http://www.dailymail.co.uk/news/article-5387031/PIERS-MORGAN-did-Trump-hire-Rob-Porter-Omarosa.html.
2. 179 700 dollars par an, soit le maximum dans la fonction publique.

propre brûlot sur son passage à la Maison Blanche[1]… La téléréalité mène à tout à condition d'en sortir, et qui d'autre que Trump l'a mieux compris ?

En 2015, après quatorze saisons et des audiences qui baissent mais toujours élevées, il décide de faire fructifier ce capital télévisuel pour se lancer à la conquête de la présidentielle. Un vieux fantasme dont il parle ouvertement à son ami Mark Burnett, qui a un problème : avec qui, désormais, va-t-il faire son show ? Chez NBC, c'est panique à bord. Après avoir gagné beaucoup d'argent grâce à Trump, il est urgent de prendre ses distances à cause de ses déclarations scandaleuses contre les immigrés mexicains, qualifiés de « violeurs et dealers de drogue » quand il lance sa campagne dans l'atrium de la Trump Tower. Pas question de s'aliéner l'audimat latino. *Exit* Trump. Par qui le remplacer ? Mark Burnett entend dire qu'une autre star adore le show : Arnold Schwarzenegger.

Sur le papier, Terminator a tout pour faire un carton. Lui aussi aime la provocation et les médias : n'a-t-il pas, dans sa jeunesse, parcouru la zone piétonnière de Munich vêtu d'un simple slip pour le bonheur du magazine allemand *Quick* ? Trump, lui, n'a jamais osé descendre en string sur la 5ᵉ Avenue. Mais comme lui, Arnold incarne le rêve américain. Né en Autriche, star du culturisme, roi de Hollywood, puis gouverneur de Californie pendant huit années, la durée maximum permise par la loi locale. Et, en plus, marié à une dynastie américaine, les Kennedy. *Soooo chic.*

Donald et Arnold se connaissent bien. Ils se côtoient de longue date. En 2004, lors de la convention républicaine à New York, Schwarzy s'installe dans un des hôtels Trump pour faire plaisir au milliardaire. Mais pour lui, cette

---

1. Omarosa Manigault Newman, *Unhinged*, Gallery Books, août 2018.

campagne présidentielle 2016 tourne au calvaire. Non seulement il est révulsé par les tirades de son «ami», notamment dans le domaine de la protection de l'environnement dont il est un fervent partisan. Schwarzy est un républicain modéré, à la sauce Kennedy. Mais il est aussi jaloux. Depuis qu'il a quitté son fauteuil de gouverneur, il a tenté un comeback dans le cinéma mais peine à remplir le box-office. «La politique lui manque. Il n'a jamais fait mystère de ses ambitions présidentielles, en privé», me confie le biographe Marc Hujer[1]. Seulement voilà : pour devenir le «leader du monde libre», comme disent les Américains, il faut être né aux États-Unis. Et Terminator, naturalisé en 1983, a vu le jour en Autriche. Il a bien essayé de faire changer la loi, rien n'y a fait. En octobre 2016, il avoue : «Si j'avais pu, je me serais présenté en 2016[2].» Mais les portes de la Maison Blanche lui sont fermées à jamais.

Surtout aujourd'hui. Car, pendant la campagne, Schwarzy a confié qu'il n'avait pas l'intention de voter pour son «ami». Un crime de lèse-majesté impardonnable ! Alors, quand les audiences catastrophiques du premier épisode du «Celebrity Apprentice» sont rendues publiques, Trump s'est lâché : «Wow, Arnold s'est fait démolir!» Et d'ajouter, cruel : «Mais on s'en fiche, il a soutenu Kasich [John Kasich, ancien rival à la primaire républicaine] et Hillary[3]!» Œil pour œil... Schwarzenegger a riposté en citant Lincoln : «Nous ne sommes pas des ennemis. Nous sommes des voisins, des amis. Et surtout des Américains. Travaillons à la grandeur de l'Amérique.» La paix des braves ou un

1. Marc Hujer, *Schwarzenegger, un rêve américain*, Plon, 2009.
2. *Adweek*, «Brand Arnold», 24 octobre 2016, par T. L. Stanley.
3. https://twitter.com/realDonaldTrump/status/817350726800306177?ref_src=twsrc%5Etfw%7Ctwcamp%5Etweetembed%7Ctwterm%5E817350726800306177&ref_url=https%3A%2F%2Few.com%2Ftv%2F2017%2F02%2F03%2Farnold-schwarzenegger-donald-trump-face-smash%2F.

cessez-le-feu? Bienvenue dans la nouvelle ère trumpienne, où «la raison du plus fort est toujours la meilleure».

Et peu importe si les élites de Washington n'ont pas ri à la blague de Donald Trump: toute la journée, les médias en ont parlé, l'essentiel était bien là, faire le show.

6

Le discours de la deuxième chance

Même sans le son, l'image est saisissante. Une demi-heure avant d'arriver dans l'enceinte du Capitole où il doit délivrer sa première adresse au Congrès, face aux députés et sénateurs réunis en séance plénière, Donald Trump est surpris, assis à l'arrière de «The Best», la limousine présidentielle, par une caméra en train de relire son discours. C'est le genre d'instant volé où les personnalités se révèlent sans masque. Le visage du président éclairé par une liseuse apparaît clairement au travers des gouttes de pluie qui ruissellent le long de la vitre. Il ne réalise pas qu'il est filmé quand il déclame le discours de manière grandiloquente. À côté de lui, Melania rigole. Il faut donc croire que, derrière la brute qui éructe et insulte tout le monde, se cache un homme qui peut être drôle…

Alors cette allocution ressemble à une session de rattrapage. Un «discours de la deuxième chance». L'attente est énorme : le président qui s'adresse aux élus de la Nation, avec, derrière lui, assis, les présidents des deux Chambres, est une image d'Épinal aux États-Unis. On ne sait pas si Trump sera à la hauteur. Le *tycoon* de Manhattan n'a jamais endossé ce costume-là jusqu'à présent.

Voilà un mois que Trump est président et ses premiers pas sont difficiles. Une semaine après son arrivée, il désoriente tout le monde en imposant son décret anti-immigration (*travel ban*) qui provoque une pagaille monstre dans les aéroports du pays. Nombreux sont ceux qui déclarent le décret «illégal». L'épisode souligne le degré d'impréparation des équipes de la Maison Blanche. À l'époque, la West Wing est en train de se déchirer entre deux camps : les «natio-populistes» emmenés par Steve Bannon et les «démocrates new-yorkais» représentés par Jared Kushner, Ivanka Trump et Gary Cohn, le conseiller économique du président. Ou, autrement dit, les «déplorables» contre «les élites de Goldman Sachs», la banque d'affaires la plus puissante de Manhattan...

Au moment de l'investiture, c'est clairement le premier camp qui tient la corde. On sent à plein nez l'influence de Bannon dans le thème de «l'Amérique d'abord» (*America First*) défendu par Trump dans son allocution quelques minutes après avoir prêté serment, puis dans le décret anti-immigration signé le vendredi 27 janvier 2017. Steve Bannon, théoricien de la stratégie de rupture, s'est même vanté auprès de Michael Wolff que la date a été précisément choisie une veille de week-end pour provoquer un chaos maximum. L'initiative s'est soldée par un succès qui a dépassé ses espérances – les manifestants sont bien sortis du bois – mais s'est retourné contre lui.

Car le diable est dans les détails et vouloir aller trop vite peut se révéler contre-productif : mal fichu, le décret doit être revu intégralement. L'ambiance à la Maison Blanche tourne à la guerre de tranchées. Trump avait promis d'agir vite, on frôle la paralysie. Face aux procès qui se multiplient, il réagit comme s'il était encore promoteur immobilier new-yorkais : «*See you in court!*» («On se retrouvera au tribunal»), tweete-t-il, le 9 février. Quatre jours plus tard, nouveau coup dur, sur un autre front : il est obligé de se séparer de Michael Flynn, son conseiller à la sécurité nationale visé par l'enquête du FBI sur la Russie. Puis, le 16 février, à Melbourne en Floride, il tient meeting devant ses supporters, comme aux grandes heures de la campagne, mais pour la première fois, on le voit arriver en Air Force One, le vrai, blanc et bleu, pas son Boeing estampillé à son nom. Là, il se lâche contre les médias et invente un attentat terroriste en Suède… qui n'a jamais eu lieu. On se demande alors s'il a toute sa tête.

En réalité, en arrivant au Congrès ce 28 février, Trump n'a alors qu'une seule réalisation concrète à son actif: la nomination du juge Neil Gorsuch, connu pour ses positions conservatrices, à la Cour suprême. Un acte d'importance pour sa base électorale évangélique.

Quand Donald Trump entre dans la Chambre des représentants, l'accueil est frisquet, à des années-lumière de l'arrivée façon rock star de Barack Obama en pareille circonstance les années précédentes. L'ancien président prenait plaisir à serrer des mains à l'infini. Trump, une fois n'est pas coutume, est tout en retenue pour sa première grande allocution au Parlement. Les républicains lui offrent une *standing ovation* un peu forcée. Dans les rangs démocrates, on peine à se lever de son siège pour saluer le président, et les élues sont habillées en blanc, en signe de protestation pacifique. Vue d'en haut, depuis les rangs réservés à la presse, la scène est étonnante, avec toutes ces femmes en tailleur-pantalon de la même couleur claire entourées de ces messieurs en costumes-cravates sombres…

L'image de la soirée est celle de Carryn Owens, la veuve du Navy Seal Ryan Owens, «héros» mort au Yémen lors du premier raid antiterroriste lancé par Trump neuf jours après son investiture. L'opération s'est soldée par un fiasco qui aurait pu être évité, estiment de nombreux critiques dont le sénateur John McCain. Au milieu de son discours, Trump rend hommage à l'épouse du soldat décédé, assise dans la tribune du public VIP située au-dessus des élus, à côté d'Ivanka Trump qui la soutient par le bras. Émue, elle est d'abord incapable de se lever pour répondre à l'acclamation unanime, puis elle finit par applaudir le président et rire avec

Ivanka. Une mise en scène idéale pour Trump qui avait été mis en cause par William Owens, le père du Navy Seal, lui-même ancien militaire. Ce dernier avait refusé de rencontrer le président venu aux obsèques accompagné de sa fille aînée qui faisait office de First Lady en l'absence de Melania, puis avait critiqué «l'amateurisme» de Trump dans une interview au *Miami Herald*[1]. Un président qui envoie des soldats sur le front pour mener une opération mal préparée, aux États-Unis encore plus qu'ailleurs, ça passe mal…

Face aux élus, il la joue modeste. Fini, semble-t-il, le bras d'honneur envoyé au Tout-Washington lors de l'allocution d'investiture. Trump s'élève «au-dessus des partis». Il balaie tous les sujets sur un ton plus modéré que d'habitude. Il n'insulte personne, évoque son succès électoral en termes relativement neutres («Une rébellion qui a commencé en protestation tranquille»). Il rappelle rapidement ses «accomplissements» depuis son investiture, c'est-à-dire les décrets passés tous azimuts, donne des gages à la branche modérée du trumpisme en se posant en défenseur des «femmes entrepreneures», thème cher à sa fille Ivanka. Il confirme qu'il va construire le mur, s'attirant des applaudissements polis sans plus du sénateur John McCain, «antitrumpiste» notoire. Il évoque les attentats de Paris et la «menace islamiste radicale», mais a des mots plutôt rassurants à l'égard de l'Otan, qu'il dit «respecter», et des pays alliés. Ces derniers sauront trouver, promet-il, une Amérique «prête à diriger» et non repliée sur elle-même. Le concept de *America First* est exprimé de manière moins brutale que lors de l'investiture.

Trump détaille son plan pour «faire repartir le moteur de l'Amérique», et dévoile les grandes lignes de celui pour «abroger et remplacer» Obamacare. Mais au moment où il demande aux démocrates de travailler avec les républicains

---

1. https://www.miamiherald.com/news/politics-government/article135064074.html.

sur cet épineux sujet, il ne peut s'empêcher d'ajouter que cette réforme phare de son prédécesseur est un « désastre », le doigt pointé vers Nancy Pelosi. L'ancienne *speaker* (présidente) de la Chambre et chef de file des représentants démocrates lève alors les yeux au ciel en hochant la tête. Autre moment tendu : alors qu'il présente sa réforme de l'immigration, il s'attire des huées indignées dans les rangs démocrates en officialisant la création d'un « Bureau spécial des victimes de l'immigration » appelé VOICE (Victims Of Immigration Crime Engagement), constitué trois jours plus tôt.

À la fin de son discours, Trump se veut bipartisan, mais quand il exhorte démocrates et républicains à éviter les « combats triviaux », il s'attire des éclats de rire sarcastique à la gauche de la Chambre. Tout le monde a évidemment en tête ses tweets. Dès son discours terminé, les démocrates lui tournent carrément le dos et quittent la salle sans même attendre qu'il descende de son pupitre, alors que les républicains continuent à applaudir.

Globalement, Trump a réussi son pari. Certes, il s'est essentiellement adressé à ses troupes, à la droite de la salle, sans un regard pour l'autre aile. Même à l'époque d'Obama qui avait des relations polaires avec ses adversaires, on n'avait jamais vu une telle animosité. Mais une fois n'est pas coutume, la presse salue la tonalité du discours, peut-être parce que les attentes étaient plus basses pour lui que pour son prédécesseur… Pour Trump, c'est déjà beaucoup. Il est « enfin présidentiel », titre *Time*[1]. Dès le lendemain le service de presse de la Maison Blanche se transforme en service après-vente, en diffusant les commentaires positifs puisés dans les différents médias américains (un mode de promotion qui n'avait pas court sous Obama). Le répit est cependant de courte durée : Trump peut être au-dessus des partis mais pas au-dessus des factions qui lézardent sa

---

1. http://time.com/4686785/trump-congress-address-analysis.

présidence : Bannon, qui comprend qu'il se retrouve subitement en minorité au sein du cabinet, éructe contre ce qu'il appelle le « discours Goldman Sachs »[1], ce qui promet encore plus de zizanie à la Maison Blanche. Mais surtout, dès le lendemain, le *Washington Post* révèle que Jeff Sessions, l'*attorney general*, a omis de mentionner deux rencontres avec l'ambassadeur russe à Washington, Sergey Kislyak, pendant la campagne présidentielle de 2016, ce qui va l'amener à se récuser dans l'affaire russe[2]. Trump, qui comptait sur lui pour contrôler l'enquête, est furieux. Car il sait que c'est le début d'un long cauchemar…

---

1. Michael Wolff, *Fire and Fury: Inside White House*, janvier 2018 ; trad. française : *Le Feu et la Fureur. Trump à la Maison Blanche*, Robert Laffont, février 2018.
2. https://www.washingtonpost.com/news/the-fix/wp/2018/01/30/trumps-first-address-to-congress-remains-the-best-media-moment-of-his-presidency-it-didnt-last-long/?utm_term=.afdcbb06db32.

7

Docteur Trump contre Mister No

Quand, ce vendredi 24 mars, à 15 h 31, Robert Costa, du *Washington Post*, voit un coup de fil masqué s'afficher sur son portable, il décroche à contrecœur pensant qu'il s'agit d'un lecteur mécontent[1]. Une voix masculine, et reconnaissable entre toutes, résonne. «Hello Bob, on vient de laisser tomber.» Le journaliste, qui a à peine le temps de s'emparer d'un bloc-notes, est l'un de ceux que Trump connaît le mieux à Washington. Il est le premier que le président appelle pour révéler que, finalement, le vote sur le retrait de la loi Obamacare n'aura pas lieu. Toujours, garder le contrôle de la situation en annonçant les nouvelles soi-même, y compris quand elles sont mauvaises: telle est l'obsession du président. D'habitude, il utilise Twitter. Cette fois, il s'est servi d'un reporter influent travaillant dans un média «de l'opposition» pour faire passer le message et, comme d'habitude, attaquer en désignant le coupable, les démocrates en l'occurrence, qui feraient de l'obstruction.

---

1. Robert Costa, *Washington Post*, https://www.washingtonpost.com/powerpost/president-trump-called-my-cellphone-to-say-that-the-health-care-bill-was-dead/2017/03/24/8282c3f6-10ce-11e7-9b0d-d27c98455440_story.html?utm_term=.3c621ccd195a.

Au moins, cette accusation a un avantage vis-à-vis de sa base : les remobiliser contre leur ennemi commun.

Comment peut-on perdre un vote sur une mesure aussi importante que le retrait d'Obamacare quand on dispose du contrôle des deux Chambres au Parlement ? Dès son arrivée dans le Bureau Ovale, le soir même de son investiture, le 20 janvier, Donald Trump signe un décret qui veut « alléger le poids financier d'Obamacare en vue de la transition vers un nouveau système ». Au moins, c'est clair : le candidat avait claironné pendant toute sa campagne qu'il allait « abroger et remplacer » la loi d'assurance-maladie votée par les démocrates en 2010, suscitant chaque fois presque autant d'applaudissements que pour la construction du mur avec le Mexique. Voilà donc sept ans que les républicains le promettait sur tous les tons, élection après élection. Maintenant qu'ils détiennent tous les leviers du pouvoir (exécutifs et législatifs), ils n'ont pas droit à l'échec.

Sauf que le parti républicain n'est pas un bloc monolithique : c'est une grande coalition balkanisée qui réunit des modérés et des radicaux, les seconds ayant beaucoup contribué à mettre Trump au pouvoir au grand dam des premiers. Le président pensait donc les avoir dans sa poche. Erreur. Les insurgés ont leurs principes. Ce sont des puristes, des intégristes du « moins d'État ». Ils sont une quarantaine, réunis au sein d'un courant politique, le House Freedom Caucus, le groupe parlementaire de la liberté. Leur chef s'appelle Mark Meadows, député de la Caroline du Nord.

À première vue, Meadows n'a rien d'un excité. Look policé, regard clair, manières affables. Il a beaucoup œuvré dans sa circonscription en faveur du candidat populiste, en l'accueillant à bras ouverts dans ses meetings de campagne. Matthew Green, professeur de sciences politiques à la Catholic University of America et spécialiste des rivalités de pouvoir au Congrès, le connaît bien. « Il a la réputation d'être l'un des députés les plus ouverts et sympathiques de la

Chambre des représentants», me dit-il[1]. Mieux, sa femme, Debbie, est l'une des rares à être montée au créneau pour défendre publiquement Trump pendant le scandale du *Pussygate*. Des alliés, donc.

Mark Meadows est l'élu du district le plus conservateur de Caroline du Nord. Sa circonscription est devenue un bastion républicain imprenable par la grâce d'un *gerrymandering* (charcutage de la carte électorale) voté par le Parlement au grand dam des démocrates. C'est «God's Country», la terre de dieu, des églises à tous les coins de rue, des entrepôts abandonnés, des usines parties à l'étranger où la main-d'œuvre est moins chère, «des oubliés de la croissance et du plein-emploi», *dixit* l'élu local républicain Josh Dobson[2]. La nostalgie d'un passé manufacturier et textile révolu est palpable partout chez les habitants, en grande majorité des Blancs qui vivent en milieu rural.

Mark Meadows n'est pas vraiment un des leurs. Né à Verdun en France où son père, militaire, était basé, il a commencé petit, en ouvrant un restaurant Aunt D's à Highland, Caroline du Nord, avec sa femme Debbie qu'il a rencontrée au lycée, puis s'est reconverti avec succès dans l'immobilier pour retraités de luxe en Floride. Après avoir gagné beaucoup d'argent, il revient en Caroline du Nord où il devient un donateur important puis président du parti républicain de son comté. En 2012, c'est la consécration : il se fait élire député. Son engagement en politique est un «appel de Dieu», dit-il. Il est farouchement contre l'avortement, le mariage gay et ces «juges de gauche» qui permettent à la *sharia* de pervertir la Constitution américaine, d'après lui. Il se dit pour le business et les libertés individuelles et la réduction des impôts. Mark Meadows jure détester être sous les

---

1. Entretien avec l'auteur, 22 mars 2018.
2. Tara Golshan, «Meet the most powerful man in the House», *Vox*, 28 août 2017.

feux de la rampe. Son rêve, dit-il, est d'être le petit législateur qui agit dans la coulisse pour changer le cours de la politique. Mais il est aussi à l'aise dans ses campagnes de Caroline du Nord que dans les *fund raisers*, ces événements mondains où on lève des fonds pour financer le parti. Les frères Koch, ces milliardaires engagés dans la politique qui financent nombre d'élus républicains, le trouvent formidable.

Sauf que sous ses airs policés, Mark Meadows est un dur. Il considère que l'establishment du parti n'a pas tenu des promesses. Il représente les électeurs «déçus» par les caciques qui dominent GOP, le Grand Old Party[1], qui, selon ces mêmes électeurs, «maltraiteraient» Trump au pouvoir. Depuis leur grand retour à la Chambre de représentants en 2010, date à laquelle ils reprennent la majorité aux démocrates, les républicains, dirigés par John Boehner, ont juré de défaire ce qu'Obama a fait, et en premier lieu : Obamacare. Ils ont aussi promis des coupes sombres dans les finances à hauteur de 100 milliards de dollars. Deux ans plus tard, en 2012, année où Mark Meadows se fait élire à la Chambre des représentants, le compte n'y est pas : Obamacare existe toujours, les républicains n'ont obtenu qu'un tiers des économies promises et surtout Obama est facilement réélu. Certes, ils gardent le contrôle de la Chambre des représentants. Mais la majorité est plus en plus disparate entre les conservateurs *old school* qui aiment l'ordre, les compromis et les cigares comme John Boehner, le *speaker of the House* (président de la Chambre des représentants) et les élus de la nouvelle génération contestataire comme Mark Meadows. Ce dernier accuse Boehner de laxisme contre un président démocrate qui, selon lui, a juré de changer la société américaine dans ses tréfonds. Il voit en Obama une menace pour l'Amérique, qu'il voudrait pervertir en Europe *bis*. Un continent socialiste, étatisé, aux antipodes des quatre volontés des Pères

---

1. Autre désignation du parti républicain.

fondateurs. Meadows estime qu'il faut frapper fort contre ce dangereux président, au lieu de tenter le compromis à tout prix pour faire passer des lois qu'il estime bancales. Il veut utiliser la majorité républicaine à la Chambre des représentants pour empêcher Obama de dénaturer l'Amérique à tout jamais, quitte à faire du chantage en provoquant un *shutdown*, un défaut de paiement au niveau fédéral.

Dans un premier temps, John Boehner réussit à marginaliser Meadows et ses amis frondeurs, mais la pression monte, malgré l'élection *Midterms* de 2014 qui se solde par une « raclée » pour les démocrates (*dixit* Obama lui-même) et l'arrivée de la plus grosse majorité républicaine à la Chambre des représentants depuis 1928.

Mi-janvier 2015, Mark Meadows profite d'un grand conclave républicain à Hershey, Pennsylvanie, où tous les élus du parti au Congrès sont réunis, pour créer son propre groupe parlementaire avec huit autres élus. Les frondeurs se cherchent un nom de baptême. Ils envisagent Reasonable Nut Job Caucus : « Groupe des cinglés raisonnables ». Finalement ils optent pour le House Freedom Caucus : le « Groupe de la liberté à la Chambre des représentants ». Beaucoup plus sage, mais c'est un leurre. Les membres fondateurs sont vraiment des « cinglés ». Ils représentent une tendance qui monte dans la société américaine où le populisme progresse et le fossé entre républicains et démocrates se creuse. Ils n'ont aucun mal à recruter une quarantaine de membres parmi leurs camarades de la Chambre. C'est amplement suffisant pour faire pression sur John Boehner.

« La force de ce courant, poursuit le professeur Matt Green, c'est sa capacité à dire non. Le Freedom Caucus à deux règles : ses membres doivent être prêts à voter pour mais aussi contre le leadership du parti. Et c'est sans précédent dans l'histoire politique moderne du pays. Les républicains ont toujours été divisés par des courants et des désaccords parfois très animés, mais au moment du vote, ils agissent comme un seul homme: on ne remet pas en cause l'autorité de la direction. Qu'un courant ose se rebeller contre le leadership, ça ne s'est jamais vu.» Et le professeur Green d'ajouter: «Le Freedom Caucus est beaucoup plus organisé que la plupart des autres courants parlementaires: il dispose de ses propres sondages, il se réunit chaque semaine, ses membres ont juré de voter en bloc, et non de manière individuelle.» Bref, John Boehner tremble pour son autorité. Il a beau les rejeter en leur refusant la présidence de grandes commissions parlementaires de la Chambre, il voit bien que ces rebelles représentent une menace qui grandit contre lui, et ce d'autant que, comme l'analyse Matt Green, «dans le climat d'affrontement qui domine actuellement, chaque parti doit faire le plein des voix pour faire passer des lois».

En juin 2015, trente-quatre des députés du Freedom Caucus votent contre l'Accord de Partenariat Transpacifique d'Obama soutenu par le leadership du GOP. C'est un premier acte de rébellion. Mark Meadows est sanctionné en perdant la présidence d'une sous-commission parlementaire, avant d'être finalement réinvesti.

Puis, le 28 juillet 2015, il dépose carrément une motion contre John Boehner, en ressortant un vieux texte utilisé une seule fois dans l'histoire du Congrès – et en vain – en 1910 contre le *speaker* de l'époque, Joseph Gurney Cannon, accusé d'être un tyran[1]. L'opération échoue… momentanément car en septembre, juste après avoir rencontré le pape en visite aux États-Unis, le très catholique John Boehner démissionne de lui-même. Grand sensible, il a souvent la larme à l'œil. Et on le voit, les yeux humides, submergé par l'émotion du moment, tirer sa révérence. Pour Mark Meadows et ses amis, c'est une grande victoire. Un coup fumant. On les appelle alors les *giant killers*, les

---

1. Ryan Lizza, *New Yorker*, 6 décembre 2015, «A house divided, how a radical group of Republicans pushed Congress to the right».

«grands assassins». Leur groupe parlementaire sort de l'anonymat. Et ce n'est qu'un début.

Avec leur assentiment, c'est le très conservateur Paul Ryan qui prend la suite de Boehner à la tête de la Chambre des représentants. L'élection présidentielle approche. Dans un premier temps, Mark Meadows soutient le sénateur Ted Cruz, valeur montante du parti, détesté par beaucoup de monde mais brillant, soutenu par de très généreux donateurs, et excellent orateur. Élu du Texas, Cruz est l'un des plus réactionnaires et religieux parmi les seize candidats qui se présentent à la primaire républicaine. Il fait une belle campagne. Au début, il l'emporte dans l'Iowa, la première grande étape du marathon électoral. C'est l'un des derniers à tenir tête à la vague Donald Trump. Mark Meadows se laisse emporter par la Trumpmania, qu'il soutient à fond. Meadows voit en Trump l'opportunité de prendre encore plus de pouvoir au détriment du leadership. Quelques semaines avant le scrutin du 8 novembre 2016, il a même droit à monter à bord de Trump Force One, le Boeing privé du *tycoon* estampillé au nom du futur président des États-Unis. Les deux hommes sont à tu et à toi.

Quand Trump entre à la Maison Blanche, il espère bien qu'il va mettre au pas ces rebelles du Freedom Caucus. Mark Meadows lui parle quasiment tous les jours au téléphone. Il s'en vante volontiers auprès de ses électeurs quand il se rend dans sa circonscription. «J'ai eu le président au téléphone il y a trois jours, il me dit de vous dire bonjour et qu'il vous aime[1].» Succès assuré.

Sur le retrait d'Obamacare, le nouveau président ne ménage pas sa peine pour amener Meadows à la table de négociation. Il le bichonne, l'invite à déjeuner à la Maison Blanche, mais ça ne suffit pas cette fois. Chacun a ses

---

1. Tara Golshan, «Meet the most powerful man in the House», *Vox*, 28 août 2017.

priorités. Celle de Trump est de faire passer une loi qu'il n'aime pas au demeurant, mais qui lui permettra d'afficher un beau succès législatif et de confirmer ses capacités de négociateur, expert en «art du deal». Le projet de loi Ryancare censé remplacer Obamacare, concocté par Paul Ryan, voit le jour le 6 mars. Il doit permettre de réaliser de substantielles économies qui feront baisser les cotisations des assurés au prix de l'exclusion de beaucoup d'autres. Selon le Congressional Budget Office (Bureau du Budget du Congrès, agence fédérale et bipartisane), l'adoption de ce projet de loi se solderait par la privation pour 24 millions personnes de l'assurance maladie. Pour Mark Meadows, ce plan est inacceptable. «Je suis un conservateur au plan fiscal. Mon but ultime, c'est de réduire les coûts tout en octroyant l'assurance-maladie au plus grand nombre d'Américains[1].» Plus facile à dire qu'à faire : Trump lui-même a découvert avec une naïveté confondante que «personne ne savait à quel point ce sujet était compliqué»… Chacun a son avis sur la question, tant sur le fond que sur la manière de procéder. Faut-il d'abord abroger Obamacare dans son ensemble, revenir à la situation d'avant et proposer une solution de remplacement dans la foulée, ou tout faire d'un coup? Les ultras du Freedom Caucus penchent en majorité pour la première solution, la plus radicale, pour être sûr qu'il ne restera rien d'Obamacare honni. Peu leur importe que cette option n'ait aucune chance de passer la barre au Sénat, traditionnellement moins à droite que le Congrès. Ils veulent faire table rase du passé pour proposer un vrai renouveau, censé être plus performant et, jurent-ils, plus équitable aussi, tout en respectant le sacro-saint dogme du *no government* dans la vie des gens… Pour eux, Obamacare n'est qu'une «énorme bureaucratie où l'argent du contribuable sert à

---

1. Entretien à l'émission «This Week» sur la chaîne ABC, 26 mars 2017.

financer les compagnies d'assurances », *dixit* Mo Brooks[1], élu
de l'Alabama, et membre du Freedom Caucus. Jeff Duncan,
un autre rebelle du groupe, se fait plus précis : « Je me suis
fait élire pour réduire la taille du gouvernement qui n'a rien
à faire dans l'assurance-maladie, et libérer les énergies qui
font de l'Amérique une grande nation. Ce pays a créé le
capitalisme et c'est l'une de ses institutions les plus importantes. » Ce qui révulse les membres du Freedom Caucus
en particulier, c'est le Title One du plan Obamacare, qui
oblige les compagnies d'assurances à assurer tout le monde, y
compris les gens souffrant de « conditions médicales préexis-
tantes », autrefois rejetés car trop chers à prendre en charge.
Or Trump, qui est beaucoup plus modéré que bon nombre
de républicains sur ce sujet, a fait toute sa campagne sur le
respect de cette mesure-là.

Alors, dès l'officialisation du projet Ryancare le 6 mars,
les membres du House Freedom Caucus sont soumis à une
intense pression de la part de la Maison Blanche pour mettre
leurs états d'âme en sourdine et signer. Durant une réunion
de la dernière chance, le 23 mars 2017, dans le bureau du
speaker Paul Ryan, en présence de plusieurs conseillers de
la Maison Blanche (dont le *chief of staff* Reince Priebus), un
tour de table commence. Mark Meadows s'interpose : « C'est
moi qui parle pour le groupe[2] », répète-t-il. « Leur force,
c'est aussi cette capacité à agir en meute », analyse le professeur Matt Green. Et ce soir-là, ils n'ont pas bougé d'un
cil. Ils sont contre Ryancare, ils ne signeront pas. Plutôt pas
de loi qu'une mauvaise loi. « Et c'est ce qui les différencie
de Trump, qui change d'avis tout le temps : ils ont des principes ! », sourit le professeur Green.

---

1. http://www.sandiegouniontribune.com/opinion/the-conversation/
sd-republicans-voting-no-on-obamacare-repeal-20170323-htmlstory.html.
2. Justin Gest, « How a secret Freedom Caucus pact brought down
Obamacare repeal », *Politico Magazine*, 26 mars 2017.

Le lendemain, le 24 mars, c'est Mike Pence, le vice-président et conservateur patenté, qui est envoyé au front. Il débarque au Capitol Hill Club, le club privé situé juste derrière le Congrès, où se retrouvent les républicains pour de discrets conciliabules ou des réceptions de levée de fonds. Pence essaie de les prendre par les sentiments : « Faites-moi confiance, je sais d'où vous venez, je suis des vôtres et croyez-moi, c'est le meilleur deal qui vous sera jamais offert[1] », leur lance-t-il sur le ton patelin qui fait sa marque de fabrique. Certains membres sont ébranlés, mais personne ne cède. Quelques heures plus tard, en début d'après-midi ce vendredi 24 mars, Paul Ryan se rend à la Maison Blanche pour annoncer en personne que c'est raté. La grande promesse des républicains d'abroger et remplacer Obamacare est renvoyée aux calendes grecques. Trump préfère annuler le vote au Congrès plutôt que d'affronter l'humiliation d'une mise en minorité. Puis téléphone à Robert Costa, du *Washington Post*, pour rejeter la faute sur les démocrates. Ensuite il lâche deux tweets méchants, l'un contre le Freedom Caucus[2], l'autre contre « l'ami » Mark Meadows[3]. Pour ce dernier, président du groupe rebelle, c'est la confirmation qu'il est devenu « l'homme le plus puissant du Congrès[4] ». Trump, lui, vient de réaliser que, tout président qu'il est, il n'est pas Dieu sur terre non plus.

---

1. Justin Gest, « How a secret Freedom Caucus pact brought down Obamacare repeal », art. cité.
2. « The Freedom Caucus will hurt the entire Republican agenda if they don't get on the team, and fast. We must fight them, & Dems in 2018! », @realDonaldTrump, 30 mars 2017, 9 h 07.
3. "Where are @RepMarkMeadows, @Jim_Jordan and @Raul_Labrador? #RepealANDReplace #Obamacare, 30. mars 2017, 17 h 21.
4. Tara Golshan, « Meet the most powerful man in the House », *Vox*, 28 août 2017.

8

Trump enfin roi de Palm Beach

Vers 20 heures, le 25 janvier 2018, Donald Trump arrive, main dans la main avec Melania, dans le patio de Mar-a-Lago, son club privé à Palm Beach en Floride. Il sourit, salue d'un geste. À pas lents, il s'avance vers sa table où un couple de convives l'attend. Tout le monde se lève pour applaudir. Ses gardes du corps, derrière lui, forment ce genre de barrière qui n'interdit pas de voir. Maintenant, je pourrai dire : «Je sais ce que c'est d'être invité à la cour du Roi-Soleil!» Sa table est à une dizaine de mètres de la mienne, trop loin pour que je puisse entendre la conversation, mais assez proche pour me permettre de constater que le maître des lieux va accaparer la conversation pendant tout le dîner, devant les mines approbatrices de ses hôtes et de son épouse qui se tient bien droite sur le bord de sa chaise en picorant dans son assiette.

La température est douce dans ce patio, on se croirait à la terrasse d'un restaurant chic. Les dames sont en robe de cocktail. Les messieurs en costume sans cravate, conformément au *dress code* que m'a indiqué Chris Ruddy, le fondateur-propriétaire du groupe de presse conservateur Newsmax, membre du club depuis toujours. Cet «ami des présidents» (il l'est aussi de Bill Clinton) utilise Mar-a-Lago pour soigner son réseau. Ce soir, à sa table, une journaliste politique connue et le frère d'un grand couturier new-yorkais. Ruddy n'ira pas saluer son ami Trump pendant le dîner, mais d'autres le font à sa place et sont généralement bien accueillis, le président ne rechigne pas à échanger avec eux trois mots, au contraire : on est ici en famille. Entre millionnaires. Chacun a déboursé 100 000 dollars pour s'inscrire à son club, montant qui est passé à 200 000 depuis l'élection à cause de l'explosion des demandes d'inscription, sans compter les 15 000 dollars de cotisation annuelle...

Ainsi va la vie à Mar-a-Lago. Trump a découvert l'endroit en 1985. À l'époque, déjà, il adore Palm Beach, île tout en longueur de 10 000 habitants (30 000 l'hiver, la haute saison), qui offre la concentration de milliardaires la plus élevée des États-Unis. Il rêve d'y acheter quelque chose. Un soir d'hiver, en se rendant à un dîner, il demande au chauffeur qui le conduit quelle est la maison la plus fastueuse du coin à vendre. Son interlocuteur lui parle de ce palais de 128 pièces, construit en 1927 par Marjorie Merriweather Post, héritière d'un céréalier milliardaire. Par testament, elle l'a légué à l'État américain dans le but d'en faire une villégiature pour les présidents. L'État n'en a pas voulu : trop cher à entretenir. Il l'a refilé à la fondation gérée par les trois héritières de la milliardaire, qui ont tout de suite décidé de s'en débarrasser car l'endroit commence à se dégrader. Quand Trump découvre le palais, il est à vendre depuis plusieurs années, et les acquéreurs ne se bousculent pas.

«Il était alors en proie à une frénésie d'acquisitions», se souvient Richard Rampell[1], qui dirige un des principaux cabinets fiscalistes de la ville – une spécialité aussi nécessaire ici qu'ailleurs les épiceries. Trump vient déjà de construire une tour à son nom sur la 5ᵉ Avenue à New York, le projet est un succès, il se croit le roi du monde. Rien ne peut lui résister. Il veut Mar-a-Lago. Il y trouve tout ce qu'il faut pour satisfaire sa mégalomanie. Le grand hall d'inspiration mauresque est spectaculaire, avec ses colonnes

---

1. Entretien avec l'auteur, février 2017.

dorées torsadées et son plafond à ogives comme dans une cathédrale. La salle à manger décorée à l'italienne est un bijou baroque. La salle de bal semble tout droit sortie de Versailles… Contrairement aux énormes villas clinquantes dont les milliardaires américains raffolent, Mar-a-Lago semble presque authentique, tel un vieux château où les genres et les époques se mélangent. La patine du passé a fait son effet sur les murs, ce qui est rare aux États-Unis, où, pour faire riche, il faut que ça brille.

Trump comprend que s'il met la main sur ce joyau, lui qui, alors âgé de 39 ans, est beaucoup moins riche que ceux qui habitent Palm Beach, il ne va pas seulement grimper une marche supplémentaire dans l'échelle sociale, il va carrément prendre l'ascenseur ! Car Mar-a-Lago est la plus grande propriété de l'île, et de loin. S'il l'achète, il va faire des jaloux, ce qui ne sera pas pour lui déplaire. Alors il fait une offre à 25 millions de dollars. Une belle somme pour un palais défraîchi. Mais les héritières disent non. Trop peu pour elles. Ce Trump, elles ne l'aiment pas. Elles n'en veulent pas sur l'île, il n'est pas assez chic. N'entre pas qui veut à Palm Beach. L'argent ne suffit pas. Il faut de l'ancienneté, le parrainage de grands noms, des Rockefeller, des Ford, des Woolworth ou des Vanderbilt. Trump ne vient pas de cette aristocratie-là.

Seulement voilà : il veut son jouet. Et il l'aura… coûte que coûte. Il apprend que le terrain voisin qui borde l'océan (et qui appartenait autrefois au domaine de Mar-a-Lago) est en vente. Trump propose de le racheter pour 2 millions, puis vient revoir les héritières qui l'ont éconduit en les menaçant d'y construire un « immeuble horrible » qui leur bouchera leur vue sur mer. « C'était mon premier mur », racontera-t-il plus tard fièrement au *Washington Post*[1]. Pour

---

1. https://www.washingtonpost.com/politics/inside-trumps-palm-beach-castle-and-his-30-year-fight-to-win-over-the-locals/2015/11/14/26c49a58-88b7-11e5-be8b-1ae2e4f50f76_story.html?utm_term=.08302c810ac0.

les héritières, c'est surtout le coup de grâce. Car s'il met sa menace à exécution, elles n'arriveront jamais à vendre ce palais fatigué. Alors elles ravalent leur fierté et finissent par céder aux avances du promoteur, seul candidat déclaré à l'acquisition, qui en profite pour diviser par cinq son offre de départ. Il met ainsi la main sur le domaine pour... 5 millions de dollars[1]. Coup fumant salué par le *Palm Beach Daily News*, le canard local qui titre le 5 janvier 1986 : « L'acquisition pour une bouchée de pain de Mar-a-Lago secoue la ville ». Trump exulte. Il a son palais et tient sa revanche contre « l'arrogante et hautaine » Dina Merrill, l'une des trois héritières de Marjorie Merriweather Post qui ne voulaient pas de lui. « Elle a hérité de la beauté de sa mère mais pas de son intelligence[2] », dira-t-il plus tard.

Drôle de posture : Trump a tout fait pour entrer dans le club des super-riches, mais une fois qu'il a mis un pied dans la porte, il n'aura de cesse de rendre la vie impossible à ses nouveaux voisins. Il aurait pu jouer la carte de l'élégance avec les anciennes propriétaires de sa nouvelle acquisition : non, il a choisi de se comporter comme un malotru. Il est à la fois fasciné par Palm Beach, mais ne supporte pas ces héritiers (oubliant qu'il en est un lui-même) et leur esprit fermé. Il les appelle les membres du *lucky sperm club*, dans son livre *Surviving at the Top*, en 1990. Trump a un côté *bad boy* et les résidents ne vont pas tarder à s'en apercevoir. Au début des années 1990, il décide de rentabiliser Mar-a-Lago, décidément trop cher à entretenir, même pour lui qui est, en réalité, criblé de dettes à cause de la crise immobilière qui sévit alors. Il veut subdiviser le domaine et y construire des maisons.

---

1. Plus 3 millions pour les meubles.
2. https://www.washingtonpost.com/politics/inside-trumps-palm-beach-castle-and-his-30-year-fight-to-win-over-the-locals/2015/11/14/26c49a58-88b7-11e5-be8b-1ae2e4f50f76_story.html?utm_term=.48a0233174ac.

Seulement voilà : la propriété est classée monument histo-rique. Pas question d'y modifier quoi que ce soit ! Et la mairie est très chatouilleuse. Palm Beach est l'une des petites villes les plus réglementées des États-Unis. C'est l'une des rares où l'on voit des employés municipaux en tenue BCBG qui viennent nettoyer la plage avec un petit balai et une pelle, un dimanche après-midi, pendant que les plaisanciers prennent le soleil. Rien ne doit dépasser, tout doit être parfait.

Alors, évidemment, la tentative de Trump de transformer la perle de Palm Beach en lotissement soulève une levée de boucliers. C'est *niet*. Là encore, Trump aurait pu tenter le compromis. Mais son tempérament, c'est l'invective, déjà. «Je ne suis pas d'humeur à négocier», tempête-t-il dans le *Palm Beach Daily News*. La mairie ne veut pas lui donner ce qu'il veut ? Il la poursuit en justice et lui réclame 50 millions de dommages et intérêts. Stupeur sur la ville.

Pour mener sa guerre contre les autorités locales, il se trouve un émissaire idéal : Paul Rampell, un avocat du cru aussi discret qu'imaginatif, car il lui souffle l'idée de trans-former Mar-a-Lago en club privé. Toute la vie sociale de Palm Beach se déroule dans ce genre d'endroit où les riches se retrouvent entre eux. Les conditions d'admission sont draconiennes. Pendant longtemps, seuls les Wasp (Anglo-Saxons blancs et protestants) au long pedigree philanthro-pique étaient admis dans ces clubs, et puis les juifs ont créé le leur : le Palm Beach Country Club. À Palm Beach, la ségrégation raciale n'a pas disparu. Elle est dans toutes les têtes mais personne n'en parle ouvertement. Trump, lui, y voit une *business opportunity* : Mar-a-Lago sera le seul club ouvert à tous, Noirs, juifs, Blancs, Latinos, pour peu qu'ils puissent payer… Et cette fois, la mairie dit oui à son projet.

Le club ouvre donc ses portes en 1995. Trump le lance avec ses méthodes habituelles : le bluff. Il claironne par-tout que le prince Charles et Lady Di ont pris une carte de membre. En réalité, il leur a simplement proposé une inscription gratuite, à laquelle ils n'ont même pas répondu. Peu importe : le nombre de membres atteint rapidement son *numerus clausus* de 500 personnes.

Mais Trump n'en a pas fini avec les aristos de la mairie. À Mar-a-Lago, il se sent chez lui, donc libre de faire ce qu'il veut. Il veut planter un drapeau américain haut de vingt-quatre mètres sur sa pelouse. Refus des autorités, sous prétexte que c'est douze mètres plus haut que ce que dit la réglementation locale… Nouvelle bisbille. Trump plie mais ne rompt pas : son drapeau sera aux normes, mais planté sur un promontoire créé exprès, afin qu'il atteigne la hauteur initiale que désirait le maître des lieux…

C'est mesquin mais révélateur. Cette « affaire » en cache d'autres. On lui refuse les permis qu'il réclame pour faire évoluer son domaine ? Il fait envoyer aux membres du conseil municipal un livre et la vidéo-cassette d'un documentaire (c'était avant le numérique) qui détaillent l'antisémitisme de certains clubs, en particulier le Bath & Tennis Club, dont sont membres certains conseillers municipaux. Au bout du compte, la plupart des restrictions que la municipalité veut lui imposer sont levées. Trump fait voler en éclats l'un des murs les plus difficiles à détruire : celui du poids des traditions et du snobisme. Il était rejeté par le petit microcosme de Palm Beach, il a fini par le mater. C'est probablement à cela qu'il pense quand il déclare, en juillet 2016, à la convention républicaine : « Je connais le système mieux que personne, moi seul peux le combattre. » Palm Beach est un concentré de pouvoir : les gens qui y vivent figurent parmi les plus influents du pays. En novembre 2015, Trump annonce carrément que, s'il est élu, il négociera « avec l'Iran, la Chine, l'Inde et le Japon[1] » comme il l'a fait avec le conseil

---

1. *Washington Post*, 14 novembre 2015, « Inside Trump's Palm Beach Castle and his 30-year fight win over the locals », Mary Jordan, Rosalind S. Helderman.

municipal de Palm Beach… Il a conquis Palm Beach comme il prendra plus tard Washington : à la hussarde.

En 2015, il demande ainsi 100 millions de dollars d'indemnités à la mairie pour « nuisances sonores » des avions qui passent au-dessus de sa propriété. Désormais, quand il vient, le ciel est zone d'exclusion aérienne. Raison de sécurité… Depuis mars 2017, il dispose d'un héliport rien que pour lui, dans le jardin de Mar-a-Lago, ce qui est contraire à toutes les bonnes mœurs locales. C'est son statut de président qui veut ça, mais pour bien faire comprendre aux riverains qu'il est vraiment le roi de Palm Beach, il expose sur l'héliport un engin qui porte son nom, et non le traditionnel Marine One militaire qui transporte les présidents des États-Unis…

Dans les premiers mois qui suivent son élection, Mar-a-Lago devient un cirque. Trump s'y rend pour ses premières fêtes de Thanksgiving en tant que président élu et passe d'une table à l'autre en demandant aux invités s'ils pensent que Mitt Romney, l'ancien candidat républicain en 2012 contre Obama, ferait un bon secrétaire d'État… Il trouve son inspiration de chef d'État où il peut. À Noël, le traditionnel réveillon dans la grande salle de bal qu'il a fait construire dans le jardin est un « énorme bordel », me confie Guido Lombardi, qui se souvient que « Donald ne s'est pas éternisé : il y avait vraiment trop de monde ». Comme il déteste Washington, il passe le plus de temps possible à Mar-a-Lago, rebaptisé pompeusement « Maison Blanche d'hiver ». Juste après son investiture, les services de la présidence ne sont manifestement pas prêts pour gérer cette situation inédite. Un seul portique de sécurité est installé devant l'entrée. Les invités se mélangent avec les membres du staff de Trump. On ne sait plus qui est qui. Un membre du club poste sur Facebook une photo de lui posant avec l'aide de camp de Trump qui porte la valise contenant les codes nucléaires. Le comble du ridicule est atteint le 12 février 2017, lors d'un dîner dans le patio. Trump a invité Shinzo Abe, le

Premier ministre du Japon, pour une partie de golf. Les deux hommes viennent d'avaler une «salade Trump», puis une «sole à la mode Trump», quand ils apprennent que Kim Jong-un, leader nord-coréen, vient de lancer un missile nucléaire dans le Pacifique, visant le Japon. Les membres du club n'auraient jamais imaginé assister en direct à une crise internationale sous leurs yeux, mais c'est ce qui se passe, et ils n'en perdent pas une miette. Les photos se multiplient sur les réseaux sociaux, où l'on voit les assiettes poussées pour faire place aux briefings que les conseillers des deux dirigeants apportent en urgence. Sur l'une d'entre elles, Trump sourit, le menton posé sur la main, le regard vague fixé vers celui qui le photographie. Il semble totalement dépassé par les événements, comme si tout ça n'était qu'un jeu, une blague ou de la téléréalité. Derrière lui, on reconnaît Steve Bannon et d'autres conseillers en train de s'affairer… Le cliché n'est pas du meilleur effet. Plus tard dans la nuit, Trump s'isole dans une salle dont il ressort pour une déclaration à la presse, puis il emmène Shinzo Abe dans sa grande salle de bal qui accueille un dîner de mariage. En entrant, il pose pour une photo avec la mariée, puis monte sur la scène pour saluer tout le monde : «Quand j'ai vu les mariés aujourd'hui sur la pelouse, j'ai dit au Premier ministre du Japon : "Viens, on va les rejoindre pour dire bonjour, ils sont membres de ce club depuis très longtemps, ils m'ont payé une fortune[1]…"» On s'amuse bien à la Maison Blanche d'hiver…

---

1. https://www.cnn.com/2017/02/12/politics/trump-shinzo-abe-mar-a-lago-north-korea/index.html.

9

Ivanka à la rescousse de papa

On la voyait tout le temps aux côtés de son père. Un jour avec Shinzo Abe, le Premier ministre japonais, dans la Trump Tower, un autre avec Justin Trudeau, le Premier ministre canadien, ou encore avec Angela Merkel, la chancelière allemande, lors de sa visite à la Maison Blanche… Alors, quand Ivanka Trump annonce, le 21 mars 2017, qu'elle va officiellement devenir sa conseillère, avec bureau à l'étage dans la West Wing, accès au «confidentiel défense», mais sans salaire, personne n'est vraiment surpris.

«Je vais continuer à lui offrir mon conseil et mon soutien, comme je l'ai toujours fait pendant toute ma vie», souligne-t-elle dans son communiqué.

Entre eux c'est fusionnel. Ivanka, c'est Donald Trump au féminin. Il suffit de lire son livre *The Trump Card*[1] pour s'en rendre compte : il aurait pu être intitulé «mon père, ce héros».

Ivanka est la première à le reconnaître : elle est celle que son père préfère. Elle a plus reçu de lui que ses deux frères, Donald Jr et Eric, et sa demi-sœur Tiffany. Gamine déjà, quand elle l'appelle au bureau, il laisse tout tomber. Et réciproquement : dans ses mémoires, Ivana Trump, sa mère

---

1. *The Trump Card: Playing to Win in Work and Life*, Touchstone, 2010.

et première épouse de Donald, raconte qu'elle cherchait toujours à «le joindre au téléphone ou aller le voir dans son bureau», situé quarante étages sous le penthouse familial dans la Trump Tower. «Une vraie *daddy's girl*, une fille à papa, comme moi avec mon propre père», résume Ivana.

À l'âge de 7 ans, elle l'accompagne à un match de boxe à Atlantic City, où il possède des casinos. Ce jour-là, Mike Tyson met KO son adversaire Michael Spinks, champion du monde des poids lourds, en une minute et demie. Le public, qui a payé cher, est furieux. Il veut être remboursé. Donald Trump monte sur le ring, et parvient, en quelques mots, à calmer tout le monde. Le moment demeure à jamais gravé dans la mémoire d'Ivanka. «Je me souviens l'avoir trouvé élégant, courageux, charismatique, racontera-t-elle dans son livre… Il était vraiment malheureux car il ne pouvait rien faire pour ces gens, des ouvriers venus de loin.» Les mêmes qui, en novembre dernier, ont massivement voté pour lui.

Ivanka sait alors qu'elle fera «comme papa». Sa vocation immobilière s'affirme très tôt. Elle est fière de porter le nom paternel, comme elle l'explique à l'âge de 18 ans, dans le documentaire *Born Rich* réalisé par un de ses amis, Jamie Johnson, héritier de la multinationale pharmaceutique Johnson & Johnson. Dans ce film, elle apparaît spontanée et sans filtre − depuis, chacune de ses interventions semble calibrée au mot près, y compris au niveau de l'intonation de la voix. C'est encore une ado, et on la voit s'énerver au souvenir d'une anecdote : «Un jour, raconte-t-elle, un type m'a demandé ce que ça faisait d'être née riche et de ne jamais avoir souffert. Ça m'a énervée. Comment peut-on être aussi ignare et poser une question pareille ?»… Ivanka a son petit caractère…

À la maison, c'est une princesse, mais quand papa lui ordonne de renoncer à se faire placer un anneau au nombril, elle obtempère… «Ce n'était pas digne d'une Trump», reconnaîtra-t-elle. Papa a toujours raison. Elle laisse ses poupées au placard, joue aux Lego au 26ᵉ étage de la Trump Tower dans le bureau de son père. Les autres pensent aux garçons ou aux fringues… Elle rêve «de plans et d'abattements fiscaux[1]». À 6 ans, elle monte sur un bulldozer, à 15, elle grimpe en haut d'une grue, au grand dam de son père qui juge l'aventure dangereuse. Depuis sa chambre du 68ᵉ étage, elle mesure la chance qu'elle a : «Pas mal, cette vue, non ?», lance-t-elle dans le documentaire *Born Rich*. Elle toise New York et ses tours, dont elle apprend l'histoire, le nom des occupants, les prix qu'ils ont payés… «Vus d'en haut, ces immeubles ressemblaient à des jouets[2]», résumera-t-elle.

Très jeune, Ivanka mène une vie d'adulte. Ivana, sa mère, une ancienne skieuse tchèque, membre de l'équipe olympique en 1976, est une femme ambitieuse, pour elle et ses enfants. Quand elle organise un dîner, elle trouve toujours une excuse pour être en retard. C'est à Ivanka d'accueillir les invités top niveau, charmés par sa petite frimousse. Une tactique, expliquera Ivana, qui lui apprendra à bien se comporter en société.

Ivanka aurait pu se rebeller contre son père quand il quitte le cocon familial pour aller vivre avec Marla Maples. Le divorce, qu'elle apprend sur le chemin de l'école, en découvrant une manchette du *Daily News*, va au contraire les rapprocher. Donald Trump s'installe quelques étages en dessous du triplex familial. Elle passe chez lui, avant et après l'école. Quand, plus tard, elle est envoyée dans un très chic pensionnat privé, le Choate Rosemary Hall, perdu dans les bois du Connecticut, il continue de lui envoyer des coupures de presse avec un petit mot : «Que penses-tu de cet article ?»

À Barbara Walters, l'une des animatrices de télévision les plus célèbres des États-Unis, elle déclare vouloir devenir star

---

1. *The Trump Card, op. cit.*
2. *Ibid.*

de la promotion immobilière «dès l'âge de 30 ans». Pour prendre son indépendance financière, elle est alors mannequin et gagne pas mal d'argent, mais dit détester la jalousie et la méchanceté ambiante dans ce milieu. «J'ai vite réalisé que les top models étaient les filles les plus méchantes de la planète[1]», écrit-elle. Elle fait quelques défilés de mode, se souvient encore émue de sa première séance photo avec le célèbre photographe de mode français Gilles Bensimon pour l'édition américaine du magazine *Elle*, pose pour le couturier Tommy Hilfiger, qui en parle encore avec fierté[2]... Puis elle reprend sagement ses études... Elle a choisi Wharton, «comme papa». À sa sortie de la fac, elle fait un détour par une société d'investissement immobilier, Forest City Enterprises, dont l'un des projets emblématiques est la construction du nouveau siège du *New York Times*, sur la 8e Avenue à Manhattan. Elle est alors payée 50 000 dollars par an, avant bonus. Puis, à 24 ans, en 2005, elle revient au bercail : la voilà «vice-présidente en charge du développement et des acquisitions» de la Trump Organization. Le job dont elle a toujours rêvé.

Un an plus tard, elle suit les traces de papa dans la télé-réalité. Le 6 mars 2006, elle fait sa première apparition dans «The Apprentice». «Je vous présente ma fille. Elle a été à la prestigieuse université Wharton, elle était une excellente étudiante, maintenant elle travaille pour moi, parce qu'elle a fait un boulot formidable. Elle sera mes yeux et mes oreilles. Bonne chance !» L'émission, qui sélectionne des candidats pour la Trump Organization, l'empire immobilier familial, en est déjà à sa cinquième saison. Au début elle attirait plus de 20 millions de téléspectateurs, mais l'audience commence à s'essouffler. La fille aînée du milliardaire est chargée de

---

1. *Ibid.*
2. Olivier O'Mahony, «Tommy Hilfiger, au sommet de la gloire», *Paris Match*, 21 janvier 2016.

renouveler le concept. Les joues encore rondes, les cheveux blonds coiffés plus court qu'aujourd'hui, elle crève l'écran dans son tailleur gris, son uniforme de «juge» télévisuel. Des milliers de mères de famille lui écrivent pour la remercier d'être devenue «un modèle à suivre».

En devenant elle-même une célébrité (et, plus tard, en affichant sans retenue les photos de ses enfants sur Instagram), Ivanka ne fait alors que suivre les préceptes de son père, dont elle dit, de manière qui peut paraître sidérante compte tenu de l'ego du personnage, qu'il n'a jamais rêvé de devenir célèbre.

«Mon père est quelqu'un de très intelligent, écrit-elle dans *The Trump Card*, mais il n'avait pas imaginé devenir le centre de l'attention de tant de personnes. Il n'a jamais voulu devenir un people. Être connu du grand public ne faisait pas partie de son plan de carrière. Riche, peut-être. Mais célèbre? Pas tant que ça. Il a tout fait pour réussir dans la promotion immobilière, suivant les traces de son propre père, et il est parvenu à ses fins. Mais plus il avait du succès, plus il attirait l'attention des médias, et il a vite réalisé tout le parti qu'il pouvait tirer de sa célébrité naissante: projeter une image positive permettait de promouvoir ses immeubles et sa réputation d'entrepreneur. Son train de vie somptueux faisait partie de cette image, qui est rapidement une sorte d'idéal américain [...]. Le nom Trump est ainsi devenu l'un de ses principaux atouts en tant que businessman [...]. Nous n'avions pas besoin de promouvoir nos projets, au sens traditionnel du terme. Pourquoi acheter des pages de pub dans les magazines, alors qu'il suffisait d'accorder des interviews et, éventuellement, décrocher la une.»

La participation d'Ivanka à l'émission de téléréalité relève de cette stratégie promotionnelle enseignée par papa. «"The Apprentice" [m'a] permis de développer ma propre image auprès du grand public», poursuit Ivanka. En 2007, un an après sa première apparition à la télé, elle capitalise sur cette célébrité nouvellement acquise en lançant sa propre marque de bijoux, la Ivanka Trump Fine Jewelry, dont la vitrine était filmée en permanence par les caméras de télévision pendant la transition entre l'élection et l'investiture de son père, car elle se trouve juste à côté des portes dorées de l'ascenseur du grand hall de la Trump Tower...

Ivanka passe alors pour une démocrate dans l'âme. Elle est l'amie de Chelsea Clinton, qui ne tarit pas d'éloges sur elle. «Elle me fait penser à mon père, à cause de sa capacité à mettre les gens à l'aise», déclare la fille de Bill et Hillary Clinton en 2015 à *Vogue*[1]... Du reste, à New York, Ivanka a laissé plutôt de bons souvenirs : ceux qui détestent son père – et ils sont très nombreux – épargnent la fille (sur Jared, l'avis est généralement beaucoup plus réservé). «Elle était intelligente et partageait nos valeurs, me confie la designer activiste Arden Wohl[2], qui la fréquente alors. Et ce n'était pas une enfant gâtée.»

Pourtant, le mimétisme avec son père est frappant. La fille du patron veut être légitime. Ivanka s'applique à arriver la première au bureau et à en partir la dernière. Quinze heures par jour en semaine, deux heures le dimanche. «C'est une vraie Trump, extrêmement concentrée sur ce qu'elle fait, avec un agenda très chargé, contrairement à beaucoup de ses amies filles de milliardaires», me confie le journaliste Peter Davis[3], qui la connaît depuis longtemps. Ivanka applique la «formule Trump»: confiance en soi à toute épreuve, persévérance, art de la négociation. Elle sait virer les gens sans prendre de gants, comme elle l'explique dans son livre à propos d'un malheureux employé qui avait

---

1. https://www.vogue.com/article/ivanka-trump-collection-the-apprentice-family.
2. Entretien avec l'auteur, décembre 2016.
3. Entretien avec l'auteur, janvier 2017.

tendance à enterrer les projets sur lesquels elle lui demandait de travailler… Elle n'oublie jamais de promouvoir la
marque en toutes circonstances. Il faut un certain culot,
voire une grande arrogance, pour publier, à 27 ans, ce livre
de mémoires, *The Trump Card*, le guide de la réussite privée
et professionnelle… Mais cela fait partie de son plan-médias,
son obsession de promouvoir sa visibilité.

Ses conseils peuvent être pleins de bon sens, futiles et
déroutants : elle affirme qu'il est important de lire les journaux en version papier (comme papa, qui n'utilise pas
d'ordinateur) et recommande aux candidats masculins à
un entretien d'embauche d'arriver à l'heure, et « sans chaussettes trouées, *please* »… Ivanka tient aux apparences, mêmes
quand elles se cachent à l'intérieur des chaussures. Elle n'est
pas du genre à danser ivre morte jusqu'au bout de la nuit.
Son idéal de soirée, c'est un dîner entre amis ou un bon film
à la maison, comme papa qui, jusqu'à la campagne présidentielle, sortait rarement de chez lui.

Aujourd'hui, Ivanka a coupé les ponts avec ses anciens
amis new-yorkais qui s'interrogent : comment peut-elle
soutenir son père ? Pendant la campagne, Chelsea Clinton
était parvenue à plus ou moins rester en termes cordiaux
avec Ivanka, mais depuis l'élection elle ne lui adresse plus la
parole : « C'est une adulte, elle a 36 ans, et on est tous responsables de nos choix », répond-elle sèchement à une journaliste du *Guardian*, le quotidien de Londres, qui l'interroge
en mai 2018 sur cette ancienne amitié entre l'ancienne et
l'actuelle *first daughter*[1]. L'an dernier, le collectif Dear Ivanka
a été créé par la conservatrice d'art Alison M. Gingeras,
une ex-connaissance, pour la supplier de modérer son père.
Tous ceux qui la croyaient démocrates se sentent trahis. Ils
oublient que, sous des abords plus doux et policés, elle est le

---

1. https://www.theguardian.com/us-news/2018/may/26/chelsea-
clinton-vitriol-flung-at-me.

portrait craché de son père. Avec elle, comme avec lui, c'est business avant tout. Elle s'est mariée avec un promoteur immobilier Jared Kushner. Un vrai mariage d'amour pour lequel elle se convertira au judaïsme. L'heureux élu a une belle gueule. Il est grand travailleur et déjà riche. Autant dire qu'il correspond parfaitement aux canons trumpiens. À New York, le couple vit dans un immeuble Trump sur Park Avenue, à des années-lumière de l'ostentation du triplex paternel. Mais elle est très forte dans l'art de nouer des relations, d'envoyer des petits mots (manuscrits) de félicitations à ceux qui comptent. Ivanka étend ses filets bien au-delà de l'immobilier. Elle est ainsi devenue proche de magnat de la presse Rupert Murdoch. Son père était très fier d'elle quand elle lui a raconté avoir obtenu une « audience » avec Carlos Slim, le milliardaire mexicain, l'un des hommes les plus riches de la planète. Après avoir rencontré le rappeur Kanye West à un événement mondain, il y a huit ans, Ivanka se bat pour obtenir son adresse électronique – la star est protégée par une nuée d'assistants. Il y a quelque temps, on a vu Trump descendre dans le grand hall pour se faire prendre en photo avec le chanteur, (« mon ami », dit-il alors)… Ivanka était derrière, sans mot dire, le regard satisfait…

Son entregent a été un énorme atout pendant la campagne. Le jour du scrutin de la primaire du New Hampshire, en janvier 2016, elle faisait le tour des bureaux de vote, avec son mari Jared. Enceinte de sept mois, maquillée comme si elle sortait d'un studio télé, elle était venue serrer les mains par un froid glacial, virevoltant d'un électeur à l'autre, sur des talons qui s'enfonçaient dans la neige. Les « *Hello!* » et les « *Nice to meet you* » tombaient en rafale. Ivanka s'est aussi illustrée par ses positions en faveur du congé maternité et de la lutte contre le changement climatique, deux thèmes totalement étrangers aux discours de son père, mais qui lui permettent d'élargir son électorat et d'adoucir son image auprès des femmes. Ivana, sa mère, est persuadée qu'elle « a joué un grand rôle dans la victoire» de Donald Trump. «Les électeurs l'observaient et ont pensé : je l'aime bien. Je lui fais confiance. Elle aime son père, donc il ne peut pas être si mauvais que ça. Qui sait ? Un jour, elle sera peut-être la première femme – et la première juive – présidente des États-Unis[1].»

Quand son père est élu, elle la joue modeste. Lors de la première interview de Trump après sa victoire à l'émission «60 Minutes» sur CBS, avec toute la famille, elle est installée au premier rang, à égalité avec Melania, la future Première dame, tandis que les autres membres du clan (Eric, Donald Jr et Tiffany) sont relégués au second. Elle jure alors qu'elle n'a aucune ambition politique, encore moins de prétention à avoir un bureau à la Maison Blanche. «Je serai la fille de mon père et la mère de mes enfants», élude-t-elle. Personne ne la croit. La mise en scène parle d'elle-même. Ce qui excite certains à Washington déjà, c'est la perspective d'un *soap opera* dont la Maison Blanche serait le décor. Le spectacle reposerait sur la rivalité supposée entre Ivanka et Melania, la future First Lady, qui a annoncé qu'elle resterait à New York dans les premiers mois de la présidence de Trump pour s'occuper de leur fils, Barron, 11 ans, jusqu'à la fin de son année scolaire. «Entre elles, il va y avoir des tensions…», m'assure alors un proche du futur président qui sait que, «de fait, les deux femmes sont trop différentes pour avoir des atomes crochus».

Peu importe : la vie d'Ivanka Trump semble alors relever du rêve américain : pluie de dollars et soirées glamour. Ex de Harvard, son mari Jared règne sur un empire immobilier, possède une tour à New York, sur la 5ᵉ Avenue, comme son beau-père, et même un journal, le *New York Observer*, qu'il a acheté alors qu'il n'avait que 25 ans. Ivanka a le physique d'un top model. À 37 et 36 ans, leur fortune s'élève à 750 millions de dollars, leurs trois enfants, dont les photos

---

1. Ivana Trump, *Raising Trump*, Gallery Books, 2017.

s'étalent sur les réseaux sociaux, passent pour les créatures les plus sympathiques qui donneront bientôt un coup de jeune à la West Wing.

Aux premiers jours de la présidence, Ivanka, comme promis, se contente de rester à la maison. Jared, propulsé *senior advisor*, atterrit dans un bureau très convoité, tout proche de celui de son beau-père. Ses attributions vont de la réforme de l'État à la paix au Moyen-Orient, en passant par les relations diplomatiques avec la Chine ou le Mexique... Vaste programme qui lui vaut très vite le sobriquet de «M. le ministre de tout et n'importe quoi». Il est tout-puissant. «L'une des choses dont je suis le plus fier, c'est que Washington [traduction : cette ville, incarnation du "système" totalement étrangère à la véritable Amérique] n'ait voté qu'à 4 % pour Donald Trump», fanfaronne-t-il juste après l'élection. Sous ses aspects policés, Jared est persuadé que le manque d'expérience gouvernementale est un atout pour secouer le système. «Il ne se prend pas pour n'importe qui», me confie un diplomate[1] qui n'a toujours pas digéré de s'être fait vertement interpeller : «Vous travaillez aux Nations unies ? Va falloir se réveiller, là-dedans!», lui avait lancé «M. Gendre».

Ils forment le couple de pouvoir le plus en vue de l'ère Trump... Mais Ivanka va rapidement mesurer ce qu'il en coûte de vivre dans un village hostile, douze fois moins peuplé que New York où elle a toujours habité, qui rassemble tous les centres du pouvoir politique. Aujourd'hui, on la voit faire son jogging le week-end dans la forêt à côté de chez elle, à Kalorama, le quartier des VIP de Washington, avec Jared, casquette vissée sur le crâne, suivie d'un garde du corps. Mais elle n'a plus le cœur à faire sa gym quotidienne au Solidcore, le centre de remise en forme où Michelle Obama est comme chez elle. Pour sa première réservation, en février, Ivanka a

---

1. Entretien avec l'auteur, 6 avril 2017.

pourtant pris soin d'user d'un nom d'emprunt. Hélas, elle a vite été reconnue. Anne Mahlum, la patronne de la salle, lui demande, au nom du respect dû à la tranquillité de sa chère clientèle, un rendez-vous. Comme on le fait avec une élève qui a dépassé les bornes. Qu'importe si Mme Mahlum reçoit des tombereaux d'insultes des trumpistes.

À Washington, Ivanka et Jared ont jeté leur dévolu sur une jolie maison blanche et ancienne dans une rue très tranquille, à côté de chez Barack et Michelle Obama. Dans ce coin-là, on sait se tenir, on est entre gens riches et bien élevés, on met les divergences politiques en sourdine. Et pourtant, les voisins cachent leur enthousiasme à l'idée d'habiter à côté de la fille et du gendre du nouveau président : «J'ai fait d'abord parvenir au couple un mot de bienvenue qui n'a jamais obtenu de réponse», raconte Rhona Wolfe Friedman[1]. Pour elle, ce n'était pas le pire. «Très vite, il est devenu impossible de se garer dans la rue à cause de leur sécurité. Je me suis donc plainte officiellement. Et Ivanka est venue sonner chez moi, accompagnée d'un garde du corps. Elle avait une lettre d'excuses et des cupcakes. Elle était pressée, ce fut bref. » Même le directeur du centre Adas Israel, où est scolarisé leur fils Joseph, 4 ans, parle d'eux avec des pincettes. Rabbin et homosexuel, Gil Steinlauf est connu pour ses positions progressistes : «Dans notre congrégation, m'explique-t-il, certains n'apprécient pas leur présence. Mais notre principe, c'est la tolérance et l'ouverture[2]. » À l'époque de l'investiture, il n'a pourtant pas hésité à publier une lettre ouverte pour dire tout le mal qu'il pensait de Donald Trump et de sa politique.

Qu'importe : à la Maison Blanche, le couple place ses proches. Jared recrute Avi Berkowitz, 28 ans, un de ses clones. Ivanka fait venir Dina Powell, une ancienne de

---

1. Entretien avec l'auteur, 22 juin 2017.
2. Entretien avec l'auteur, 25 juin 2017.

Goldman Sachs, qui ne restera pas très longtemps, ainsi que Reed Cordish, dont l'épouse, Maggie, est l'une de ses meilleures amies. Ils font d'abord tous les efforts pour s'adapter à la vie de la capitale. Le soir du premier dîner de shabbat après l'investiture, ils reçoivent en grande pompe leurs amis du gouvernement. Puis se rendent au dîner de gala de l'Alfalfa, un club influent et bipartisan. Ivanka poste sur Instagram leur photo en smoking et robe longue. Ils sont jeunes et beaux, on dirait qu'ils sortent du générique d'une série à succès. Bref, ils ont tout pour plaire. C'est oublier que les aéroports sont bloqués par les manifestations provoquées par le décret anti-immigration. Que des familles émigrées sont séparées. Tempête sur Twitter. L'embarcation affronte la houle mais suit sa route. Ivanka organise dans sa *townhouse* de Kalorama des «dîners bipartisans», avec des élus républicains et démocrates, au nom, dit-elle, de ses très anciens talents de «marieuse». (Elle affirme être «à l'origine de sept mariages et zéro divorce».) Elle fête le nouvel an chinois à l'ambassade de Chine, et la floraison des cerisiers à celle du Japon. On la voit à la résidence privée de Gérard Araud, l'ambassadeur de France, pour la remise de décoration à son ami, le milliardaire Steven Schwarzman, bienfaiteur du château de Chambord. Elle aurait presque rang d'ambassadrice en robe rouge auprès des ministres et conseillers qu'elle éclipse. Elle est la «reine fille», celle qui occupe la place laissée vacante par Melania, alors restée à New York. S'afficher avec Ivanka ou Jared relève encore du bon ton. Les courtiser, de l'évidence. «On les voyait comme la lumière au bout du tunnel, les seuls capables de calmer le président», dit un proche.

Mais à mesure que les scandales s'accumulent, l'image du couple se ternit. Le déclencheur est un sketch du «Saturday Night Live», l'émission qui, grâce à son antitrumpisme, bat des records d'audience. En une minute et demie, Scarlett Johansson, transformée en sosie d'Ivanka, résume la pensée générale : la First Daughter n'est qu'un des masques de son père. C'est lui qu'on voit mettre du rouge à lèvres alors qu'elle apparaît dans un miroir.

Ivanka, qui a été choyée toute sa vie durant, dans la Trump Tower puis dans la haute société new-yorkaise où elle faisait figure de bonne conscience de son père, a du mal à s'adapter à ce nouveau statut de paria. Les photos et vidéos d'elle et de ses chères têtes blondes sur Instagram font pouffer toute la ville, à tel point qu'un membre éminent du microcosme me confie « se sentir presque triste pour elle » et la voit mal rester jusqu'à 2020 dans la capitale[1]… Ivanka n'est pas dupe. « Je n'imaginais pas autant de méchanceté », confessera-t-elle plus tard, sur Fox News[2], avec une inhabituelle candeur, avant de ressaisir un peu plus tard, sur la même chaîne de télé face au présentateur Sean Hannity : « Washington est une ville compliquée, les attaques m'ont marquée. Mais je peux vivre avec, ma famille aussi », lui déclare-t-elle alors[3]. Et il n'y a pas que dans la capitale américaine qu'on lui en veut : quand elle se rend à Berlin, invitée par la chancelière Angela Merkel, elle essuie quelques sifflets alors qu'elle loue la politique familiale de son père… Pas facile de jouer les petits soldats quand on est la fille de Donald Trump.

Elle est pourtant sans doute arrivée à la Maison Blanche avec les meilleures intentions. Son enthousiasme semble même convaincre Melinda Gates. Le jeudi 20 avril 2017, l'épouse du fondateur de Microsoft, coprésidente de la fondation humanitaire Bill & Melinda Gates, la rencontre dans son nouveau bureau à l'étage de la West Wing. Melinda est un peu inquiète : le président a annoncé une réduction

---

1. À tort, car Ivanka a annoncé au cours de l'été 2018 qu'elle mettait fin à sa griffe de mode, signalant ainsi son intention de rester à Washington.
2. Le 12 juin, « Fox and Friends ».
3. http://insider.foxnews.com/2017/10/24/ivanka-trumps-sean-hannity-interview-media-and-democrats-attack-president-and-family.

drastique de l'aide américaine au développement en faveur des pays pauvres. Mais Ivanka, qui n'est installée dans son poste que depuis trois semaines, lui promet monts et merveilles. Elle l'emmène avec elle jusqu'au Bureau Ovale et lui présente son père, ce qui, évidemment, n'est pas donné à tout le monde. Melinda est impressionnée. Le lendemain, je la rencontre à Paris, alors qu'elle s'apprête à recevoir la Légion d'honneur des mains de François Hollande. Elle me confie, l'œil pétillant, et avec un optimisme étonnant: «Ivanka est remarquablement brillante, décidée à agir pour l'émancipation des femmes, aux États-Unis comme à l'étranger, avec les moyens de parvenir à ses objectifs. Nous avons de magnifiques de projets en cours[1].» Aujourd'hui, Melinda attend toujours un signe d'Ivanka…

---

1. «Bill et Melinda Gates, une médaille pour le cœur», *Paris Match*, 27 avril 2017.

10

La chute de James Comey

Personne n'a rien vu venir, lui le premier. Le 9 mai 2017, James Comey, le patron du FBI, est en visite à Los Angeles pour donner un discours sur la diversité du recrutement d'agents, un de ses thèmes favoris. Comey se voit comme un humaniste, un grand commis de l'État qui veut ouvrir l'agence aux Noirs, aux Latinos et à toutes les minorités. Il explique à ses interlocuteurs que, deux ans auparavant, l'agence a redéfini sa mission pour la rendre plus efficace. «Notre vocation est de protéger le peuple américain et la Constitution des États-Unis.» Au moment où il prononce cette phrase, il s'interrompt. Sur les télévisions accrochées au mur du fond de la salle, allumées sur les chaînes d'info, il découvre un *breaking news* qui annonce: «COMEY DÉMISSIONNE». Comme il est le seul à voir les écrans placés derrière le public, qui se rend compte qu'il est subitement perturbé par quelque chose, il lâche: «Elle est bien bonne. Quelqu'un a dû passer beaucoup de temps à préparer cette blague.» Mais ce n'est pas une plaisanterie. Car dans la foulée une nouvelle alerte apparaît: «Comey licencié.» Cette fois, la salle comprend que c'est sérieux. «Écoutez, je vais aller voir ce qui se passe…», lance alors Comey, qui sort de la pièce pour se renseigner auprès de son équipe. Voilà comment James Comey a appris son limogeage. Trump vient alors d'envoyer Keith Schiller, son «directeur des opérations spéciales» (et qui pendant des années fut son garde du corps), au siège du FBI à Washington pour apporter la lettre officielle de licenciement. Elle est lapidaire. En trois paragraphes, le président explique qu'il vient de recevoir un rapport de l'*attorney general* adjoint (Rod Rosenstein) recommandant son renvoi. «Vous n'êtes plus apte à diriger le Bureau de manière efficace. Il est essentiel de renouveler le leadership du FBI afin de restaurer la confiance du public en cette institution vitale», écrit le président. Dans tout le pays, c'est la stupeur. On a du mal à comprendre car, d'un jour à l'autre, la Maison Blanche offre une raison différente pour motiver le licenciement : le 10 mai, Sarah Sanders, la porte-parole, affirme que Comey avait «perdu la confiance[1]» de ses troupes, ce qui est démenti par les nombreux témoignages d'amitié qui se multiplient à l'égard de l'ancien patron du FBI. Le lendemain, lors de sa première – et très confuse – interview télévisée après l'annonce[2], Trump accuse Comey «de se prendre pour une star» (ce qui n'est pas vraiment une bonne raison pour virer les gens) avant d'admettre, à demi-mot, d'être à l'origine de ce «truc russe» («*that russian thing*», c'est-à-dire l'enquête pour collusion)… Quelle qu'en soit la motivation, cette décision constitue un tournant majeur dans son mandat.

Quand je rencontre l'ex-patron du FBI à New York[3] pour une interview à la sortie de son livre *Mensonges et Vérités*, c'est la première chose qui me vient à l'esprit. Comey se défend de vouloir se lancer en politique, mais à la manière dont il s'y prend pour promouvoir son ouvrage, en multipliant les

---

1. https://www.cbsnews.com/news/comey-lost-the-confidence-of-rank-and-file-fbi-employees-says-sarah-huckabee-sanders.
2. https://www.nbcnews.com/news/us-news/trump-reveals-he-asked-comey-whether-he-was-under-investigation-n757821.
3. Le 19 avril 2018.

interviews à l'infini, on sent bien qu'il aime plaire. Comme Trump. Très grand (2,08 mètres), élancé et s'exprimant bien, Comey sait aussi qu'il passe bien à la télé. Un détail me frappe : il s'adresse tout de suite au seul Américain de mon équipe, Peter, à qui il demande d'où il vient. Peter habite à Philadelphie. « *Go Sixers!* » lui lance alors Comey, en référence à l'équipe de basket de la ville. Un homme politique ne ferait pas mieux…

Comey et Trump n'étaient pas faits pour s'entendre. Comey n'aime pas les brutes. Il le raconte dans son livre en évoquant un souvenir de jeunesse : « Je me souviens avoir dit au dur de la classe, un jour : "Écoute, si tu ne m'aimes pas, je ne t'aime pas non plus, si on se met sur la gueule, ça va nous mener où ?" Évidemment, ça ne lui a pas plu. Cette expérience a été très dure pour moi, mais très formatrice. J'en suis ressorti avec une grande compassion pour les victimes et une haine pour ceux qui les harcèlent[1] », raconte-t-il. Comey se considère comme un justicier respectueux des institutions. « Quand j'étais enfant, poursuit-il, je voulais être médecin. Mais à l'âge de 16 ans, j'ai été menacé par un serial killer qui a pointé son arme sur ma tempe, chez mes parents. J'ai cru mourir, et mon frère Pete, âgé de 15 ans, aussi. Après coup, je voulais toujours être docteur, mais aujourd'hui, avec le recul, je pense que cette horrible expérience, qui m'a donné des cauchemars pendant des années, m'a forcément influencé. Après tout, mon grand-père était flic. Mon père voulait être procureur, avant d'être enrôlé dans l'armée[2]… »

Trump exige de la part de ses collaborateurs une « loyauté à toute épreuve ». Or Comey est très jaloux de son indépendance. Il l'avait fait comprendre dès 2003, quand George W. Bush le nomme numéro deux du département de Justice. Il réalise alors un coup d'éclat qui va marquer sa

---

1. *Mensonges et Vérités, op. cit.*
2. *Ibid.*

carrière. Le président lui demande de valider un nouveau programme d'écoutes secrètes qui a été déclaré inconstitutionnel par le ministère de la Justice. Comey en est le patron par intérim, car le ministre en titre, John Ashcroft, est gravement malade. Quand il apprend que deux proches de Bush se sont précipités à l'hôpital où se trouve Ashcroft pour le convaincre d'approuver le programme depuis son lit de souffrance, il menace de démissionner. Le projet sera amendé. Comey ressort de l'épisode avec une solide réputation d'intégrité, qui lui vaut d'être nommé par Barack Obama directeur du FBI en 2013. Sous Trump, il y a fort à parier que la « résistance » qu'il a opposée au président Bush ne serait jamais passée.

Pour James Comey, ses ennuis avec Trump commencent le 31 juillet 2016. Ce jour-là, il approuve le lancement d'une enquête visant à mettre au clair les liens entre la Russie et l'équipe du candidat républicain. Ses équipes ont reçu des infos provenant de plusieurs sources, qui donnent à penser qu'il y a de la collusion dans l'air. En particulier, ils ont appris l'existence d'un conseiller du candidat qui a l'air de savoir beaucoup de choses : un dénommé George Papadopoulos.

Ce chercheur d'origine grecque, âgé de 28 ans, est fasciné par Trump depuis le début de la campagne présidentielle. Il a contacté son staff dès juillet 2015. « Il a tout de suite vu en lui un possible vainqueur », me dit Simona Mangiante, sa fiancée italienne – ils sont mariés depuis[1]. Le jeune homme pressé se cherche alors un avenir dans la politique. Il se présente comme « expert dans le domaine énergétique, surtout dans le Moyen-Orient, poursuit Simona. Il a travaillé

---

1. Toutes les citations suivantes viennent de l'interview de l'auteur avec Simona Mangiante, le 13 décembre 2017 à Chicago, en présence de George Papadopoulos.

pendant cinq ans au Hudson Institute[1], où il a développé un réseau de contacts de très haut niveau. Il a aussi écrit des documents sur la politique énergétique, participé à plusieurs conférences importantes. Il se dit que ses compétences peuvent servir à un candidat à la présidentielle américaine», poursuit-elle.

Via LinkedIn, George Papadopoulos contacte Corey Lewandowski, à l'époque directeur de campagne de Trump. «Il lui écrit : "Corey, je pense que votre candidat va gagner. Je veux travailler pour lui".» Le bras droit du milliardaire refuse, mais propose de rester en contact. Grâce à un de ses ex-collègues du Hudson Institute, le jeune homme se tourne alors vers Ben Carson, neurochirurgien de profession, un temps bien placé dans les sondages, qui embauche Papadopoulos comme *foreign advisor*, conseiller en politique étrangère. Ça ne dure pas longtemps. Papadopoulos quitte Carson dès février 2016 après quatre petits mois de bons et loyaux services largement passés inaperçus, et revient à la charge auprès de Lewandowski, muni de la recommandation d'un membre du staff de l'ex-candidat. Cette fois, l'équipe de Trump s'est étoffée. Lewandowski fait passer le CV à son adjoint Michael Glassner qui le transmet au conseiller politique Sam Clovis. Début mars 2016, Papadopoulos est embauché. Il monte enfin à bord du Trump Circus. Un rêve devenu réalité. Qui va au-delà de ce qu'il avait pu espérer.

Car très vite, son nom se retrouve dans la presse. Lors d'une rencontre au siège du *Washington Post*, le 21 mars, Trump est interrogé sur le nom de ses *foreign advisors*. Personne ne les connaît alors : son équipe est réduite à quelques personnes qui ne connaissent rien à la politique étrangère. Le roi de l'immobilier liste, parmi d'autres, le nom de George

---

1. Think tank, groupe de réflexion basé à Washington, de tendance conservatrice.

Papadopoulos, un «type très bien» (*excellent guy*). Les experts du *Washington Post* ont beau réfléchir : ils n'ont jamais entendu parler de cet «expert en questions énergétiques».

Mais l'info n'est pas perdue pour tout le monde. Subitement, l'*excellent guy* devient l'objet de toutes les sollicitations. En particulier celle d'un professeur maltais, Joseph Mifsud, basé à Londres et très connecté en Russie, qui est l'un des tout premiers à apprendre la promotion spectaculaire du jeune expert. Mifsud le contacte et le rencontre en Italie 14 mars 2016. Il lui propose alors de rencontrer une femme très proche de Poutine, Olga Polonskaya, un temps présentée à tort comme étant sa nièce. Papadopoulos est intéressé. Le rendez-vous a lieu le 24 mars dans un café à Londres. Il va durer «une demi-heure» selon Simona, mais ne débouchera sur rien de précis. Le professeur Mifsud a un autre contact, beaucoup plus sérieux, celui d'Ivan Tomifeev, proche du Kremlin. Il le présentera à Papadopoulos en avril 2016 par email, et les deux hommes auront des échanges en ligne très fréquents par la suite. Bref, le jeune homme croit très sérieusement qu'il est capable d'organiser une rencontre au sommet entre celui qui n'est pas encore président des États-Unis et le maître de Moscou.

Le 31 mars 2016, Trump réunit son staff de politique étrangère à Washington, dans son hôtel sur Pennsylvania Avenue, encore en travaux. Ils sont treize autour de la table. George Papadopoulos est là, très impressionné : «C'est la première fois qu'il rencontrait le candidat», raconte sa fiancée Simona Mangiante. Quand vient son tour de parler, il évoque la possibilité d'organiser une rencontre avec Poutine. Tout au long de la campagne, Trump a répété qu'il serait intelligent d'améliorer les relations avec les Russes pour «lutter ensemble contre le terrorisme». Comment le milliardaire réagit-il ? Les versions divergent. Selon les proches de Papadopoulos, Trump a écouté avec attention, sans rien dire. Qui ne dit mot… Mais selon l'entourage de Trump, le candidat se serait tourné vers Jeff Sessions, le futur *attorney general*, qui finira par rejeter l'idée.

Courtisé par de nombreuses personnalités prorusses, Papadopoulos entend des choses. Car, en plus de le présenter à des personnalités influentes, le professeur Mifsud, de retour d'un très instructif séjour à Moscou, apprend au jeune chercheur, le 26 avril[1], que les Russes disposent d'informations compromettantes sur Hillary Clinton sous la forme de milliers d'emails «hackés» dans les ordinateurs de campagne du parti démocrate. Un scoop.

Le 10 mai 2016, Papadopoulos prend un verre dans un bar branché de Londres, le Kensington Wine Rooms, avec une connaissance : Alexander Downer, ambassadeur australien au Royaume-Uni[2]. Et là, il parle un peu trop. Il répète la confidence du professeur sur les Russes et Hillary. À l'époque, personne n'a – encore – entendu parler d'une telle histoire. Le diplomate est étonné. Il transmet l'information à sa hiérarchie, qui la garde sous le coude. Mais le 22 juillet 2016, WikiLeaks, aujourd'hui soupçonné d'avoir été alimenté par Moscou (ce que son fondateur Julian Assange dément), balance sur Internet les emails hackés sur les serveurs de l'entourage de Hillary Clinton, en particulier celui de John Podesta, qui dirige sa campagne. Et ce qui en ressort n'est pas du meilleur effet pour la candidate démocrate. Pour les services de renseignements australiens, tout cela ressemble à une grande opération destinée à la déstabiliser. Il faut agir. Ils alertent immédiatement le département d'État à Washington. Sans attendre, et dans la plus grande discrétion, le FBI ouvre une enquête sur ces mystérieuses

---

1. Selon le procès verbal «USA v. George Papadopoulos», Statement of the Offense, 5 octobre 2017 – https://www.justice.gov/file/1007346/download.

2. Selon le récit du *New York Times* : «How the Russia Inquiry Began : A Campaign Aide, Drinks and Talk of Political Dirt», par Sharon LaFraniere, Mark Mazzetti, Matt Apuzzo, 30 décembre 2017.

«informations». Les fins limiers de l'agence veulent en avoir le cœur net : les Russes sont-ils en train de déstabiliser le processus électoral ? Agissent-ils de concert avec les membres de la campagne de Trump ? Le «Russiagate» est né. Nom de code : «Crossfire Hurricane[1]», en référence à une chanson des Rolling Stones, qui annonce la tempête à venir.

Pour James Comey, c'est une mauvaise nouvelle de plus. Car il se remet à peine de l'affaire des emails d'Hillary Clinton, qui lui a coûté très cher. Pendant plus d'un an, ses services ont enquêté pour savoir si l'ancienne secrétaire d'État de Barack Obama avait commis des «crimes» en échangeant sur sa boîte électronique privée des informations classées «confidentiel défense» (au lieu de se servir de son adresse officielle du département d'État). L'investigation a finalement innocenté Clinton. Mais elle a créé un climat d'hystérie pendant la campagne présidentielle, dont Comey a cru pouvoir se sortir en jouant la carte de la transparence, ce qui s'est retourné contre lui.

Car le 5 juillet 2016, il décide de donner une conférence de presse pour annoncer son verdict, alors que rien ne l'y oblige. Il le fait sans avertir du contenu de sa déclaration sa hiérarchie qui n'en est guère heureuse. Comey se met en avant, joue les incorruptibles devant les caméras de télé, avec un numéro de contorsionnisme inédit qui dure quinze minutes. Pendant son allocution, il emploie des mots tellement durs sur le comportement «extrêmement imprudent» d'Hillary qu'on se dit qu'il s'apprête à annoncer qu'elle mérite d'être poursuivie pénalement. Et puis surprise : à la fin du discours, on apprend qu'il réclame l'inverse : «Aucun procureur sérieux ne sera en mesure de produire un acte d'accusation» contre elle, déclare-t-il. Dans cette Amérique ultra-polarisée, tout le monde est furieux. Les démocrates

---

1. https://www.nytimes.com/2018/05/16/us/politics/crossfire-hurricane-trump-russia-fbi-mueller-investigation.html.

hurlent contre les attendus très critiques qui assortissent son verdict pourtant favorable. Les républicains se précipitent sur ces mêmes commentaires pour réclamer qu'elle soit jetée en prison.

Le climat politique est donc lourd, quand, quelques semaines après cette conférence de presse controversée, Comey prend connaissance des soupçons de collusion entre Moscou et l'équipe de campagne de Trump. On est alors à cent jours du scrutin. Et Comey, qui a pris des coups en enquêtant sur Hillary Clinton, n'est guère enthousiaste à l'idée d'aller fouiller cette fois chez son adversaire. «Aucun des agents du FBI n'avait envie de remettre les pieds dans un dossier lié à l'élection», notent Matt Appuzzo, Adam Goldman et Nicholas Fandos dans le *New York Times*[1].

Comey se sent néanmoins obligé d'ouvrir une enquête «afin de comprendre si des Américains, dont d'éventuels associés de Trump, aidaient les Russes dans leur tentative d'ingérence[2]», explique-t-il. Le 2 août 2016, deux agents du FBI sont envoyés à Londres pour interroger l'ambassadeur Alexander Downer, l'homme qui a recueilli les confidences de Papadopoulos.

Ils reviennent en octobre 2016 dans la capitale britannique pour questionner une autre source, l'espion anglais Christopher Steele, connu des services américains pour sa fiabilité. Ce dernier a rédigé un dossier explosif. Il affirme que Poutine détiendrait une vidéo montrant Trump, dans une chambre d'hôtel à Moscou en 2013, en compagnie de prostituées russes s'urinant dessus. Steele n'est pas du genre à raconter n'importe quoi, mais rien ne permet de vérifier ses allégations. L'enquête avance lentement. Elle vise essentiellement quatre membres de l'entourage de Trump :

---

1. *Ibid.*
2. *Mensonges et Vérités, op. cit.*

George Papadopoulos, le général Michael Flynn (qui sera nommé conseiller à la Sécurité nationale), Paul Manafort (qui a dirigé la campagne de Trump jusqu'en août) et Carter Page (conseiller en politique étrangère). Mais les preuves sont minces. Le 31 octobre, à huit jours du scrutin, le *New York Times* titre : « Dans son enquête sur Donald Trump, le FBI ne voit aucun lien clair avec la Russie[1] ».

Après l'élection de Trump, Obama, assommé par le résultat, ordonne – tardivement – un coup d'accélérateur aux investigations. Il veut avoir un rapport complet sur l'ampleur de l'ingérence russe. Il exige une enquête approfondie de la part du FBI et des autres agences de renseignements. La conclusion arrive début janvier. Elle est sans équivoque. Oui, les Russes ont œuvré pour faire élire Donald Trump, estiment-ils. Les hiérarques du renseignement en apportent les preuves à Barack Obama lors d'une réunion dans le Bureau Ovale, le 5 janvier. Ils lui font également part du « dossier Steele » évoquant la vidéo à Moscou, qui circule déjà dans plusieurs salles de rédaction, lesquelles se sont alors abstenues de toute publication. Pour cette raison, les patrons du renseignement estiment nécessaire d'en avertir également le président élu. Or ils ont rendez-vous avec lui le 6 janvier 2017 à la Trump Tower, pour faire un point général sur l'ingérence russe lors de la campagne. Comey accepte d'être celui qui lui annoncera la nouvelle le concernant…

Trump, qui est juge et partie dans l'histoire, ne veut évidemment pas entendre parler de cette enquête russe. Depuis le début, il répète que cette enquête n'est qu'une chasse aux sorcières. Selon lui, ce serait une façon, pour les démocrates, mauvais perdants, de délégitimer son élection. Quand les pontes du renseignement déroulent leurs conclusions sur

---

1. https://www.nytimes.com/2016/11/01/us/politics/fbi-russia-election-donald-trump.html.

la stratégie russe d'infiltration, il écoute sans prendre la parole, sauf pour demander : « Mais vous avez trouvé que ça n'avait eu aucun impact sur le résultat, n'est-ce pas[1] ? » James Clapper, le directeur du renseignement national, répond que cette question n'est pas du ressort des agences impliquées dans l'enquête. Puis il annonce que Comey a quelque chose à lui dire en privé. Tout le monde quitte la salle. Trump apprend ainsi l'existence du dossier Steele. « Avant que j'aie pu terminer, Trump m'a interrompu d'un ton méprisant. Il s'est empressé de démentir. Je lui ai répondu que je n'insinuais pas que le FBI croyait en ces allégations », raconte Comey. Mais Trump n'en croit pas un mot : une fois le tête-à-tête terminé (qui n'a duré que cinq minutes), il explose devant ses conseillers, persuadé d'être victime d'un « coup monté », façon Edgard Hoover, le mythique patron du FBI qui tenait les présidents avec des « dossiers » susceptibles de les faire tomber, soigneusement archivés dans son coffre-fort…

Ce jour-là, c'est la première fois que Comey rencontre Trump. Le sujet de conversation n'est pas le meilleur pour permettre aux deux hommes de nouer une relation de confiance… Et dans les jours qui suivent, le fossé ne va cesser de se creuser. Selon le récit de Comey dans son livre, le président tente de l'amadouer tout en exigeant de lui une « loyauté à toute épreuve ». En public, Trump le couvre d'éloges, notamment quand il croise son regard à l'occasion d'une rencontre avec les forces de l'ordre, le 22 janvier, dans le salon bleu de la Maison Blanche. « Oh, il est devenu plus célèbre que moi », dit alors le président, avant de lui glisser un mot à l'oreille pour faire mine que les deux hommes se donnent une accolade devant les caméras de télé… Comey est mortifié. Lui qui passe pour celui qui a contribué à faire élire Trump refuse de devenir son vassal. Son mandat à la

---

1. Selon le récit de Michael Isikoff et David Corn, *Russian Roulette*, Twelve, 2018.

tête du FBI court jusqu'en 2023… Pour lui, la seule chose qui compte, c'est la défense de son institution, qui, écrit-il, ne vit que par le «réservoir de confiance[1]» que le public lui accorde. Le directeur de l'agence s'arc-boute sur sa sacro-sainte indépendance : il refuse de prendre ses ordres auprès du président des États-Unis…

Le lien entre les deux hommes se brise définitivement le 20 mars 2017, à l'occasion d'une audition parlementaire. Ce jour-là, pour la première fois, Comey confirme que le FBI enquête sur d'éventuels liens entre la Russie et l'entourage de Trump durant la campagne de 2016. Le changement de ton du président ne se fait pas attendre : «La dernière fois que je lui ai parlé, c'était au téléphone, le 11 avril je crois. Il n'y avait plus de gentillesse ni de plaisanterie. Il semblait m'en vouloir. Je pense qu'à ce stade il avait compris que je n'étais pas à son service, contrairement à ce qu'il avait eu le tort d'espérer. Il me demandait d'affirmer publiquement qu'il n'était pas personnellement visé par l'enquête du FBI. Je pense qu'il avait très bien compris que je n'irais pas jusque-là[2].» Trump a déjà l'intention de limoger Comey. C'est chose faite, le 9 mai 2018.

Viré au milieu de son discours à Los Angeles, il reprend l'avion dans le sens inverse, ce qui mettra Trump en rage car c'est un jet privé du FBI dont il est désormais banni. Comey traverse l'Amérique d'ouest en est, se sert un verre de pinot noir venant de la région de Sonoma en Californie, pour se remonter le moral, ce que, dit-il, il n'aurait «jamais fait s'il avait encore été en service». Il regarde l'atterrissage sur l'aéroport de Washington depuis le cockpit de l'avion. Il rentre chez lui, très tard dans la nuit, et, accueilli par sa femme Patrice, «s'effondre de sommeil», me confie-t-il plus

---

1. *Mensonges et Vérités, op. cit.*
2. Entretien avec l'auteur, 19 avril 2018.

tard[1]. Les jours qui suivent, il les passe dans sa salle de gym personnelle, quand les enfants sont à l'école. La presse est parquée sous ses fenêtres. «Puis, trois ou quatre jours après mon licenciement, je me suis échappé de chez moi, caché à l'arrière de la voiture, pendant que mon épouse conduisait. On a fait un tour dans la campagne de Virginie[2]», raconte-t-il.

Ensuite il prend sa revanche. Il décide de faire connaître le contenu de ses échanges avec le président, qu'il a consignés dans des mémos écrits juste après ses rencontres avec lui, dans lesquels il relate le sentiment de malaise qu'il éprouve à son contact. Il y écrit entre autres que Trump l'a pris à part dans le Bureau Ovale et lui a demandé d'arrêter d'enquêter sur Michael Flynn. La présidence dément, mais ça sent très fort l'obstruction de justice. Comey fait fuiter l'allégation *via* un de ses vieux amis, Daniel Richman, prof de droit à l'université de Columbia, à qui il a demandé de transmettre ses mémos à un journaliste du *New York Times*, Michael Schmidt. Rod Rosenstein, le numéro deux du département de Justice, qui supervise l'enquête russe à la place du ministre Jeff Sessions (lequel s'est récusé) n'a d'autre choix que d'annoncer la nomination d'un procureur indépendant, Robert Mueller, huit jours après le licenciement de Comey…

Trump voulait en finir avec l'investigation russe, il a réussi à obtenir l'inverse. «Le licenciement de Comey était une erreur historique», commentera plus tard son «stratège en chef», Steve Bannon.

Comey est désormais détesté par tout le monde. Par les républicains, qui, après l'avoir encensé pour faire élire leur héros, voient en lui un traître. Par les démocrates, qui, attendaient beaucoup de son livre, sorti mi-avril 2018. La parution était alors présentée comme un événement

---

1. Entretien avec l'auteur, 19 avril 2018.
2. *Ibid.*

majeur susceptible de déstabiliser Trump. L'ouvrage est, sans surprise, un énorme succès : dès la première semaine, 600 000 exemplaires s'écoulent. Comey dope les audiences des émissions de télévision où il passe, comme celle de Stephen Colbert sur CBS. Il explique à longueur d'interview que son livre-réquisitoire, dans lequel il compare Trump à un boss de la mafia, est avant tout un cri d'alarme dans un pays où l'éthique au pouvoir est une valeur en perdition. Un discours de bon sens, une rareté dans un pays où beaucoup perçoivent le gouvernement comme une menace aux libertés individuelles. Mais on lui reproche les descriptions physiques peu flatteuses que l'ancien directeur du FBI fait du président. Quand j'ai rencontré James Comey, je lui ai demandé s'il avait écrit lui-même son livre. « Oui, entièrement, m'a-t-il répondu. Mais j'ai beaucoup été aidé par mon éditrice. J'ai toujours su écrire. Elle m'a poussé à donner le plus de détails possible, raconter les choses comment je les ai vécues, prendre le lecteur par la main, d'où ma description très concrète du président et d'autres personnes aussi. » Ce qui lui a valu beaucoup de critiques. On l'a taxé de parler comme Trump, d'attaquer les gens sur leur physique. Comey dit s'en moquer. Mais son message ne passe pas.

Il aurait pu se taire le 5 juillet 2016, quand il a innocenté Hillary tout en lui remontant les bretelles. Comble de l'ironie, c'est que cette conférence de presse inédite et très controversée a servi à Trump de prétexte pour le virer, puisque dans sa lettre de licenciement du 9 mai 2017, il évoque un « rapport de l'*attorney general* Jeff Sessions et de son adjoint Rod Rosenstein » qui la critique sévèrement. Dans ses mémoires-confessions dans lesquelles elle fait l'autopsie de son échec[1], Hillary Clinton s'en étrangle…

James Comey aurait pu, aussi, se taire le 28 octobre 2016, à dix jours de l'élection, au lieu d'annoncer de manière très

---

1. *Ça s'est passé comme ça, op. cit.*

publique la réouverture de son enquête sur les courriels d'Hillary avant de la refermer une semaine plus tard, alors que le mal était déjà fait, et que les courbes de popularité s'étaient inversées…

Après tout, le silence est d'or. Robert Mueller, le procureur spécial dans l'affaire russe, l'a bien compris. Il est aujourd'hui l'homme le plus craint de Washington. Car rien ne sort de son bureau. Aucune fuite…

11

Melania, la Première dame qu'on n'attendait pas

Au son de l'orchestre de la Maison Blanche, Melania Trump apparaît entre les colonnades. Dans la Roseraie de la Maison Blanche, elle s'installe derrière le podium estampillé du sceau du président des États-Unis. Son mari est assis au premier rang dans la foule sur une petite chaise blanche en plastique, comme s'il était relégué sur le banc de touche. Glaciale, sanglée dans sa veste en cuir Ralph Lauren couleur caramel, elle n'a pas un regard pour lui. La star de la journée, c'est elle, pas lui. Ce 7 mai 2018, elle est là pour annoncer son projet phare, « Be Best » (Être le meilleur), qui lui permettra de laisser une trace dans l'histoire. C'est la tradition : chaque Première dame doit se trouver un rôle. Pour Michelle Obama, c'était une campagne contre l'obésité. Pour Melania, ce sera la lutte contre le harcèlement en ligne, la drogue et le suicide des jeunes.

Sur les chaînes d'info, son discours est diffusé en direct. Melania a droit au même traitement que Donald deux jours plus tôt, quand il annonçait de manière beaucoup plus belliqueuse la sortie de l'Amérique de l'accord nucléaire iranien. Les deux sujets n'ont rien à voir entre eux, leur importance n'est guère comparable, seulement voilà : avec

57 % d'opinions favorables (+ 10 points par rapport à janvier 2018[1]) selon un sondage de CNN, contre 44 % pour son mari, la Première dame est devenue populaire. Et elle fait de l'audience. « Dès qu'on met en ligne une histoire sur elle, le trafic explose. Melania fait de meilleurs scores que toutes les célébrités habituelles », me confie un responsable du groupe de presse American Media, dont l'un des titres, *US Weekly*, a publié un mois plus tôt une *cover* sur sa « dépression[2] ». Selon ce magazine, elle n'aurait qu'une envie : divorcer. Et comme ce tabloïd est dirigé par David Pecker, un ami du président depuis des décennies, l'article a été très lu et commenté outre-Atlantique. « Ce fut une de nos meilleures ventes », poursuit ma source. L'histoire était bonne mais la réalité est sans doute plus complexe…

Car elle vient de loin, Melania. Et pas seulement parce qu'elle est née il y a quarante-huit ans en Slovénie… « Elle n'avait jamais imaginé ni souhaité devenir la First Lady de la première puissance mondiale, car elle n'aime pas la lumière[3] », m'assure le photographe Antoine Verglas qui, autrefois, a beaucoup travaillé avec elle. Il se souvient d'une fille « superbe, bien élevée, très gentille avec le staff, mais timide ». Son destin bascule quand son agent de l'époque, Paolo Zampolli, devenu aujourd'hui ambassadeur auprès de l'Onu de la Dominique, une île des Caraïbes, la fait venir à New York pour lancer sa carrière de mannequin. Il organise la soirée de Noël 1998 où il lui présente Trump, également invité, qui flashe sur elle. Au début, poursuit Antoine Verglas, elle pense qu'il n'est « pas sérieux ». Le milliardaire est en effet arrivé accompagné d'une *date*, une petite amie,

---

1. https://www.cnn.com/2018/05/07/politics/melania-new-cnn-poll/index.html.
2. « Melania's Agony, "I'm tired of the lies" », *US Weekly*, 16 avril 2018.
3. Entretien avec l'auteur, 24 juin 2018.

mais cela ne l'empêche pas de demander à Melania son numéro de téléphone, qu'elle refuse de lui donner, préférant prendre le sien. Quelques jours plus tard, elle l'appelle, il décroche. Et très vite, elle s'installe chez lui, dans le penthouse au sommet de la Trump Tower.

Elle est nue quand elle donne sa première interview, le 9 novembre 1999. Donald est à ses côtés et n'en perd pas une miette. C'est même lui qui a initié l'entretien. Il vient d'appeler Howard Stern, l'animateur le plus trash des États-Unis, un de ses amis, qui lui demande de parler au « canon » qui se trouve à côté de lui[1]. La conversation roule sur la fréquence des rapports amoureux entre Donald et Melania, et la belle n'est pas farouche : « Une fois par jour, voire plus » révèle-t-elle. Trump est alors – déjà – en campagne pour la présidentielle, mais sans vraiment y croire. « Elle a le potentiel d'une future Première dame », conclut-il à la fin de l'entretien. Sur ce coup-là, l'avenir lui a donné raison.

À l'époque, Melania est la femme qui dit toujours oui. Un des habitués de Mar-a-Lago, le club privé du président à Palm Beach en Floride, se souvient : « Je voyais souvent Donald dîner avec son ami Richard LeFrak, promoteur immobilier de New York comme lui, et c'était très simple : les deux parlaient, les épouses écoutaient sagement sans lâcher un mot de la soirée[2]. » Selon ce témoin, Melania a un grand avantage : « Née dans un environnement communiste, elle est disciplinée… » Et en plus, son extraordinaire beauté rend hommage à son mari.

Après des noces somptueuses en 2005 suivies un an plus tard de la naissance de Barron, leur fils aujourd'hui âgé de 12 ans, Melania mène une vie insouciante et indépendante de femme de milliardaire jusqu'au lancement de la

---

1. https://www.motherjones.com/politics/2016/08/trump-files-donald-and-melania-creepy-howard-stern-interview.
2. Entretien avec l'auteur, 12 mai 2018.

campagne de son mari, à laquelle elle participe dans la plus grande discrétion, contrairement à Ivanka qui fait la tournée des bureaux de vote et rêve de voir son père élu. On peut la comprendre : Melania sait qu'elle passe bien à l'image, pas à l'oral, à cause de son tempérament réservé et surtout de cet accent dont elle ne se départira jamais. Elle est parfaitement à l'aise dans son rôle de femme de l'ombre, de *trophy woman*. Mais c'est une Trump. Pas question de faire défaut à la cause. Elle a beau admirer Michelle Obama au point de plagier son discours d'investiture à la convention républicaine, elle est là quand il s'agit de défendre les couleurs de son mari. Notamment quand il est en mauvaise posture, au moment du « Pussygate », ce scandale lié à la diffusion d'un enregistrement où on l'entend dire que son statut de star lui permet d'« attraper les femmes par la chatte ». Elle accorde alors une longue interview à Anderson Cooper[1], le présentateur vedette de CNN, où elle affirme que « tout est inventé par nos adversaires, Hillary Clinton et les médias ». D'après elle, les propos de son mari n'étaient que des « conversations de vestiaires ». Elle donne aussi le sentiment que l'adulte du couple c'est elle, et le petit garçon, son époux. Elle dit même avoir parfois l'impression d'avoir deux enfants à la maison : « Mon fils et mon mari. » Ce n'est pas très flatteur pour Trump mais ça l'humanise : bien joué. C'est toujours comme ça aux États-Unis : quand l'épouse donne sa bénédiction au mari mufle ou volage, le public – ou au moins une partie du public – acquiesce… C'était déjà comme ça du temps des Clinton[2]. Corey Lewandowski, consultant pour CNN à la fin de la campagne présidentielle 2016 et qui, à ce

---

1. https://www.youtube.com/watch?v=NGV-sHNe7WI.
2. Aussi bien pendant la campagne présidentielle de 1992 où Bill Clinton faillit tout perdre à cause de sa liaison avec Jennifer Flowers, que durant le scandale Monica Lewinsky. Dans les deux cas, Hillary est montée au créneau, dénonçant une « conspiration d'extrême droite ».

titre, dit avoir joué un rôle clé dans l'organisation de l'interview que Melania a accordé à la chaîne, analyse : « Je ne sais pas quel effet cet entretien a eu sur le résultat des élections, mais il ne peut qu'avoir été positif[1]. » Ce jour-là, Trump peut en effet dire merci à son épouse.

C'est l'un des rares moments où on l'entend s'exprimer publiquement. Ses opinions, elle les garde pour elle. Personne ne saura que, pendant l'été 2015, elle soutient son mari quand il attaque John McCain, affirmant qu'il n'était pas un « héros » malgré ses cinq années passées dans les geôles du Vietnam. Le propos fit scandale mais Corey Lewandowski relatera plus tard que Melania était totalement sur la ligne de son mari à ce moment-là : « Après ces déclarations, nous pensions que la campagne était terminée, écrit celui qui est alors directeur de campagne du milliardaire. Mais, de retour à Bedminster, Melania attend Trump à la porte d'entrée. Elle a regardé à la télévision son intervention et la polémique qui a suivi. Et elle lâche : "Tu avais absolument raison. John McCain n'en a pas fait assez pour les vétérans de l'armée[2]". Je n'en revenais pas. »

Melania est une Trump avant tout : quand son mari entretient une rumeur nauséabonde sur le certificat de naissance de Barack Obama, sous-entendant qu'il n'est pas né aux États-Unis et n'aurait donc jamais dû être élu président, elle est sur la même ligne que lui[3]. Et pendant la campagne, Trump ne cessera de dire qu'elle lui sert de baromètre : « Elle est mon meilleur institut de sondage », répète-t-il alors dans ses meetings, affirmant qu'elle lui a prédit : « Si tu te présentes, tu vas gagner. »

---

1. Corey Lewandowski, *Let Trump Be Trump, op. cit.*
2. *Ibid.*
3. Et le fera savoir à l'occasion d'une interview à l'émission « The Week » sur la chaîne ABC – https://www.youtube.com/watch?v=sSTx1ZODEcQ.

Selon le récit de Michael Wolff, l'auteur du best-seller *Le Feu et la Fureur*, elle est en pleurs, le jour de la victoire, et «ce ne sont pas des larmes de joie[1]»… Peut-être, mais depuis, elle a relevé le défi.

Sa vie de First Lady commence mal. Le jour de l'investiture, elle arrive à la Maison Blanche avec un cadeau pour Michelle Obama, qui ne sait pas quoi en faire car cette gentille attention n'est pas prévue par le protocole. Malaise… Donald la laisse se débrouiller seule. Mais elle encaisse. Elle sait tenir son rôle.

Melania est une pro. Elle embauche des amis pour préparer son installation à la Maison Blanche : la photographe belge Régine Mahaux, avec qui elle travaille depuis quelques années et qui réalisera plus tard sa photo officielle de First Lady[2], la très discrète décoratrice d'origine laotienne Tham Kannalikham, et le styliste français Hervé Pierre. Ce dernier a habillé de nombreuses reines et princesses à l'époque où il était directeur artistique chez Pierre Balmain, puis toutes les Premières dames depuis qu'il est arrivé aux États-Unis.

«Quand j'ai rencontré Mme Trump pour la première fois, le 3 janvier 2017, ça s'est passé de manière très simple, témoigne-t-il[3]. Une amie commune nous avait connectés, elle voulait faire ma connaissance. Elle avait besoin de quelqu'un pour dessiner la robe qu'elle porterait le jour de l'investiture mais aussi pour faire son shopping par la suite, car autrefois c'était elle qui le faisait, et c'était devenu impossible. En arrivant à la Trump Tower, j'ai dû l'appeler en bas de la tour sur son portable parce que les agents des services secrets ne me laissaient pas passer. Ils ne me croyaient pas quand je leur disais que j'avais rendez-vous avec elle. Et une fois

---

1. *Ibid.*
2. Avec son frère Benoît Mahaux et le photographe-réalisateur belge Wim Van De Genachte.
3. Entretien avec l'auteur, 10 février 2017.

dans le penthouse, c'est elle qui s'est excusée ! Je m'attendais à voir quelqu'un de très froid en arrivant, avec une nuée d'assistants. Pas du tout. Elle n'a pas regardé son téléphone une seule fois pendant notre rendez-vous, ce qui m'a mis en confiance. Elle m'a un peu testé en me disant : "Je sais exactement ce que je veux porter le jour de l'investiture." Elle voulait quelque chose de très sinueux. Je lui montre mon book, elle me dit : "Ah oui, c'est vous qui avez fait cette robe." Je ne pensais pas qu'elle me choisirait et pourtant trois jours plus tard elle me rappelle, elle-même, sans passer par sa secrétaire, et je me retrouve à nouveau dans le penthouse. Je suis arrivé avec mes croquis réalisés à partir d'une conversation par SMS avec elle : je lui textais, elle me répondait. C'est là où je me suis rendu compte qu'elle connaissait parfaitement la mode et son vocabulaire technique. Je lui ai présenté plusieurs tissus, elle a choisi le plus beau, un crêpe marocain vanille. Elle sait exactement ce qui lui va, un peu comme Sharon Stone qui un jour m'a expliqué qu'il fallait bouger de deux centimètres vers l'avant la couture de son pantalon pour avoir des jambes plus fines. Son corps est une sculpture et elle le connaît par cœur. Pendant les essais, elle me dit : "Venez, on va essayer de danser", et ça ne fonctionnait pas à cause de la manche, qu'elle a redessinée elle-même. Elle sait ce qu'elle fait. Quand je l'ai retrouvée à la Maison Blanche à la fin de la parade d'investiture, je pensais qu'elle serait épuisée après avoir passé la journée debout sur ses talons. Pas du tout, elle était toute pimpante, j'étais soufflé… Le lendemain, elle m'a demandé ce que les gens avaient pensé de la robe. Je lui ai dit que je n'avais entendu aucune critique négative. "J'imagine qu'on a gagné", m'a-t-elle alors lancé. »

Melania l'a dit un jour : « J'ai la peau dure[1]. » Elle l'a prouvé en affichant son indépendance par rapport à son mari. Elle fait chambre à part. Et même, pendant les six

---

1. http://insider.foxnews.com/2016/03/02/melania-trump-fox-news-interview-records-greta-van-susteren-i-have-thick-skin.

premiers mois de Trump à la Maison Blanche, résidence à part. Elle reste à New York quand il est à Washington pour permettre à leur fils de terminer son année scolaire à New York. Elle laisse Ivanka, la fille chérie du président, jouer les Premières dames à sa place, et s'en fiche. Imperturbable, elle avance à son rythme. Elle fait le service minimum : présente quand il faut, mais pas question d'en faire plus. Aussi, quand, Donald Trump tente de lui saisir la main et qu'elle le repousse, alors qu'ils viennent d'atterrir à Tel Aviv lors de leur premier voyage officiel, l'épisode fait le tour du monde et alimente les rumeurs alarmantes sur leur mariage.

Son installation à Washington, le dimanche 11 juin 2017, est gardée comme un secret d'État. Aucune mention dans l'agenda officiel du président. Melania Trump débarque à la Maison Blanche de retour de week-end à Bedminster. On la voit descendre de l'hélicoptère Marine One, accompagnée de Barron qui porte un tee-shirt bleu clair estampillé « The Expert » et de deux inconnus, dont on apprendra plus tard qu'il s'agit de ses parents, Viktor et Amalija Knavs. Personne ne sourit. Puis un tweet tombe[1]. On y voit la photo d'un bouquet de fleurs posé entre deux bougies allumées, devant une fenêtre, avec une vue très reconnaissable sur le Mall, cette grande esplanade qui va du Capitole à l'obélisque du Washington Monument. La Maison Blanche n'est évoquée que par défaut : on aperçoit le haut des colonnes du balcon Truman qui ornent la partie arrondie de la façade sud, ce qui laisse à penser que le cliché a été pris depuis le salon jaune, au deuxième étage de la résidence présidentielle. « Heureuse à l'idée des souvenirs que nous allons laisser dans cette maison[2] », écrit Melania Trump. Curieuse façon d'annoncer son arrivée dans la capitale. Elle

---

1. https://www.huffingtonpost.com/entry/melania-trump-moves-into-white-house_us_593e821be4b0b13f2c6c21a8.
2. *Ibid.*

parle déjà de souvenirs, alors qu'elle n'a pas encore posé ses valises ! Certains rêvent de vivre à la Maison Blanche depuis leur tendre enfance. Pas Melania.

Elle arrive pour mieux disparaître. L'été 2017, on la voit aux côtés de son mari sur le balcon Truman de la Maison Blanche, en train de regarder l'éclipse solaire : ses lunettes antirayons infrarouges lui donnent un air de Martienne... Certains proches l'entendent parler slovène avec Barron, à qui elle a appris à parler la langue couramment. Son fils est sa priorité absolue. Elle l'a élevé sans baby sitter, avec la seule aide de ses parents, qui l'ont suivie et se sont installés dans une maison à Washington pour être plus proches d'elle.

La politique, très peu pour elle. On ne la voit jamais dans le Bureau Ovale. Le seul (petit) rôle qu'elle a alors, c'est pendant la visite au Vatican de mars 2017. De confession catholique, elle arrive à dérider le pape, peu enthousiaste à l'idée de serrer la main de ce président qu'il n'aime pas. En septembre 2017, elle effectue son premier voyage solo à Toronto aux Invictus Games où elle rencontre le prince Harry, grand ordonnateur de la compétition.

Tout change en janvier 2018. Le *Wall Street Journal* révèle que Trump aurait acheté – moyennant 130 000 dollars – le silence d'une actrice porno, Stormy Daniels, avec laquelle il aurait passé une nuit quelques mois après la naissance de Barron. Melania aurait pu reléguer l'information au rayon des *fake news*, comme son mari sait si bien le faire. Mais non. Elle manifeste publiquement sa colère. Donald Trump doit se rendre seul à son discours annuel sur l'état de l'Union. Une fois dans l'enceinte du Congrès, elle lui vole la vedette, en apparaissant, somptueuse, dans son tailleur pantalon Christian Dior couleur crème. Deux semaines plus tard, elle ne fait rien pour le défendre quand l'ex-playmate Karen McDougal, une autre « conquête » de Trump, s'épanche en racontant sa relation en 2006-2007 et en présentant au passage ses excuses… Cette fois, l'épouse trompée refuse de prendre la main qu'il lui tend au moment ils foulent la pelouse de la Maison Blanche, devant les cameramen qui filment la scène… Ce n'est pas un hasard si la courbe de popularité de Melania décolle à ce moment-là. Elle a choisi de ne pas faire semblant. En pleine ère #MeToo, ce genre d'attitude compte.

Désormais, la Première dame, c'est elle. Finie Ivanka qui joue les rôles de substitution. « Il était temps que ça cesse, ce n'était pas sain », me confie un proche de Melania. Les deux femmes sont trop différentes l'une de l'autre pour être proches. Comme Jackie Kennedy, Melania est devenue une *fashion icon*. Pendant la visite d'État d'Emmanuel et Brigitte Macron, elle porte un chapeau qui fait sensation… et empêche son mari de l'embrasser devant les caméras. Pour imiter le président français qui multiplie les gestes de complicité avec Brigitte, il cherche à lui prendre la main. Elle refuse de la lui donner…

« Melania a compris une chose : Donald Trump ne peut pas s'offrir un nouveau divorce », me dit un proche. Une bonne partie de la base électorale du président repose sur le soutien des chrétiens évangéliques, qui ont voté à 80 % pour lui lors de l'élection et continuent à le défendre malgré la succession de scandales. « À leurs yeux, si l'épouse trompée passe l'éponge, ça la regarde et les apparences sont sauves. En revanche, si elle part… », poursuit mon interlocuteur. Melania sait qu'elle tient entre ses mains les clés de la réélection de Trump en 2020.

« Elle veut simplement qu'on la respecte[1], temporise un proche. Quand elle présentait son initiative "Be Best", je la sentais rayonnante, presque libérée. » Pendant cette semaine-là, Melania est sur tous les fronts. Elle accueille les

1. Entretien avec l'auteur, 11 mai 2018.

épouses de militaires à la Maison Blanche lors de la fête des mères. Donald Trump souligne alors sa popularité en des termes chaleureux. Et cette fois, Melania sourit… Puis on la voit à nouveau sur le tarmac de la base militaire d'Andrews à côté de Washington, à 3 heures du matin, aux côtés de son mari pour accueillir les trois otages libérés de la Corée du Nord, qui viennent d'atterrir…

Finie l'époque où elle se gardait de dire tout haut ce qu'elle pense tout bas. Le 9 octobre, elle se signale par un communiqué au lance-flamme contre… Ivana Trump, la première femme de Donald, qui, en pleine promotion de son livre *Raising Trump*, se déclare « First » Lady, au sens où elle est la première épouse du président… « Ce genre de déclaration de la part d'une ex est absurde et n'a d'autre objectif que de faire du bruit pour attirer l'attention à soi », rétorque violemment le bureau de Melania[1]. Du jamais vu à la Maison Blanche. Puis, en juin dernier, la Première dame passe à la vitesse supérieure, quand éclate la polémique sur les familles de réfugiés séparées à la frontière américano-mexicaine. Les enfants en pleurs privés de leurs parents envoyés en prison pour être illégalement entrés sur le territoire américain passent en boucle sur les écrans de télé. Victimes de la politique de « tolérance zéro » contre l'immigration clandestine qui vient d'être décrétée par Jeff Sessions, le ministre de la Justice, ces gosses sont placés dans des cages à l'intérieur de centres spécialisés pour mineurs… L'émoi dans l'opinion est énorme, et il est partagé par Melania qui décide de le rendre public dans un communiqué où elle affirme « détester » cette situation. Elle-même immigrée, elle s'est adressée à Michael Wildes, avocat spécialiste du droit des étrangers (son cabinet aida autrefois John Lennon et Yoko Ono à éviter l'expulsion),

---

1. https://www.cnn.com/2017/10/09/politics/melania-trump-ivana-trump-first-lady/index.html.

pour permettre à ses parents et à sa sœur, Ines, d'obtenir la citoyenneté américaine, qu'ils ont fini par avoir, début août 2018. Et Donald Trump voudrait abroger la loi sur le regroupement familial ! « Ce sujet est cher à son cœur », me confirme l'avocat[1]. Et tant pis si Michael Wildes est aussi un ex-supporter d'Hillary. Tant pis, surtout, si ce démocrate, actuellement candidat aux élections municipales à Englewood, petite ville du New Jersey dont il fut déjà maire entre 2004 et 2010, se dit « déçu » par Trump en matière d'immigration, et le répète haut et fort, « avec l'assentiment de Melania ». Le 20 juin, Trump capitule : il signe à contrecœur un décret[2] qui donne un coup d'arrêt aux séparations familiales, au moins temporairement… Le lendemain, Melania se rend au Texas à la rencontre de ces enfants. Elle n'a pas demandé l'avis du président, qui, de son côté, continue de faire de l'immigration un thème de campagne majeur pour les législatives de novembre. Le déplacement est suivi en direct sur toutes les chaînes de télé. Mais ce que tout le monde retiendra, c'est cette parka qu'elle porte ce jour-là, taguée dans le dos « I Really Don't Care, Do U ? » (« Je m'en fiche complètement, et vous ? »). Il s'agit d'une veste Zara qui coûte 39 dollars. Ce n'est pas son styliste Hervé Pierre qui l'aurait choisie… Et cette première dame très haute couture n'est pas du genre à mettre du prêt-à-porter *cheap*… Il fait une chaleur étouffante, elle n'a aucun besoin de cette veste, qu'elle exhibe dans la Roseraie de la Maison Blanche, en allant voir son mari dans le Bureau Ovale, au retour de son périple. Depuis, le débat fait rage en Amérique où, quels que soient les démentis officiels, on s'accorde à penser que ce choix vestimentaire ne doit rien au hasard. « Elle a lancé un signal à son mari »,

---

1. Entretien avec l'auteur, 21 juin 2018.
2. https://www.whitehouse.gov/presidential-actions/affording-congress-opportunity-address-family-separation.

analyse, à tort ou à raison, Dana Bash, l'une des stars de CNN, qui n'est pas du genre à spéculer sur des rumeurs. Trump affirme dans un tweet que c'est un message envoyé à la presse. Peut-être… Ce jour-là, elle a surtout marqué un point contre lui.

12

Far West

Trois hélicoptères militaires estampillés « United States of America » survolent à basse altitude la Maison Blanche. L'un d'eux se pose sur la pelouse, juste en face du balcon Truman : c'est Marine One, celui qui emmènera le président dans les airs. Le bruit est assourdissant. Au sol, les musclés du Secret Service ont du mal à tenir debout, à cause des rafales de vent provoquées par les pales du rotor. Ce vendredi 4 août, Donald Trump ne perdra pas ses privilèges, comme Louis XVI en 1789. Au contraire, il rejoindra ses quartiers d'été, son luxueux golf-club de Bedminster dans le New Jersey. La foule est venue nombreuse pour assister à son premier départ en vacances en tant que chef de l'État. D'un côté, il y a les « gentils » : proches et amis invités par la Maison Blanche, qui applaudissent. En émergeant, seul, du Bureau Ovale, Trump n'a d'yeux que pour eux. De l'autre, les « méchants » : cameramen et photographes, encadrés par le staff de la présidence, dont Sean Spicer, l'ex porte-parole toujours dans les murs, venu avec ses jeunes enfants blonds et bien habillés. Un journaliste hurle pour demander au président s'il va virer Robert Mueller, le procureur spécial dont l'enquête sur l'affaire russe avance à grands pas : un grand jury est en train d'être constitué, ce qui rend la procédure quasi irréversible et des mises en examen possibles. Mais

Trump ignore la question. Il s'engouffre, cravate au vent, dans Marine One qui décolle quelques minutes plus tard, escorté des deux autres hélicos.

« Sortez-moi de ce marécage ! » titre ce jour-là le *New York Post*, tabloïd trumpiste mais lucide. Jamais Trump n'aura autant mérité ses vacances. Il est tombé à 33 % d'opinions favorables au niveau national[1]. Depuis deux semaines, l'ambiance à la Maison Blanche a tourné au Far West. Son équipe est en lambeaux.

Ça a mal commencé dès les premiers jours.

Tous les « anciens » de cette période-là à la Maison Blanche, démissionnaires ou poussés vers la sortie, le disent : l'intensité des conflits entre les différentes factions entourant le président sont « insupportables », me dit Steve Bannon, qui n'est pourtant pas le plus doux de la bande, mais qui, de son propre aveu, « garde un très mauvais souvenir[2] » de son passage à la présidence. Ces chamailleries ont été longuement documentées, notamment par Michael Wolff, l'auteur du best-seller *Le Feu et la Fureur*, largement basé sur les confidences du même Steve Bannon. Mais elles sont confirmées par Reince Priebus : « Vous prenez tout ce dont vous avez entendu parler et vous le multipliez par cinquante[3] », assène-t-il. Peut-être cherche-t-il à se dédouaner en renvoyant la faute à Donald Trump, parce que de l'avis général son passage à la Maison Blanche en tant que directeur de cabinet a été un échec. Mais tout va dans le même sens, à commencer par les tweets présidentiels que Priebus a tenté de restreindre et d'encadrer, en vain. Trump est incontrôlable. Ou plutôt, il a la hantise de se laisser broyer par la bureaucratie

---

1. Selon un sondage réalisé par la Quinnipiac University. Ce score de 33 % est le plus bas de l'année 2017 enregistré par Donald Trump – https://poll.qu.edu/images/polling/us/us01172018_trends_udww76.pdf.
2. Entretien avec l'auteur, 20 mars 2018.
3. Chris Whipple dans son livre *The Gatekeepers, op. cit.*

gouvernementale et le devoir de réserve qu'elle implique. En réalité, il a tout fait pour créer le chaos, en mettant sur un pied d'égalité Bannon, stratège en chef, et Priebus, *chief of staff*. Ce dernier est censé être le patron qui filtre tout et dit au président ce qu'il n'a pas forcément envie d'entendre. Mais Priebus a un lourd handicap : en octobre 2016, il a conseillé à Trump de quitter la campagne après la diffusion de la vidéo *Pussygate*[1], dont il pensait que le candidat ne se remettrait jamais. Alors président du Republican National Committee, l'instance qui dirige le parti républicain, il a raisonné comme un membre de cet establishment que Trump abhorre. Erreur de jugement, crime de lèse-majesté : Priebus n'aura jamais l'autorité nécessaire d'un *chief of staff*... Résultat : les sept premiers mois de l'administration Trump sont comme un bateau qui tangue. « Jamais un début de présidence n'a été aussi dysfonctionnel dans l'histoire moderne américaine[2] », écrit Chris Whipple.

« Welcome to the very famous White House », lance-t-il en préambule d'une conférence de presse commune avec son hôte, le Premier ministre japonais Shinzo Abe, le 10 février 2017, moins de trois semaines après son investiture. Sourires dans les travées, face à la naïveté d'un président qui parle de l'épicentre du pouvoir américain comme s'il s'agissait d'un casino « très célèbre »...

Il ne l'avouera jamais, mais il n'en menait pas large quand il a mis le pied pour la première fois dans le Bureau Ovale. Et on peut le comprendre : il a vécu et travaillé pendant près de trente-cinq ans dans le même endroit, la Trump Tower à New York, tour qu'il a conçue lui-même et qui porte son nom sur la façade. Et le voilà catapulté dans cette vieille Maison Blanche qu'il aurait qualifiée de « poubelle » auprès

---

1. Où Trump dévoile ses talents de Don Juan en termes particulièrement salaces.
2. *The Gatekeepers, op. cit.*

de ses camarades de golf[1], juste après son installation, ce qu'il a bien sûr démenti («Fake news», a-t-il tweeté).

L'ombre d'Obama rôde encore : on peut reprocher à l'ancien président tout ce qu'on veut, mais il a donné une belle image de l'Amérique, avec sa femme Michelle qui a fait un sans-faute et leurs deux filles qui n'ont jamais défrayé la chronique. Et l'image, dans l'univers Trump, est primordiale. Alors, dès ses premiers pas, il n'a de cesse d'effacer toute trace de son prédécesseur. Ce dernier avait attendu plus d'un an et demi avant de redécorer intégralement le Bureau Ovale à son goût, Trump a mis sept mois[2]. Il a opté pour la sobriété, se contentant de poser le portrait en noir et blanc de son père bien en évidence derrière le fauteuil présidentiel. Mais dans la West Wing, l'aile du pouvoir où travaille son staff, il s'est lâché. Certains murs sont recouverts de photos. Dans l'antichambre de la salle de presse, on peut admirer un grand portrait de lui et Melania, somptueuse dans une robe longue jaune à motifs siglée Pucci qu'elle portait le jour de la visite du Premier ministre indien Narendra Modi. La décoration évolue en fonction de l'actualité. Dans un couloir qui mène au Bureau Ovale, on apercevait, en juin 2017, une photo du visage de Trump projeté sur un grand immeuble lors de sa visite officielle en Arabie saoudite, et une autre où il est seul, la main posée sur le mur des Lamentations. Trump s'aime et veut que ça se voie. Chaque vendredi soir, son service de presse envoie un récapitulatif des «photos de la semaine», léchées, posées façon présidentielle.

---

1. http://www.golf.com/tour-news/2017/08/02/story-behind-our-trump-golf-story-and-certain-explosive-quote.
2. Il a commencé par changer les rideaux et les canapés dès son entrée à la Maison Blanche, puis a profité de ce départ en vacances pour effectuer des travaux de rénovations plus importants (avec changement du papier peint en particulier).

Avec ses collaborateurs, le président exige une loyauté absolue, comme à l'époque où il dirigeait son empire familial, ce qui engendre des manifestations stupéfiantes de flagornerie. Exemple, ce 12 juin 2017, il réunit pour la première fois son cabinet au grand complet, soulignant «l'obstruction sans précédent des démocrates» qui a retardé les nominations[1], avant d'inviter chacun des membres à se présenter «en déclinant nom et position». Le vice-président Mike Pence ouvre le bal: «Servir le président qui tient ses promesses vis-à-vis du peuple américain est le plus grand privilège de ma vie.» Puis Jeff Sessions, l'*attorney general*, enchaîne en soulignant le soutien dont il jouit chez les magistrats et policiers partout dans le pays: «Ils sont ravis du fait que nous apportions de nouvelles idées.» Rick Perry, le secrétaire à l'Énergie, en rajoute en le félicitant sur le timing de l'annonce du retrait américain de l'accord sur le changement climatique: «Chapeau bas, vous défendez vos positions et envoyez un message clair au reste du monde.» Reince Priebus, le *chief of staff*, remercie, au nom de tout le staff, «de l'opportunité et de la bénédiction de servir et exécuter vos décisions». Sonny Perdue, le secrétaire à l'Agriculture, évoque son récent voyage dans le Mississippi et rapporte: «Ils vous aiment là-bas.» Ben Carson, le secrétaire au Logement et au Développement urbain, et Steven Mnuchin, le secrétaire au Trésor, déclarent que c'est «un honneur» de travailler pour Trump. N'en jetez plus. Pour avoir la liste complète du concert de louanges, il suffit d'aller sur le site de la Maison Blanche, où la vidéo est disponible. On y voit un Donald Trump particulièrement souriant[2].

---

1. Aux États-Unis, les ministres et membres les plus importants de l'exécutif fédéral (réunis dans ce qu'on appelle le «cabinet») doivent être approuvés par un vote au Sénat.
2. https://www.nytimes.com/2017/06/12/us/politics/trump-boasts-of-record-setting-pace-of-activity.html.

Dans la salle de presse, l'ambiance est tout aussi étrange dès les premiers jours. Le 21 janvier, Sean Spicer, le porte-parole, exécute avec zèle l'ordre présidentiel de «recadrer les choses» concernant l'épineux sujet de la taille de la foule pendant l'investiture. «C'était la cérémonie la plus regardée de tous les temps, point final», martèle-t-il. Il faut, selon lui, additionner les gens présents sur le Mall (esplanade) de Washington où avaient lieu les festivités, à ceux qui regardaient la cérémonie *via* les nouveaux canaux de diffusion vidéo (Facebook live, Snapchat, etc.), qui n'existaient pas huit ans auparavant. Amalgame périlleux, il fallait oser. La stupeur est visible sur les visages des journalistes qui ne reconnaissent plus le Sean Spicer, si affable et copain avec tout le monde à l'époque pas si lointaine (jusqu'à novembre 2016) où il était directeur de la communication du Republican National Committee. Mais le problème, c'est que Spicer en fait trop : «Ce n'est pas ce que je voulais», lui lance le président, toujours furieux après sa prestation[1]. Le porte-parole aura alors un «grand moment de solitude», avouera-t-il plus tard. «J'ai mécontenté tout le monde[2].» En effet : dans cette administration, il compte peu d'amis. Dans son livre, Corey Lewandowski[3], le premier directeur de campagne de Trump, le décrit comme un traître qui était prêt à retourner sa veste après l'élection qu'il pensait perdue. Spicer ne ménage pourtant pas sa peine pour plaire au président. Un jour, en arrivant dans la salle de presse pleine à craquer, il lance : «Wow, quelle foule! C'est ça, un briefing de presse façon Trump.» Il sait évidemment que le boss regarde à la télévision.

---

1. https://www.rollingstone.com/politics/features/sean-spicer-donald-trump-w521218.
2. *Ibid.*
3. *Let Trump Be Trump, op. cit.*

Il est vrai qu'avec la nouvelle administration les point-presse quotidiens sont devenus un spectacle. Autrefois, ils étaient longs, techniques et ennuyeux. Maintenant ils font flamber les audiences des chaînes d'info qui les retransmettent en direct. Sean Spicer est devenu à la fois une célébrité, ce qui est rare pour un porte-parole présidentiel, et une tête de Turc pour les émissions satiriques, « Saturday Night Live » en tête, où il est caricaturé par une femme humoriste, Melissa McCarthy. La foule de journalistes qui vient l'écouter tous les après-midi a changé. On voit apparaître de nouvelles têtes qu'on n'aurait jamais croisées sous Obama. C'est notamment le cas de Jack Posobiec, qui se présente alors comme le « chef du bureau de Washington » de TheRebel.com, un site en ligne d'extrême droite d'origine canadienne. Il est arrivé à décrocher une accréditation dès avril 2017 et semble tout feu tout flamme à ses débuts. Ce « journaliste » alors âgé de 32 ans est en réalité un activiste acharné, ancien de Citizen for Trump, groupe de soutien pendant la campagne, où il dirigeait les « opérations spéciales ». Il excelle dans l'art de harceler en ligne ses adversaires et diffuser de fausses nouvelles, comme le Pizzagate par exemple, théorie montée de toutes pièces selon laquelle des proches d'Hillary Clinton auraient été impliqués dans un réseau de pédophilie qui se réunissait dans un restaurant italien de Washington. Quand je le rencontre, il est obsédé par Seth Rich, jeune employé du parti démocrate, assassiné le 10 juillet 2016 de deux balles dans le dos. Posobiec est convaincu qu'il s'agit d'un meurtre politique orchestré par la campagne d'Hillary Clinton contre ce jeune homme « proche de Bernie Sanders », le rival d'Hillary aux primaires. Selon Posobiec, Rich aurait transmis à WikiLeaks des milliers d'emails internes du parti démocrate, car il était ulcéré par le traitement infligé à Bernie Sanders par son propre parti, aux ordres des Clinton. Rien ne permet d'accréditer cette fumeuse théorie du complot : le meurtre de Seth Rich, non élucidé à ce jour, est traité par la police de

Washington comme une tentative de vol qui a mal tourné. Quant au hacking des emails internes du parti démocrate, il est établi par les services de renseignements que c'est l'œuvre des Russes et non celle de Seth Rich qui n'a rien à voir là-dedans. Mais aux yeux de Posobiec et d'autres propagandistes trumpistes de *fake news*, cette théorie présente l'avantage d'incriminer Hillary Clinton et d'exonérer les Russes…

En France, Jack Posobiec, admirateur de Marine Le Pen, n'est pas un inconnu. Quelques jours avant le deuxième tour de la présidentielle, il s'est illustré en faisant la promotion sur son compte Twitter, où il compte alors plus de 100 000 abonnés, d'une rumeur selon laquelle Emmanuel Macron détiendrait un compte secret dans un paradis fiscal des Bahamas (et que la candidate d'extrême droite a reprise à demi-mot pendant le débat présidentiel le 3 mai 2017). « Fake news » évidemment, peu importe pour le « journaliste » Jack Posobiec, qui, devant moi, reconnaît qu'il ne sait pas si la rumeur est vraie. « Mais je la diffuse parce que je ne prends pas parti. Si on me prouve qu'elle est fausse, je le dirai aussi »… C'est bien connu : une info plus un démenti, ça fait deux infos… Mais Posobiec, qui aujourd'hui travaille pour « One America Network », une chaîne de télé de droite, a bien l'intention de continuer sur sa lancée. Le jeune homme a de l'ambition : « Quand j'avais 10 ans, me dit-il, je rêvais de devenir président des États-Unis. Peut-être qu'un jour, quand j'aurai l'âge de Donald Trump, si je suis prêt et l'Amérique aussi, je me présenterai à mon tour…[1] »

Comme Jack Posobiec, les fans adorent venir à la Maison Blanche que Trump, en bon hôtelier, ouvre à tous vents. Dans le Bureau Ovale, qui relevait du sanctuaire à l'époque Obama, se succèdent désormais les séances photo avec les amis du président. En avril 2017, Trump reçoit le rockeur activiste ultraconservateur Ted Nugent aux côtés d'un autre

---

1. Entretien avec l'auteur, 16 mai 2017.

chanteur, Kid Rock, et de Sarah Palin, l'ex-candidate à la vice-présidence, chargée de sélectionner les copains. Au menu : salade de homard, côtelettes d'agneau, gâteau à la meringue. Pas d'alcool, car Trump ne boit que du Coca light. Le tour du propriétaire est commenté par le maître des lieux. «Il connaissait tout sur les tableaux, tapis, lits et fenêtres blindés», confiera Ted Nugent, impressionné.

D'autres en ressortent médusés. C'était le cas le 24 avril 2017 quand, deux heures durant, le président américain reçoit à déjeuner les quinze membres du Conseil de sécurité de l'Onu. Une organisation qu'il ne porte pas dans son cœur. «Mon message central était que nous attendions des États-Unis un engagement résolu dans les affaires du monde, à commencer par la Syrie, la lutte contre le terrorisme et le changement climatique», confie François Delattre, l'ambassadeur français[1], qui a été placé à côté de M. Gendre, Jared Kushner. Trump écoute. Il prend même des notes… Mais il sidère tout le monde en critiquant quinze minutes durant le coût exorbitant de la rénovation du siège des Nations unies, qu'il a suivie en direct, «avec la précision du promoteur immobilier qui s'y connaît dans le choix des matériaux», me raconte un participant…

Trump, décidément, a encore la tête dans les chantiers. Il est toujours patron de son empire immobilier, pas président des États-Unis. Il décide seul sans en avertir ses collaborateurs, comme le jour où il vire James Comey, le patron du FBI, sans que le porte-parole Sean Spicer soit mis dans la confidence. Selon le compte rendu du *Washington Post*[2], il se serait alors isolé derrière les fourrés pour éviter les journalistes qui tombent des nues comme lui. Spicer conteste

---

1. Entretien avec l'auteur, 27 avril 2017.
2. https://www.washingtonpost.com/news/post-politics/wp/2017/05/10/as-trump-fired-comey-his-staff-scrambled-to-explain-why/?utm_term=.1b0a31372585.

cette présentation des faits, affirmant qu'il ne se cachait pas mais qu'au contraire il se trouvait dans une allée, «ce qui est prouvé par des photos et vidéos», néanmoins l'épisode achève de ruiner sa crédibilité : les caricatures fleurissent sur Internet.

De la même façon, Trump décide seul quand, conscient du désordre qui mine son équipe, il fait d'Anthony Scaramucci son directeur de la communication, le 21 juillet 2017. L'intéressé a un profil comme il les aime : direct et mal élevé. Son surnom : «the Mooch». Le profiteur. Ce New-Yorkais, ancien de Goldman Sachs, a fait beaucoup d'argent dans la finance. Quatre jours avant l'investiture présidentielle, il a vendu sa société de *hedge fund* SkyBridge Capital et rêvait depuis d'un poste officiel à la Maison Blanche. Il est l'ami d'Ivanka et Jared Kushner, qui poussent sa candidature. Trump le fait venir dans son bureau et l'embauche sur-le-champ. Mais ce qu'il n'a pas prévu, c'est qu'il provoque la révolution dans son propre staff. Le docile Sean Spicer se rebelle : pas question pour lui de travailler sous les ordres du «Mooch», qui selon lui n'a pas le niveau pour le poste. Spicer démissionne le jour même de sa nomination.

Ça se complique six jours plus tard. Le 27 juillet, Scaramucci se met à dégommer ses petits camarades de la Maison Blanche, lors d'une conversation qu'il présumait *off* (comment peut-on être aussi imprudent ?) avec un journaliste du *New Yorker*, Ryan Lizza. Il qualifie ainsi Reince Priebus de «putain de parano schizophrène». Dans son élan, Scaramucci se paie Steve Bannon, l'influent conseiller spécial, en termes «tellement vulgaires qu'il est impossible de les répéter», entend-on en boucle sur toutes les chaînes de télévision. Une pudibonderie qui rappelle les grandes heures de l'affaire Monica Lewinsky, quand il fallait dire les choses sans vraiment être précis de peur de choquer les enfants. Prenons le risque : « Je ne suis pas comme lui, je me suce pas la bite », a donc lâché Scaramucci très en verve. Une manière fleurie de dire qu'il ne cherche pas à capter l'attention des médias. Sa fraîcheur de langage a incommodé, jusque dans la famille présidentielle, laquelle en a pourtant vu de toutes les couleurs. Bilan : il est viré au bout de dix jours.

Scaramucci était venu avec une mission précise : mettre fin aux fuites, qui se succèdent à un rythme sans précédent. Il le dit derrière le pupitre du porte-parole, lors d'une conférence de presse qui restera dans les annales, car il l'a conclue en envoyant un baiser de la main aux journalistes qui ne comptent pas exactement parmi ses meilleurs amis. Et les fuites continuent de plus belle. Le jour du départ présidentiel en vacances, le *Washington Post* publie le verbatim de conversations téléphoniques de Trump avec ses homologues étrangers. On apprend ainsi qu'il a demandé au président mexicain d'éviter de dire publiquement que son pays ne paierait pas pour la construction du mur à la frontière, admettant implicitement que sa principale promesse de campagne ne tenait pas la route. On obtient aussi la confirmation de ce qu'on savait déjà : Trump a raccroché au nez du Premier ministre australien, qui le titillait à propos d'un accord passé par Obama sur l'accueil de réfugiés. Il est rarissime que ce genre de document confidentiel fuite dans la presse, ce qui en dit long sur le niveau d'animosité au sein de l'équipe Trump. Les noms des futurs partants circulent : Rex Tillerson (viré en mars 2018), H.R. McMaster (débarqué en avril 2018), et Reince Priebus, qui tire finalement sa révérence le 28 juillet 2017. Lui non plus n'a pas apprécié la nomination du « Mooch » une semaine plus tôt, d'autant que celui-ci l'a carrément accusé, dans un tweet, de divulguer des informations sur sa fortune personnelle (alors qu'elles sont publiques). Trump ne fait rien pour le retenir, puis annonce par un tweet le nom de son successeur, John Kelly, alors secrétaire à la Sécurité intérieure, qui lui non plus n'a pas été prévenu. Priebus, qui espérait avoir droit à un délai de grâce de quelques semaines, histoire de faire ses cartons et partir dignement, s'est ainsi retrouvé exfiltré de l'escorte présidentielle, sous la pluie, devant tout le monde, sur le tarmac de la base militaire d'Andrews à côté de Washington, où venait de se poser Air Force One… Comme me l'a confié Steve Bannon, «pour travailler avec Trump, il ne faut pas être fleur bleue[1]». Il ne va d'ailleurs pas tarder à en faire les frais lui-même.

---

1. Entretien avec l'auteur, mars 2018.

que son palais soit plus visible de l'extérieur. Là, c'est l'inverse : depuis la Lamington Road, la petite route anonyme à deux voies qui longe sa propriété, impossible de voir ce qui se cache derrière la guérite et les murets en pierre estampillés « Trump National Golf Club » en lettres d'or.

Comme Mar-a-Lago, Bedminster est un club privé où seuls les membres ont accès. Le critère de sélection, c'est l'argent, puisque le droit d'entrée est supérieur à 300 000 dollars (contre 200 000 dollars « seulement » pour Mar-a-Lago, ce qui donne une idée du degré d'exclusivité du lieu). Trump y possède un « cottage », une résidence à tourelle aménagée dans les anciennes dépendances du domaine, juste à côté de la piscine. Vu de l'extérieur, le logis est étonnamment modeste. Ivanka et Jared Kushner ont le leur juste en face.

J'ai pu visiter Bedminster à un moment stratégique, le samedi 12 novembre 2016, quatre jours après l'élection de Trump, invité par un membre du club qui voulait rester anonyme parce que son gendre espérait alors obtenir un gros poste dans l'administration Trump (qu'il n'a finalement pas décroché). C'était étrange, on aurait dit le calme avant la tempête. Le club était vide. Il y avait juste une succession de voitures de grand luxe (Rolls-Royce) et de sport (Lamborghini) garées sur le parking devant la maison principale, à l'ombre de la fontaine, comme on en voit à Monaco devant le casino. Les enfants d'Ivanka jouaient dans la cour qui fait face à leur « cottage ». Le service de sécurité était encore léger : il n'y avait que deux membres du Secret Service en civil, qui n'avaient pas l'air bien méchants. Comme si, à Bedminster aussi, on n'avait encore du mal à croire que le maître des lieux avait été élu président des États-Unis. « Ivanka et Jared déjeunaient ici aujourd'hui, ils étaient sur un petit nuage, me confie mon hôte, que l'on appellera Jack. Trump devait venir, mais il s'est décommandé au dernier moment. Je l'ai vu le soir de l'élection à la Trump Tower, il était très calme. J'étais sûr qu'il allait gagner, il suffisait qu'il reste fidèle à son message.» Jack pronostique alors qu'il sera «très différent de ce que les gens s'imaginent. Il est pragmatique, tout sauf un idéologue. Je ne serais pas surpris qu'il renonce à construire son mur à la frontière mexicaine...» Jack ne voit pas le problème qu'il y aurait à entretenir de bonnes relations avec Poutine. Comme le dit Al Pacino dans le *Parrain II*: «Garde tes amis près de toi, et tes ennemis encore plus près: il faut parler avec tout le monde.»

Jack a rencontré Trump il y a quinze ans. Il ne lui doit rien, il est juste client de son club. Il confirme que Jared Kushner, qui comme lui vient du New Jersey, était un «démocrate convaincu, tout comme Ivanka d'ailleurs». Les deux se sont mariés ici même, en 2009. «Avant d'être président, Donald venait tout le temps en week-end ici, témoigne-t-il. En voiture souvent, car on est à un peu plus d'une heure de route de la Trump Tower, ou sinon en hélicoptère pour éviter les embouteillages. Il dînait dans le restaurant du club comme tout le monde. Bien que propriétaire, il se comportait comme tous les autres membres du club. Pareil pour Melania et ses enfants. C'est très familial ici, personne ne se prend au sérieux, chacun se respecte. L'inverse de l'endroit où l'on vient pour se montrer et frimer.» Question de point de vue: l'endroit dégouline d'argent, et les employés se tiennent à carreau. Trump a toujours joué pleinement son rôle d'hôtelier: «Dès qu'il remarquait une éraflure sur un mur, le lendemain, un peintre la faisait disparaître. Il posait des questions à tout le monde sur ce qui leur plaisait, ce qu'il fallait changer, ou améliorer.» Pendant la campagne, Jack se souvient que Trump venait souvent à Bedminster.

«J'ai souvent vu Reince Priebus[1] et Rudy Giuliani[2].» Entre deux réunions, Trump rejoignait les greens. «Il avait

---

1. Il était alors président du Republican National Committee, puis a été *chief of staff* de Trump à la Maison Blanche de janvier à juillet 2017.
2. Alors conseiller de Trump, puis membre de son équipe d'avocats dans l'affaire russe.

un handicap 7. Avec lui, les parties sont vite expédiées. Et il aime bien gagner», dit Jack, sourire en coin. Quitte à tricher, disent certains golfeurs. Après son élection, Trump continue à prendre des avis auprès de ses membres, pour savoir, par exemple, qui selon eux devrait occuper tel ou tel poste dans l'administration...

Bedminster est l'un de ces endroits «nouveau riche» et aseptisés comme Trump les aime. La maison principale, de construction récente (années 1930 ou 1940), ressemble à une *mansion* georgienne très traditionnelle, «façon 10 Downing Street»[1], dira Trump qui, dès son élection, multiplie les séances photo devant le fronton principal à colonnes. En face, dans une ancienne dépendance réaménagée en salle de relaxation et vestiaire, les murs sont couverts de portraits du propriétaire. On ne peut pas faire un pas sans qu'un employé vous salue d'un sonore «Hello, Mr Untel», avec l'inévitable sourire ultra-bright à la clé. Et quand c'est David, le manager du lieu, qui passe, il se précipite sur vous pour vous serrer la main et vous demander votre nom s'il ne reconnaît pas votre visage. C'est typique de la courtoisie américaine, façon déguisée de surveiller tout le monde. Difficile d'être antitrumpiste dans ce club où, évidemment, personne ne comprend que le maître des lieux soit taxé de racisme. «Je l'ai vu interagir avec toutes sortes de gens, je n'ai jamais senti chez lui la moindre intolérance», jure Jack. Il décrit le président comme quelqu'un «de calme, serein», et qui «écoute énormément». L'inverse de ce qu'il montre en public...

Trump n'a jamais vraiment raconté pourquoi il aimait tant Bedminster, mais il a eu un coup de cœur pour l'endroit. Sauf que le jour où il a décidé de racheter le domaine, il a réalisé qu'il n'y était pas le bienvenu. Comme à Palm Beach, du reste, quand il voulut s'offrir Mar-a-Lago.

---

1. https://www.nytimes.com/2016/11/22/us/politics/trump-tower.html.

Bedminster s'appelait autrefois «Lamington Farm», la Ferme de Lamington. C'était la propriété d'un magnat de l'automobile, le flamboyant John Z. DeLorean, qui y élevait du bétail à ses heures perdues. Cet ancien ingénieur rêvait de devenir patron de General Motors, mais, trop excentrique pour y parvenir, il a préféré créer sa propre marque de voitures, à son nom. On lui doit la fameuse DMC-12 en acier inoxydable et aux portes papillon, qui fut un échec commercial retentissant mais entra dans la légende de l'automobile puisqu'elle servit de «machine à voyager dans le temps» dans la trilogie des films *Retour vers le futur*. En faillite, DeLorean est expulsé en 2000. Sa ferme est alors saisie par les banques puis rachetée aux enchères par un groupe financier qui, faute de moyens, doit s'en défaire. Trump commence alors à la convoiter pour en faire un club de golf haut de gamme. À l'époque, dans le coin, tout le monde est contre, car ce genre de projet est désastreux pour l'environnement. À Bedminster, c'est bucolique : on compte plus de chevaux que de têtes d'habitants. Je suis tombé sur un tracteur où étaient posés des bouquets de fleurs : «Merci de laisser 6 dollars pour un bouquet, 10 dollars pour deux.» Les fermes sont opulentes, le gazon idéalement tondu. On ne rigole pas avec la nature. Surtout Ed Russo, un proche de l'ancien propriétaire John DeLorean, et président du conseil de planification de la ville (*chairman of the planning board*), chargé par le maire de l'environnement et de l'aménagement du territoire. C'est lui qui délivre ou non les feux verts aux projets du développement dans le coin. Et c'est à lui que Trump s'adresse pour obtenir les autorisations nécessaires dont il a besoin pour créer son club de golf.

L'histoire de la rencontre entre les deux hommes mérite d'être racontée car elle en dit long sur les méthodes de Trump quand on lui résiste. À Palm Beach, il a harcelé judiciairement les autorités locales, avec succès, pour faire de Mar-a-Lago ce qu'il voulait. À Bedminster, il a opté pour une autre stratégie : la séduction par l'argent.

Ed Russo est d'un an plus âgé que Donald Trump. C'est un environnementaliste, mais pas un gauchiste, ce qui, dans l'esprit du milliardaire, est déjà un bon point. Avec lui, on peut discuter. Même si pour Russo, et pour bien d'autres dans la petite communauté de Bedminster, Trump, c'est alors le diable en personne. « Quand, en 2000, John DeLorean a perdu sa ferme, nous étions inquiets, car nos règlements locaux pour protéger l'environnement étaient insuffisants, raconte Russo[1]. Je me souviens avoir dit : "Un jour, un Donald Trump va nous tomber dessus, et nous n'aurons pas les moyens de préserver le caractère rural de la ville". » Comme Russo était l'ami de l'ancien propriétaire, il est chargé d'aller expliquer à Trump ce qu'il va lui en coûter s'il veut transformer la Ferme de Lamington en golf. Rendez-vous est pris à la Trump Tower. Avant sa rencontre, Ed Russo se méfie : il prend le soin de lire *The Art of the Deal*, à la fois best-seller et bible de la pensée trumpienne, avant d'affronter le milliardaire.

Le jour du rendez-vous, au lieu de faire monter son interlocuteur dans son bureau, Trump l'invite à prendre un verre dans son penthouse. Quand les portes de l'ascenseur s'ouvrent, le magnat est là, seul pour l'accueillir, charmant. Commence alors une longue visite du penthouse. Trump ne lésine sur aucun détail : il montre sa cuisine, ses appareils électroménagers, ses pendules, et, bien sûr, la vue sur Central Park... Russo s'impatiente : il n'est pas venu pour ça. Enfin, on s'assoit dans le salon : Trump prend le canapé. Assis dans le fauteuil d'angle, Russo lui explique d'emblée les règles environnementales à suivre à Bedminster. Il insiste sur le respect des voisins, car Trump n'est pas le plus riche du coin : il y a Steve Forbes, le richissime patron du magazine qui

---

1. Ed Russo, *Donald J. Trump, an Environmental Hero*, livre à compte d'auteur.

doit sa célébrité au classement annuel des milliardaires du monde, ou encore Woody Johnson, descendant du fondateur du groupe pharmaceutique Johnson & Johnson, et propriétaire de l'équipe des Jets, l'équipe de football de New York[1].

Trump écoute, mais ne veut rien savoir. Son humeur change, la température devient polaire, il monte le ton, menace de retirer son offre si le règlement la ville, que Russo a lui-même rédigé, continue à rendre impossible la construction d'un golf.

Mais subitement, une présence apparaît : c'est Melania, qui s'installe entre les deux hommes. Russo se lève pour la saluer. Mais le trouble l'envahit. «Je me suis senti hypnotisé, raconte-t-il. Je savais très bien ce que Melania venait faire. C'était une stratégie de déstabilisation, qu'il avait détaillée dans *The Art of the Deal*, et j'y étais préparé. Mais pourtant, je n'ai pas pu m'empêcher de baisser les yeux au niveau de son décolleté. Je savais que Trump m'observait et n'attendait que ça. "Au moins, on sait désormais que Russo n'est pas gay", a-t-il alors rigolé. Tout le monde a bien ri. Je m'en suis sorti par une pirouette, et la conversation a repris de plus belle.» Trump repart alors à l'offensive. «Je vaux 6 milliards de dollars, et aucune petite ville comme Bedford ne va *me* dicter ce que je dois faire, lance-t-il, plein d'arrogance. Ce n'est pas Bedford, c'est Bedminster, rétorque Russo qui n'en peut plus. Et de nous deux, le plus puissant, c'est moi, parce que je n'ai rien à perdre.» Fin de la conversation. Trump est «dans une rage folle», *dixit* Russo qui se lève et, sans dire au revoir, disparaît dans l'ascenseur.

Mais deux semaines plus tard, coup de théâtre. Russo reçoit un coup de fil. C'est Trump. Il a changé d'humeur. Russo lui présente ses excuses pour avoir reluqué le décolleté de sa femme. Ça le fait marrer. «Savez-vous pourquoi je

---

1. Woody Johnson sera nommé par Trump ambassadeur des États-Unis à Londres.

vous appelle ? » lance Trump. Russo n'en a pas la moindre idée. « La seule façon de construire votre golf, c'est de respecter les règles, même si elles sont contraignantes, lui répond-il.

— Non seulement je vais les respecter, rétorque Trump, mais je vais vous envoyer un contrat que vous n'allez pas pouvoir refuser : je vous embauche et c'est vous qui dirigerez le club. » Sur ce, il raccroche.

Et c'est ainsi que Trump a mis la main sur Bedminster, en 2002. Et qu'Ed Russo est devenu un de ses fervents adeptes, au point d'écrire en 2016, juste avant l'élection, une biographie flatteuse sur son boss : *Donald J. Trump, an Environmental Hero* (« un héros de l'environnement »). Un titre étonnant pour celui qui, bientôt, va signer le retrait des États-Unis de l'accord de Paris sur le changement climatique.

Bedminster est le havre de paix du président. Il y a dépensé des millions pour faire de son golf un modèle écologique, sous l'impulsion d'Ed Russo, qui, aujourd'hui ne travaille plus pour le club, mais qui est toujours en contact avec lui. Trump a même très sérieusement songé à y faire construire son tombeau. « Un jour, il m'a convoqué pour en parler, raconte Ed Russo. Il voulait que je l'aide à obtenir les autorisations nécessaires pour se faire enterrer à Bedminster. Certains membres de sa famille voulaient qu'il achète une sépulture dans le Queens, là où il a grandi. Il a aussi songé à Palm Beach, ou encore Briar Cliff, dans l'État de New York, où il possède aussi une propriété. Il avait beaucoup réfléchi et m'a confié que c'était difficile pour lui d'évoquer ce sujet. Je lui ai répondu que je ferais de mon mieux pour l'aider et me suis risqué à lui demander quel genre de monument il voulait. Il m'a dit de sortir un billet de cinq dollars et de regarder au verso, sur lequel est représenté le Lincoln Memorial[1]. Il me dit : "Je veux ça. En mieux". »

---

1. Le Lincoln Memorial est un monument construit en l'honneur du président Abraham Lincoln, qui a fait ratifier l'abolition de l'esclavage. C'est un grand bâtiment de marbre blanc, en forme de temple dorique grec, posé sur le National Mall, la grande esplanade de Washington.

Trump a encore le temps de changer d'avis. Plusieurs présidents des États-Unis, comme Ronald Reagan par exemple, sont enterrés là où se trouve la «bibliothèque présidentielle» qu'ils se font construire après leur départ de la Maison Blanche. Contrairement à Mar-a-Lago, Trump est apprécié par ses voisins, qui n'ont pas forcément voté pour lui : il l'a emporté dans la ville à une très courte majorité (six voix près), lors de la présidentielle. Selon le maire, Steven Parker : «Il ouvre régulièrement son club à ceux qui n'en sont pas membres et n'a aucun problème avec les habitants du coin[1].» Bref, le président des États-Unis a trouvé son paradis. Bedminster est le seul endroit au monde où il dépose enfin les armes.

---

1. Entretien avec l'auteur, 5 août 2017.

14

Charlottesville :
le réveil des suprémacistes blancs

Charlottesville ou l'effet loupe. Pendant tout un week-end d'août 2017, cette tranquille et pittoresque bourgade de 46 000 habitants est déchirée entre deux camps. D'un côté, les tenants des droites extrêmes viennent manifester contre le déboulonnement de la statue du général Lee, le chef des armées confédérées pendant la guerre de Sécession. Ils envahissent la ville avec des torches qui rappellent les heures sombres du Ku Klux Klan dans les années 1920. Ils lancent des slogans racistes et font des saluts nazis. Face à eux, les antifascistes ripostent. Parmi eux, Heather Heyer, 32 ans, supportrice de Bernie Sanders et assistante juridique dans un cabinet local d'avocats. Heather ne plaisante pas avec l'antiracisme : elle s'est séparée de son boy-friend parce qu'il ne supportait pas ses amis noirs. Célibataire depuis, elle se porte toujours volontaire pour donner un coup de main aux organisateurs de manifs contre l'intolérance et l'extrémisme… Mais samedi 12 août 2017, après des heures d'échauffourées, un certain James Alex Fields Jr, un néonazi de 20 ans, percute délibérément, au volant de sa Dodge Challenger, un groupe de manifestants pacifistes. Heather meurt sur le coup, trente blessés sont à

terre. L'*attorney general* des États-Unis, Jeff Sessions, quali-
fiera l'agression d'«acte terroriste».

Le lendemain, dimanche 13 août, c'est au tour de l'organisateur de la manifestation de venir s'exprimer. Veste
sombre et chaussures en cuir, Jason Kessler s'est mis sur son
trente et un. Dans sa biographie officielle, il se prétend ancien
«journaliste», même s'il n'a en réalité signé que quelques
papiers dans des revues très à droite comme *The Daily Caller*
qui a mis rapidement un terme à sa collaboration. Il se dit
aussi l'auteur d'un roman policier et d'un recueil de poèmes.
Mais c'est en tant que président-fondateur du groupuscule
Unité et Sécurité pour l'Amérique, qui prétend se consacrer
à la «défense de la civilisation occidentale», qu'il tente de
donner une conférence de presse à deux pas de la mairie de
Charlottesville, bâtiment sur le fronton duquel sont gravés
les noms de trois des plus illustres présidents des États-Unis,
James Monroe, Thomas Jefferson et James Madison. Devant
une forêt de micros, Kessler tient à s'expliquer. Et surtout à
s'exonérer. D'après lui, la mort de Heather, c'est avant tout
la faute «du racisme anti-Blanc». Et celle «des forces de
l'ordre qui n'ont pas fait leur travail». Il n'aura pas le temps
de dérouler ses arguments. Rapidement, Kessler se retrouve
encerclé. «Meurtrier!» hurle la foule. Un flic lourdement
armé l'exfiltre. Aujourd'hui encore, Kessler persiste et signe :
la mort de la jeune femme n'était «pas un meurtre, mais
un homicide involontaire, au pire[1]», me dit-il. Et de mettre
en cause les antifascistes du mouvement Redneck Revolt
qui bloquaient la rue et auraient, selon lui, «menacé et fait
paniquer» James Alex Fields Jr…

Jamais les tensions qui hérissent une Amérique coupée en
deux n'auront été si visibles que durant ce mois d'été 2017,
à Charlottesville. La ville se situe au cœur de la Virginie,

---

1. Entretien avec l'auteur, 23 juin 2018.

haut lieu de la guerre de Sécession. L'Histoire a marqué ces terres profondément conservatrices qui abritent en partie une population nostalgique de la Grande Amérique, peu encline au mélange et chatouilleuse de la gâchette. Ce n'est pas un hasard si l'endroit attire autant de vétérans d'Irak, qui continuent de nettoyer leurs armes tous les jours et passent leur vie dans les stands de tir. Ici, certains n'ont pas encore totalement digéré la défaite de 1865 et s'accrochent fermement aux symboles du passé confédéré. Mais à Charlottesville, on vote à gauche. Le maire, Michael Signer, est démocrate. James Barton, jeune yuppie du Massachusetts, s'y est installé voilà quatre ans pour sa «population diversifiée» et parce que la ville est «l'une des plus tolérantes du coin». Et en quelques heures, à cause de Jason Kessler, qui habite ici dans un petit appartement modeste d'un quartier résidentiel et *middle class*, Charlottesville s'est retrouvée malgré elle au centre du monde.

Tout a commencé en novembre 2016 quand, sur proposition de Wes Bellamy, adjoint au maire et engagé dans la lutte pour les droits civiques, la municipalité décide de déboulonner la statue du général Lee, grand stratège sudiste de la guerre de Sécession, qui trône dans un square de la ville, toujours à sa place. Pour les extrémistes, représentants de l'extrême droite, de l'*alt-right*, la droite alternative, fascistes, néonazis et autres nostalgiques, c'est un sacrilège. Surtout pour Jason Kessler, qui a un compte à régler avec Wes Bellamy, un Afro-Américain qu'il qualifie d'«anti-Blanc». Il a exhumé d'anciens tweets controversés diffusés par l'élu et essayé, en vain, d'obtenir sa démission. Kessler décide alors d'organiser une manifestation les 11 et 12 août qui s'intitule «Unite the Right». Rassembler la droite, car pour lui, l'enjeu dépasse celui du maintien d'une simple statue. Il s'agit en fait de fédérer, du moins d'essayer, les différentes mouvances de l'extrême droite pour gagner en puissance. «La civilisation occidentale est menacée de disparition, m'affirme-t-il.

Les Blancs sont victimes d'une crise existentielle, qui fait qu'ils sont perdus. Leur espérance de vie décline. Ils sont de moins en moins nombreux. Ils sont stigmatisés par les médias qui les accusent de tous les maux, alors que les autres minorités ethniques − les gays, les Blacks, les Latinos, les juifs et les femmes [*sic*] − sont encouragées à afficher leur fierté. C'est ça qui provoque l'extrémisme[1].» Kessler, qui refuse de dévoiler sa profession, a «bien sûr voté Trump − il n'y a personne mieux que lui − et votera certainement pour lui en 2020[2]». Il fait partie de cette nouvelle génération de racistes américains, galvanisés par l'élection du milliardaire, qui n'ont plus peur de se cacher. Jeunes, branchés sur les réseaux sociaux, ils ne se retranchent plus derrière l'écran de leur ordinateur, mais sortent sur la place publique pour organiser des meetings publics.

Si Jason Kessler, qui se définit comme nationaliste *soft*, réfute l'appellation de «suprémaciste blanc», et même de «nationaliste blanc», il n'a en revanche aucun problème avec eux. Il a convié les ultras à le rejoindre, «comme Richard Spencer[3]», qui s'est illustré juste après l'élection de Trump en organisant une réunion où certains participants ont été filmés en train de faire le salut nazi, et qui projette de faire de Charlottesville «le centre de l'univers». Kessler n'a aucun problème non plus avec David Duke, l'ancien «grand vizir» du Ku Klux Klan, ni avec Mike Enoch, le fondateur d'un site particulièrement virulent, le Daily Stormer. «Je m'en fiche d'être associé à eux, ces gens-là expriment de bonnes et de mauvaises idées», se justifie-t-il[4]. Les voilà donc qui débarquent dans la ville. Devant leurs sympathisants, ils exposent leurs fonds de commerce. «Nous sommes la

---

1. Entretien avec l'auteur le 23 juin 2018.
2. *Ibid.*
3. *Ibid.*
4. *Ibid.*

seule race qui n'ait pas le droit de défendre ses valeurs. Le concept du "privilège d'être blanc" a été inventé par des intellectuels juifs pour nous rabaisser. Nous aimons l'Amérique, l'Europe, et les Blancs», affirme Mike Enoch, avant de comparer les manifestants antifascistes à «des animaux». David Duke enchaîne : «Ce qui s'est passé aujourd'hui n'est qu'une première étape. Donald Trump a dit pendant sa campagne qu'il s'agissait de reprendre le contrôle du pays.» Un peu plus tard, il tweetera à l'intention du président: «Je vous conseille de bien regarder dans le rétroviseur et vous souvenir que ceux qui vous ont porté à la Maison Blanche, ce sont les Blancs américains.»

Pour une fois, David Duke n'exagère pas. Car Trump fonctionne comme un vrai entrepreneur pour qui le client est toujours roi. Surtout, ne jamais l'insulter. À ses yeux, ces électeurs d'extrême droite ont un atout: ils ont voté pour lui. Peu lui importe s'ils ne sont pas recommandables. Son discours sur les «oubliés et les sans-grade» n'est, en définitive, pas tellement éloigné de Jason Kessler, ancien gauchiste qui explique qu'il n'a pas changé, car ce qui le révolte, c'est «le politiquement correct qui fait que toutes les aides sociales sont attribuées aux minorités raciales et pas aux Blancs défavorisés». Trump sait que, sans cet électorat-là, il n'aurait pas été élu président des États-Unis. Avec eux, il a passé un «pacte avec le diable», pour reprendre le titre du best-seller du journaliste Joshua Green, *Devil's Bargain*. Et cela à sa manière: sans s'encombrer de scrupules. Pendant la campagne électorale déjà, ce même David Duke avait apporté publiquement son soutien au candidat républicain. L'Amérique fait alors la grimace: l'homme est considéré comme le diable en personne, un paria à qui il ne faut donner la parole sous aucun prétexte. Trump, lui, se tient coi. Il prend son temps pour se démarquer de l'ancien «grand vizir» du Ku Klux Klan et quand il le fait enfin, c'est à la manière d'un gamin excédé qu'on aurait forcé à s'excuser :

« Je le désavoue, OK ? », répond-il sèchement à une journaliste pour clore le sujet. Les tenants de l'extrême droite se sentent alors pousser des ailes. L'élection de l'ancienne star de téléréalité et la composition de sa garde rapprochée les font carrément entrer en lévitation. À la droite de Trump, la présence de Steve Bannon, l'ancien patron du site internet Breitbart News, est accueillie comme un gage de confiance. Le conseiller du président est l'un des hérauts de la droite alternative, un mouvement qui réunit des conservateurs nostalgiques d'une Amérique blanche. Comme David Duke, Bannon pense que la civilisation occidentale est aujourd'hui menacée. Un thème utilisé par Trump en juillet 2017, à l'occasion de son discours à Varsovie, à la veille du G20…

On ne change pas une formule qui gagne. Tout comme il avait pris son temps pour se désolidariser de l'extrême droite pendant la campagne, Trump tarde à dénoncer clairement le meurtre d'Heather Heyer et l'idéologie haineuse de son assassin. Pas question, pour le président, de se couper de sa base électorale. Quelques heures après le drame, depuis son domaine de Bedminster dans le New Jersey, où il passe des « vacances de travail », il lâche du bout des lèvres une première déclaration. S'il déplore « ces déferlements de haine, de fanatisme et de violence » il précise, à deux reprises, qu'ils sont issus « de diverses parties ». L'amalgame opéré entre les manifestants d'extrême droite et les antifascistes choque. Bouleversé par l'attentat, le pays se scandalise. Dans la presse comme chez les politiques, démocrates et républicains confondus, les réactions indignées fusent. À Charlottesville, l'autre Amérique, qui ne se résout pas à accepter la banalisation des discours de haine, se regroupe à l'angle de la 4ᵉ Rue et de la Water Street autour du mémorial érigé pour Heather Heyer, là même où la jeune femme a été fauchée par son assassin, James Alex Fields Jr. Sur le pavé, à l'endroit où elle a été sacrifiée, des pétales de fleurs forment un cœur. Un panneau «*No place for hate*» («Pas de place pour la haine») a été déposé.

Mais les ultras, eux, boivent du petit-lait. Sur un blog du site de Mike Enoch, le Daily Stormer, on lit: «Trump a bien parlé. Il ne nous a pas attaqués. Quand on lui a demandé de condamner, il a quitté la pièce. Vraiment vraiment bien! Que Dieu le bénisse!» Richard Spencer est du même avis: «Les déclarations de Trump étaient juste et sensées», tweete-t-il. «Merci, Président Trump, pour avoir l'honnêteté et le courage de dire la vérité», renchérit David Duke… Autrefois, les dirigeants républicains se tenaient à une règle: OK pour les clins d'œil à l'intention des racistes, pas question de s'associer avec eux. En 1991, par exemple, quand David Duke se présente au poste de gouverneur de la Louisiane, George Bush prend ses distances sans ambiguïté: «Quelqu'un qui a déclaré si récemment son soutien au nazisme ne peut prétendre à de hautes fonctions électives dans un pays libre», assène-t-il alors[1]. Avec Trump, cette digue a sauté.

La First Daughter Ivanka peut tenter de voler au secours de Daddy en dénonçant fermement *via* Twitter l'extrême droite, en vain. Il faudra attendre deux jours complets pour que Trump daigne adopter une position de rassembleur et traiter de «criminels et de voyous» le «Ku Klux Klan, les néonazis, les suprémacistes blancs et d'autres groupes haineux». Avant de finalement revenir sur ses propos, lors d'une conférence de presse improvisée à la Trump Tower le mardi 15 août, consacrée à la rénovation des infrastructures du pays, mais largement dominée par le drame de Charlottesville. Ce jour-là, Trump est furieux: il vient d'être lâché par plusieurs P-DG de grandes entreprises américaines, dont celui d'Intel (haute technologie) et de Merck (pharmacie), qui ont annoncé leur démission du Conseil consultatif

---

1. https://www.nytimes.com/2017/08/15/us/politics/trump-charlottesville-white-nationalists.html?mcubz=0.

industriel (American Manufacturing Council) créé au début de la présidence pour associer le *big business* à la politique économique du nouveau gouvernement[1]. Trump renvoie dos à dos «les deux camps», de droite et de gauche… Comme s'ils étaient équivalents. Gary Cohn, son conseiller économique, qui est juif et de tendance démocrate, semble très mal à l'aise à ses côtés, tout comme son nouveau *chief of staff* John Kelly qui fixe, l'air prostré, le bout de ses chaussures. Dans le staff présidentiel, un seul applaudit : Steve Bannon.

Deux ans avant ce drame, dans une église méthodiste noire de Charleston, en Caroline du Sud, Dylann Roof, un jeune suprémaciste, avait ouvert le feu sur l'assemblée, tuant le pasteur Clementa Pickney et huit fidèles. Une semaine plus tard, Barack Obama avait alors lui-même prononcé leur éloge funèbre avant d'entonner *Amazing Grace*. Un simple chant, et l'Amérique ébranlée avait trouvé dans la voix de son président une consolation. Une façon de réaffirmer les valeurs fondatrices de la première puissance du monde. C'était il y a deux ans. Une éternité. Ce drame avait poussé de nombreuses municipalités à déboulonner les statues de héros sécessionnistes, comme celle du général Lee à Charlottesville, symbole de ce passé raciste. Après les émeutes d'août 2017, elle a été recouverte d'une bâche noire, qui a finalement été retirée en février 2018. En juin dernier, elle était toujours en place. Les 11 et 12 août derniers, Jason Kessler fêtait l'anniversaire des émeutes à Washington cette fois, sur le square Lafayette, juste en face de la Maison Blanche, sous les fenêtres de Donald Trump…

---

1. Finalement, une quinzaine de P-DG de grandes entreprises (Chase, General Electric…) annonceront leur départ, ce qui poussera Trump à dissoudre ce conseil le mercredi 16 août 2018, au motif que ces dirigeants «ne prennent pas leur boulot au sérieux en ce qui concerne l'avenir du pays».

15

Mueller, l'homme qui fait trembler Trump

La mâchoire serrée, le regard fixe, le général Michael Flynn sort du tribunal de Washington. Ce vendredi 1er décembre, vers midi, il vient de passer dans le bureau du procureur Robert Mueller, pour signer un document de six pages[1] où il avoue avoir menti au FBI. Le général Flynn est un dur à cuire, un *tough cookie*, comme disait Trump pendant la campagne. Il n'est pas du genre à présenter facilement ses excuses, ni à mettre un genou à terre. Mais c'est pourtant ce qu'il vient de faire. Il a reconnu sa culpabilité pour minimiser sa peine, moyennant des « révélations ». C'est le principe même de la procédure du « plaider coupable » aux États-Unis. Pour le procureur Robert Mueller, cette capitulation est une belle prise. Et pour Trump, le début des ennuis. Car pendant la campagne, le général Flynn était l'un de ses conseillers préférés. Son nom a même été cité pour devenir son colistier à la vice-présidence. En lot de consolation, il a obtenu un poste envié : celui de conseiller à la Sécurité nationale. Ça n'a duré que vingt-quatre jours.

Comment en est-on arrivé là ?

---

1. « Statement of the Offense », USA vs. Michael T. Flynn, 1er décembre 2017.

163

Tout a commencé le 9 mai 2017 avec le limogeage de James Comey de la tête du FBI, qui provoque une levée de boucliers chez les démocrates. Ces derniers accusent Trump de vouloir faire obstruction à la justice. Ils réclament la nomination d'un procureur indépendant de l'autorité de tutelle (*special counsel*). Même dans les rangs républicains, le doute s'installe. Jeff Sessions, l'*attorney general*, s'est récusé dans cette affaire russe. C'est à son numéro deux, Rod Rosenstein, de prendre la décision. Le 17 mai, il annonce que «Robert Mueller III est nommé procureur indépendant des États-Unis». Ce dernier, précise Rosenstein, est «autorisé à poursuivre l'investigation menée par l'ancien directeur du FBI James Comey[1]».

Pour Trump, Robert Mueller est le pire des choix. Car l'homme n'est pas du genre à se laisser influencer. Né en 1944 dans une grande famille WASP, Robert Mueller est l'archétype du grand commis de l'État, passé par les grandes écoles (Princeton) et les Marines. Il a fait le Vietnam et en est revenu couvert de décorations. Il aurait pu s'enrichir en devenant ténor du barreau mais a préféré devenir un *G-Man*, un homme de gouvernement pour lutter contre le crime et la fraude. Il porte toujours des chemises blanches et affiche un look austère. James Comey, qui lui a succédé à la direction du FBI en 2013, se souvient que «son attitude toujours sévère […] intimidait la plupart des gens. On disait […] que lorsqu'il avait été opéré du genou […] il avait refusé l'anesthésie, préférant mordre dans une ceinture en cuir[2]». Mueller est l'anti-Trump : il déteste la publicité, ne parle jamais de lui, de sa femme ou ses deux filles. Républicain conservateur, mais connu pour ne pas afficher ses opinions

---

1. Order No. 3915-2017.
Appointment_of_Special_Counsel_to_Investigate_Russian_Interference_with_the_2016_Presidential_Election_and_Related_Matters.pdf.
2. *Mensonges et Vérités*, *op. cit.*

politiques, il s'impose comme un investigateur hors-pair. « Le meilleur », me confirme James Trainum, qui a enquêté sous sa direction sur un triple meurtre commis en 1997 dans un Starbucks à Georgetown, quartier chic de Washington. « Sans lui, cette affaire politiquement sensible n'aurait jamais été élucidée », assure cet ancien détective de la police criminelle. « Mueller a la religion des faits. Il est très direct, quitte à être brusque, ce qui peut déplaire. Mais quand il vous fait confiance, il suscite une loyauté qui explique qu'aujourd'hui aucune fuite n'émane de son cabinet. »

Le 4 septembre 2001, une semaine avant les attentats contre les tours jumelles du World Trade Center, George W. Bush le nomme directeur du FBI. Sa nomination est confirmée à l'unanimité par le Sénat. Mueller a transformé l'institution : encore très tournée sur la criminalité quotidienne quand il en prend la direction, elle devient un maillon essentiel de la lutte antiterroriste contre Al-Qaida. Gros bosseur, au bureau avant 6 heures du matin tous les jours, il est le symbole du haut fonctionnaire bipartisan. Mueller reste imperméable aux pressions de l'opinion. Tom Wilner, un vieil ami, a pu l'expérimenter. Cet avocat de Washington a défendu des détenus de Guantanamo, à une époque où cette position était extrêmement impopulaire aux États-Unis. « En 2002, me confie-t-il, nous étions chez des connaissances communes à la soirée de Noël. Bob s'est levé pour porter un toast de soutien à ma bataille. Vu le contexte, j'étais stupéfait d'entendre le directeur du FBI affirmer que "n'importe quel Américain" devrait me suivre sur ce sujet sensible. Mueller est comme ça, c'est un homme de principes. » Quand son mandat vient à expiration en 2011, Barack Obama lui demande de le prolonger de deux ans, ce qui lui permet de rester au total douze ans à la tête de l'agence, un record de longévité depuis Edgar Hoover. Quand il est nommé procureur spécial, certains trumpistes applaudissent : c'est un « choix superbe », commente Newt Gingrich, l'ancien *speaker* de la Chambre des représentants, soutien fervent du président. «Sa réputation d'intégrité et d'honnêteté est impeccable. Les médias devraient se calmer[1].» Trump n'est pas tout à fait d'accord : le lendemain de la nomination de Mueller, à 7 h 52 du matin le 18 mai, il tweete : «C'est la plus grande chasse aux sorcières de l'histoire de l'Amérique[2]...»

Il a raison de s'inquiéter. Dès sa nomination, Robert Mueller se met au travail. On sait alors peu de choses sur sa stratégie d'enquête puisque rien ne filtre de son cabinet, mais tout indique qu'il a repris à son compte cette bonne vieille méthode qui a déjà fait tomber un président lors du Watergate : il suit la piste de l'argent *(follow the money)*. Il monte une équipe de pros, embauche des avocats top niveau qui acceptent de quitter leurs cabinets privés où ils sont payés plusieurs millions de dollars par an, pour le rejoindre en divisant leur salaire par dix ou vingt[3]. Il embauche aussi des cadors du département de Justice. Parmi eux, un nom émerge : Andrew Weissmann. Cet ancien procureur fédéral new-yorkais est connu pour avoir poursuivi, de 1991 à 2002, la mafia et ses liens avec la Russie. Il dirigeait depuis 2015 le département «fraude criminelle» du département de Justice. Selon Steve Bannon, l'ancien conseiller spécial de Trump, Weissmann est le «LeBron James de la lutte contre le blanchiment d'argent[4]». L'ancien conseiller de Trump est un ex-banquier d'affaires. Il sait comment on

---

1. https://twitter.com/newtgingrich/status/864998445244743684.
2. https://twitter.com/realDonaldTrump/status/865173176854204416?ref_src=twsrc%5Etfw%7Ctwcamp%5Etweetembed%7Ctwterm%5E865173176854204416&ref_url=http%3A%2F%2Fwww.latimes.com%2Fpolitics%2Fla-pol-updates-everything-president-trump-s-day-in-tweets-thursday-may-1495163284-htmlstory.html.
3. Mueller lui-même était payé 3,4 millions de dollars par an par le cabinet d'avocats dont il a démissionné pour devenir procureur indépendant.
4. Cité dans *Le Feu et la Fureur* de Michael Wolff. LeBron James est l'un des meilleurs basketteurs au monde.

mène les investigations financières, et où elles mènent. Pour Bannon, il n'y a aucun doute : Mueller entend prouver que Trump a, quand il était promoteur immobilier, bénéficié de blanchiment d'argent d'origine russe, et serait ainsi dans la main de Moscou.

Lundi 30 octobre 2017, dans la matinée : d'humeur massacrante, Donald Trump est retranché dans sa résidence privée, au premier étage de la Maison Blanche, scotché devant ses écrans de télévision, il regarde en boucle les chaînes d'info qui se sont mises en mode *breaking news*. Ses conseillers s'étonnent de ne pas le voir dans le Bureau Ovale où il a rendez-vous avec le secrétaire d'État Rex Tillerson à 11 heures. Mais l'heure est grave. Le bureau du procureur indépendant Robert Mueller vient d'officialiser la mise en examen de Paul Manafort, son ancien directeur de campagne de mai à août 2016, ainsi que celle de son ex-adjoint Rick Gates. Il vient aussi d'annoncer que George Papadopoulos, un ancien conseiller en politique étrangère pendant la campagne, avait accepté de plaider coupable et de dire tout ce qu'il sait. C'est la première étape de la longue investigation lancée cinq mois et demi plus tôt sur les soupçons de collusion entre l'équipe du candidat républicain et la Russie. Trump a tout fait pour empêcher que cette enquête prenne de l'ampleur. C'est exactement l'inverse qui est en train de se produire.

La mise en examen de Paul Manafort n'est une surprise pour personne. Ses liens anciens avec les oligarques russes ou prorusses font de lui une cible de choix pour les enquêteurs. Preuve de la détermination de Robert Mueller, Manafort a ainsi fait l'objet d'une perquisition musclée à son domicile le 26 juillet 2017, au petit matin. Dans les documents officiels[1], il est visé par douze chefs d'inculpation (complot contre les États-Unis – une formule qui renvoie à

---

1. https://www.politico.com/f/?id=0000015f-6d73-d751-af7f-7f735cc70000.

des faits de fraude fiscale –, blanchiment d'argent portant sur 18 millions de dollars, fausses déclarations et non-déclarations de comptes détenus à l'étranger, etc.) pour des faits liés à l'époque ancienne où il conseillait l'ancien président ukrainien prorusse Viktor Ianoukovitch. À 10 h 25 ce jour-là, Trump réagit alors par un tweet soulagé[1] : « Désolé, mais c'était il y a des années, bien avant que Paul Manafort ne fasse partie de la campagne[2]. »

Il a raison sur ce point : les faits reprochés à son ancien directeur de campagne n'ont rien à voir avec le cœur de l'enquête du procureur Mueller. Et de l'avis général, si Manafort, dont la vie ressemble à un roman, s'était tenu à l'écart de la campagne de Trump, il n'aurait probablement pas été inquiété judiciairement. Son exposition médiatique lui aurait été fatale…

À Washington, ce *spin doctor* a eu son heure de gloire à l'époque de… Reagan. Black, Manafort & Stone son cabinet de lobbying qu'il a fondé avec Roger Stone (ami de Trump depuis 1980) et Charles R. Black Jr, faisait alors la pluie et le beau temps dans le microcosme républicain de la capitale américaine. Puis Manafort est allé faire fortune à l'étranger, dans les contrées exotiques comme les Philippines du dictateur Ferdinand Marcos ou l'Angola du guérillero Jonas Savimbi, qu'il a conseillés, et surtout, en Ukraine, en devenant, dès 2006, le stratège en chef du « Parti des Régions », le mouvement politique prorusse de Viktor Ianoukovitch. Grâce à son savoir-faire (son adjoint Rick Gates le décrit comme un des « plus brillants stratèges politiques[3] » avec qui il ait jamais travaillé), Manafort arrive à faire élire son

---

1. https://www.cnn.com/2017/10/30/politics/russia-investigation-manafort-latest/index.html.
2. https://twitter.com/realDonaldTrump/status/925005659569041409.
3. https://www.theatlantic.com/politics/archive/2018/08/what-rickgatess-testimony-means-for-manafortand-trump/566939.

poulain à la tête du pays en 2010. Ses bons et loyaux services lui rapportent des millions de dollars et lui permettent
de vivre comme un nabab : Manafort s'offre de multiples
résidences et quelques menus cadeaux (un blouson en cuir
d'autruche à 15 000 dollars, un autre en python à 9 500 dollars, une montre à 21 000 dollars, etc.). Sans compter une
maîtresse particulièrement coûteuse, qui fait bon usage de
la carte American Express qu'il lui a confiée (elle dit sur
Instagram qu'elle ne va que dans des restaurants de luxe)
et qui est logée dans un coquet appartement qu'il lui loue
pour 9 000 dollars par mois[1]. Selon le procès-verbal d'accusation du procureur Mueller, Manafort serait un acrobate : il
jonglerait entre les comptes bancaires secrets. Car ses émo-
luments provenant du parti du président ukrainien seraient
évidemment logés dans des paradis fiscaux, à Chypre en
particulier. C'est d'ailleurs de là que viendra sa chute finale.

Tout sourit à Manafort jusqu'à la destitution en 2014 du
très corrompu Ianoukovitch, renversé par une révolution
populaire dite « de la dignité » et obligé de se réfugier en
Russie. Le *spin doctor* se retrouve privé de sa principale source
de revenus. Il devient aussi la cible d'une cohorte importante
d'ennemis qui veulent sa peau pour le rôle qu'il a joué à
Kiev quand il était encore tout-puissant. L'un d'eux s'appelle
Oleg Deripaska. Ce milliardaire russe a fait fortune dans
l'aluminium, un univers rongé par la mafia. Il a confié à
Manafort, dont le nom est d'origine italienne (« Manaforte »,
m'a-t-il confié[2]), la coquette somme de 18,9 millions de dollars pour l'aider à investir dans une entreprise ukrainienne,

---

1. Selon une enquête de *The Atlantic*
https://www.theatlantic.com/magazine/archive/2018/03/paul-
manafort-american-hustler/550925.
2. Alors que je tentais de lui arracher des citations dans les couloirs de la
convention républicaine, juste après le discours d'investiture de Donald
Trump…

mais n'en a jamais revu la couleur. Depuis, Manafort dort mal, et on le comprend. Il a le sommeil d'autant plus difficile que ses démarches pour prospecter d'autres clients ne sont guère concluantes. Ses finances se tarissent. Il est endetté jusqu'au cou. Un collectif de *hacktivists* (des hackers activistes) a mis sur la place publique les textos échangés par sa fille Andrea entre 2012 et 2016. On y apprend que l'ancien *consigliere* de l'ombre traverse alors une «crise existentielle», qu'il va soigner en 2015 dans une clinique en Arizona. Mais la dépression ne dure pas. Début 2016, Manafort pense qu'il peut rebondir grâce à Trump. Il a déjà travaillé pour lui, dans les années 1980 : quand le milliardaire cherchait à empêcher les avions de survoler sa propriété de Mar-a-Lago à Palm Beach, il avait eu recours aux services de son cabinet de lobbying[1]. Grâce à une connaissance commune, Tom Barrack, le milliardaire fondateur de la société de *private equity* Colony Capital, Manafort décroche un rendez-vous avec le candidat républicain. Son entregent et son talent pour l'autopromotion font merveille. De son passé avec les tyrans et de son «contentieux» avec Deripaska, il n'est évidemment pas question : Manafort se fait passer pour un *outsider* de Washington, dont il aurait décidé de se tenir à l'écart dès 2005. Roi du botox, amateur de costumes sur mesure hors de prix, il fait plus jeune que son âge (69 ans aujourd'hui) et porte beau. Trump est impressionné. Il a, en outre, besoin d'un «vétéran» politique pour professionnaliser sa campagne. Manafort, qui par ailleurs a le bon goût de posséder un appartement dans la Trump Tower, offre ses services gratuitement. Il est embauché.

Il pense alors avoir accompli son comeback. Son nouveau statut lui permettra de rembourser ses dettes, croit-il. On ne voit que lui sur les studios de télé. À la convention républicaine, juste après le discours d'investiture de Trump, je le

---

1. *Ibid.*

croise dans un couloir et il exsude de confiance en lui. Sa chute n'en est que plus brutale. Près de quatre semaines plus tard, le 15 août, le *New York Times* révèle l'existence d'un livre comptable trouvé par les détectives de l'office anticorruption ukrainien, qui fait état d'un versement secret en cash de 12,7 millions de dollars à son intention provenant du «Parti des Régions» de l'ancien président Ianoukovitch[1]. Quatre jours plus tard, Manafort est viré de la campagne de Trump.

On apprendra ensuite que le FBI enquêtait sur lui depuis la chute de Ianukovitch, en 2014. Dès sa nomination, le procureur Mueller a pris le relai et décidé de lui mettre une pression maximale en lui mettant sur le dos douze chefs d'inculpation qui, mis bout à bout, équivalent à 305 années de prison[2]... Une stratégie judiciaire classique qui vise à le faire craquer et obtenir sa collaboration. Elle a porté ses fruits avec Rick Gates, l'adjoint de Manafort, dont les enfants sont jeunes, et qui finira, en février 2018, par plaider coupable, puis, en août 2018, à balancer son ancien mentor...

Si personne ne s'étonne donc de voir Manafort dans le collimateur de Mueller, celui que personne n'a vu venir, c'est George Papadopoulos. Quand son nom apparaît le 30 octobre, cet Américain d'origine grecque est alors un inconnu. Éphémère conseiller de Trump pour les questions internationales pendant la campagne, il est poursuivi pour avoir menti au FBI. Dans le procès-verbal[3] de la plainte

---

1. https://www.nytimes.com/2016/08/15/us/politics/paul-manafort-ukraine-donald-trump.html.

2. Le 21 août 2018, Manafort est finalement condamné à quatre-vingts ans de prison, pour fraude fiscale entre autres, au terme d'un premier procès dans l'État de Virginie. Le 14 septembre, Manafort annonce qu'il plaide coupable dans un second procès où il devait être jugé trois jours plus tard sur des faits de blanchiment d'argent.

3. «Statement of the offense, USA vs. George Papadopoulos», 5 octobre 2017.

fédérale menée contre lui, on apprend qu'il a été arrêté en juillet 2017 et qu'il a décidé de plaider coupable.

Un drôle de personnage, ce Papadopoulos.

Quand je le rencontre en décembre 2017 à Chicago, où il vit, il n'a pas l'air inquiet du tout. Son nom est dans tous les médias depuis un peu plus d'un mois. Il est accompagné de Simona Mangiante, sa fiancée et future épouse. Cette Italienne, blonde et ancienne mannequin «pour Versace», précise-t-elle, joue aussi le rôle de porte-parole. Elle parle pour lui. Il se tait mais se tient à côté d'elle, accepte de se faire photographier avec elle, lui chuchote parfois des réponses, toujours évasives. Ensemble, ils donnent l'image d'un couple glamour, et, pour tout dire, sympathique, mais assez surréaliste. Elle porte des hauts talons et un manteau de fourrure. Lui, un jean et une veste bleu marine sur une chemise blanche. Il sourit beaucoup. Elle a plus de mal à cacher son inquiétude. On peut la comprendre...

On l'apprendra plus tard : Papadopoulos est l'homme par qui le scandale russe a commencé (voir le chapitre «La chute de James Comey»). Il est dans le collimateur du FBI depuis que ses enquêteurs ont découvert, de source diplomatique, qu'il savait avant tout le monde que les autorités russes détenaient des emails compromettants sur Hillary Clinton, provenant des serveurs de la campagne de la candidate démocrate, lesquels avaient été «craqués» par des petits génies informatiques. Comment était-il au courant? Le FBI a voulu savoir en ouvrant une enquête en toute discrétion. Le 27 janvier 2017, ses agents convoquent Papadopoulos. Ils le questionnent sur ses relations avec ses interlocuteurs russes et notamment avec Joseph Mifsud, un professeur qui a servi de *go-between* avec certains contacts haut placés à Moscou. Papadopoulos minimise son rôle. Les agents du FBI établissent rapidement l'inexactitude de ses réponses, ce qui leur sert de prétexte pour l'arrêter le 27 juillet 2017, à l'aéroport Dulles de Washington. Sa *mugshot* (photo d'identité de détenu) est prise et diffusée. Les policiers le libèrent au bout d'un jour mais n'ont aucun mal à le faire « craquer ». Papadopoulos admet alors avoir menti à la fois sur la chronologie de ses contacts russes et sur la teneur de ses entretiens. Il accepte de plaider coupable moyennant une peine légère[1]. C'est le premier « scalp » de Mueller, qui a besoin de témoignages venant de l'intérieur de la galaxie Trump. Celui de Papadopoulos révèle l'existence de contacts réguliers – et embarrassants – entre lui et les Russes.

Mais le procès-verbal rendu public le 30 octobre démontre aussi que l'équipe de Trump n'a pas donné suite aux propositions insistantes de Papadopoulos d'organiser une rencontre avec Poutine. D'emblée, la Maison Blanche lance la contre-offensive. L'après-midi même, Sarah Sanders, la porte-parole, affirme que son rôle était « celui d'un bénévole », donc « extrêmement limité ». Le lendemain, Michael Caputo, un autre conseiller de Trump, qualifie Papadopoulos de « *coffee boy*[2] », garçon de café. Le qualificatif fait bondir Simona, qui me dit vouloir « défendre l'honneur » de son fiancé. « Il était en contact avec les plus hautes instances de la campagne de Trump, corrige-t-elle. Il a échangé avec Steve Bannon sur des sujets très importants, et Bryan Lanza, le directeur de la communication, qui lui a donné le feu vert pour donner une interview à l'agence russe Interfax sur les relations américano-russes. On ne donne pas l'autorisation au *coffee boy* de parler d'un sujet aussi sensible[3]… » Comme lui, Simona est une drôle d'espèce cosmopolite et polyglotte, à la croisée des chemins. Elle se dit avocate, affirme avoir travaillé à Bruxelles pour Martin Schultz, le président allemand

---

1. Le verdict est tombé le 7 septembre 2018 : Papadopoulos a écopé d'une peine de quatorze jours de prison.
2. https://www.cnn.com/2017/10/31/politics/caputo-papadopoulos-coffee-boy-cnntv/index.html.
3. Entretien avec l'auteur, 13 décembre 2017.

et socialiste du Parlement européen. Elle aussi a été interrogée par les équipes du procureur Mueller («des gens très pros, mais c'était impressionnant», se souvient-elle).

Le jeune conseiller assure avoir encore des choses à révéler. Il veut même écrire un livre, qui sera intitulé «Le premier domino»… Un bon titre : il est en effet, on l'a dit, l'homme qui est à l'origine du déclenchement de l'enquête du FBI sur l'ingérence russe. Mais sait-il autant de choses qu'il veut bien le dire? S'il n'était certes pas un *coffee boy*, il n'était pas non plus au sommet de l'organisation, ni le détenteur de secrets de campagne. Entre lui et l'inculpation de Paul Manafort et de Rick Gates, sur des faits qui n'ont rien à voir avec la campagne Trump, Sean Hannity, l'ami du président et animateur sur Fox News, peut donc légitimement poser la question, dans le monologue de son talk-show du 30 octobre 2017 : «C'est tout ce que Mueller a à se mettre sous la dent? Parce que si c'est le cas, c'est pathétique[1].»

Mais la décision du général Flynn, un mois plus tard, de plaider coupable, change la donne.

Jusqu'à ce qu'il rende les armes dans le bureau du procureur ce 1er décembre 2017, Michael Flynn était décrit comme l'un des militaires les plus respectés de l'Amérique[2], le pays qui voue un culte aux héros. Même James Comey, l'ex-patron du FBI honni par la Maison Blanche, le considère comme un «type bien[3]». Des trois membres de l'entourage de Trump ciblés par Robert Mueller en cet hiver 2017, Michael Flynn est le plus dangereux pour le président.

---

1. https://www.youtube.com/watch?v=fOwr80mOPuo.
2. https://www.washingtonpost.com/world/national-security/nearly-the-entire-national-security-establishment-has-rejected-trumpexcept-for-this-man/2016/08/15/d5072d96-5e4b-11e6-8e45-477372e89d78_story.html?utm_term=.5481ae507958.
3. *Mensonges et Vérités, op. cit.*

Né dans une famille pauvre, nombreuse (onze enfants) et d'origine irlandaise, il aurait pu mal tourner. Ado, Michael Flynn est une tête brûlée. Sportif et surfeur accompli (il a grandi dans le Rhode Island près de l'océan Atlantique), il se livre à des «activités illégales» qui lui valent d'être arrêté et placé en probation sous surveillance pendant un an. Flynn évoque cet épisode dans son livre autobiographique[1]. L'épisode sert sa légende: celle d'un homme qui a appris de ses erreurs de jeunesse et s'en est sorti grâce à la discipline, au travail et à l'amour du drapeau américain. «Cette période de turbulence, où j'avais un comportement dangereux, m'a aidé plus tard à entrer dans la tête de l'ennemi[2]», écrit-il. Flynn s'engage dans l'armée où il gravit rapidement les échelons, jusqu'à devenir le protégé du général Stanley McChrystal, son mentor, un «géant[3]». Surtout, il s'illustre par ses capacités à collecter l'information sur le terrain, et à en tirer des enseignements précieux.

Gros bosseur, Michael Flynn est considéré comme l'un des militaires qui ont réussi à moderniser et rendre plus efficace le renseignement. Il est aussi connu pour avoir – déjà – des opinions très tranchées. Nommé directeur de la Defense Intelligence Agency (Agence du renseignement de la défense), ce trait de caractère ne va pas le servir à ce poste.

Il a beau avoir fait l'essentiel de sa carrière pendant la guerre froide, il estime qu'il est du devoir de l'Amérique de se rapprocher de la Russie débarrassée du communisme pour lutter contre leur ennemi commun: l'islamisme. Flynn y croit dur comme fer: l'Amérique est menacée par ce fléau barbare. Il l'explique sans détour dans son livre[4]: «Je ne suis

---

1. Michael Flynn et Michael Ledeen, *The Fields of Fight*, St. Martin's Press, juillet 2016.
2. *Ibid.*
3. *Ibid.*
4. *Ibid.*

pas un dévôt de ce qu'on appelle le politiquement correct. Je ne crois pas que toutes les civilisations soient moralement équivalentes. Je pense que l'Ouest, et en particulier l'Amérique, est beaucoup plus civilisé, éthique et moral que nos ennemis.» Il faut donc se défendre coûte que coûte, quitte à s'allier avec l'ancien ennemi russe. En 2013, il se rend à Moscou au siège de la GRU, la Direction du renseignement militaire de la Russie. Il en est très fier. «J'étais le premier officier américain à y être admis», dira-t-il plus tard[1]. Il dit y être allé avec le feu vert de ses supérieurs hiérarchiques. Mais il se décrit avant tout comme «un empêcheur de tourner en rond[2]». Michael Flynn hait Obama et ne s'en cache pas, même quand il travaille encore au Pentagone en tant que patron de la DIA, grosse administration de près de 20 000 salariés qu'il entreprend de secouer, mais dont il est viré au bout de deux ans, car ses méthodes sont jugées trop brutales. À 56 ans, il est contraint à une retraite forcée.

Il considère son limogeage comme une injustice : il aurait eu le tort de dire tout haut des vérités qui dérangent dans une administration dirigée par, comme il l'écrit, «l'un des deux pires présidents des États-Unis» (l'autre étant Jimmy Carter, un autre démocrate). Encore jeune, il fait alors, comme beaucoup de ses confrères officiers partis à la retraite, place au business. Avec sa solde de militaire haut gradé, il ne roule pas sur l'or. Il est temps de gagner quelques dollars. Sa société est créée : Flynn Intel Group. Intel comme *intelligence* («renseignement», en français). Son expertise dans ce domaine est établie, il veut en profiter contre monnaie sonnante et trébuchante, puisque l'armée l'a jeté dehors. Que cette humiliation serve au moins à quelque chose.

---

1. https://www.washingtonpost.com/news/checkpoint/wp/2016/08/15/trump-adviser-michael-t-flynn-on-his-dinner-with-putin-and-why-russia-today-is-just-like-cnn/?utm_term=.2da07b0e152d.
2. *The Fields of Fight, op. cit.*

Flynn devient alors un commentateur fréquent sur Fox News. Son expertise est recherchée. C'est ainsi que Trump le repère et le contacte. Rendez-vous est pris fin été 2015, à la Trump Tower. Coup de foudre immédiat. «J'étais très impressionné», dira Flynn plus tard[1]. Il trouve le candidat «très sérieux, à l'écoute», et constate qu'il «pose d'excellentes questions». L'entretien, prévu pour durer trente minutes, s'étend sur une heure et demie. Contrairement à ce à quoi il s'attendait, Flynn en ressort avec le sentiment que son hôte se soucie «davantage du pays» que de lui-même. «Et on ne me berne pas facilement[2]», précise le général, ravi de voir que ses vues sont partagées par le candidat. Les deux hommes ont des points communs. Le sentiment d'être des outsiders incompris. Flynn n'a pas de mots assez durs contre les fonctionnaires du Pentagone qui modèrent leur discours pour faire plaisir ou rassurer les chefs. Et comme Trump, il pense qu'une alliance avec les Russes est nécessaire face au péril islamiste. Flynn, qui est également sollicité par les autres candidats à la primaire républicaine, se rapproche progressivement du milliardaire… tout en continuant à faire tourner son propre business. Le 10 décembre 2015, il accepte ainsi l'invitation de RT (ex-Russia Today) qui fête son dixième anniversaire. Cette chaîne de télé est l'organe de propagande du pouvoir de Moscou, mais pour Flynn, qui intervient souvent sur ses ondes, ce n'est rien d'autre qu'une sorte de CNN russe. Du moins, c'est ce qu'il répond aux journalistes américains qui lui demanderont plus tard ce qu'il a été faire là-bas. Ses proches lui ont pourtant fortement déconseillé d'y aller. «Vous êtes un général trois

---

1. https://www.washingtonpost.com/news/checkpoint/wp/2016/08/15/trump-adviser-michael-t-flynn-on-his-dinner-with-putin-and-why-russia-today-is-just-like-cnn/?utm_term=.ebf507628702.
2. *The Fields of Fight, op. cit.*

étoiles à la retraite, ne vous fourvoyez pas là-dedans[1] », a imploré Simone Ledeen, une spécialiste de la lutte antiterroriste qui a travaillé pour lui et dont le père, Michael Ledeen, expert néoconservateur en politique étrangère, a coécrit son autobiographie. Mais l'ancien soldat rejette alors toutes les mises en garde : « Je connais mes valeurs, mes opinions sont personnelles et ne changeront pas […] », tweete-t-il, le 2 décembre 2015, juste avant de s'envoler pour Moscou[2], où, largement défrayé – 45 000 dollars – pour son discours, convoyé en première classe et hébergé dans un grand hôtel de luxe, il aura droit à un traitement de VIP.

Flynn ne va pas tarder à le regretter. En juillet 2016, quand il publie son livre, dans lequel il milite en faveur d'un front commun avec les Russes mais ne se prive pas de critiquer Poutine et son régime, il en fait la promotion en donnant une interview auprès du journaliste Michael Isikoff. Ce dernier l'interroge sur ce fameux discours. Flynn reste évasif sur la somme qu'il a touchée. « Ça a été négocié par le Speakers Bureau, demandez-le-leur[3]. » Quand le journaliste publie son papier en mettant l'accent sur les 45 000 dollars touchés à cette occasion, Flynn est furieux : « C'est vraiment tout ce que vous retenez de notre entretien ? Vous avez vraiment lu mon livre ? Et notamment mes critiques par rapport à la Russie[4] ? »

Pendant la convention républicaine de juillet 2016, Flynn se signale par un discours au lance-flamme contre Hillary Clinton, où il encourage la foule à crier *Lock her up* (« Enfermez-la »). « Si j'avais fait le dixième de ce qu'elle

---

1. https://www.newyorker.com/magazine/2017/02/27/michael-flynn-general-chaos.
2. https://twitter.com/GenFlynn/status/672190991412166658 : « Regarding RT panel participation : know my values and beliefs are mine & won't change because I'm on a different piece of geography », 2 décembre 2015.
3. Michael Isikoff, David Corn, *Russian Roulette, op. cit.*
4. *Ibid.*

a fait, je serais en prison », lance-t-il à la tribune. Michael Flynn devient alors le « général le plus en colère de l'Amérique », titre la presse[1]. Sa virulence de ton émeut ses anciens frères d'armes, à commencer par son mentor Stanley McChrystal. Les militants de gauche sauront s'en souvenir, le 1er décembre 2017, jour où il se rend au tribunal pour accepter de plaider coupable : à sa sortie, il est accueilli par des pancartes *Lock him up* (« Enfermez-le »).

Quand, après l'élection, Obama reçoit Trump dans le Bureau Ovale, le 10 novembre 2016, il prévient son successeur qu'il faut se méfier de Michael Flynn[2]. Trump opine sans se mouiller. En réalité, il adore Flynn, son franc-parler, son goût de la provocation, son penchant russe et son envie d'en découdre contre le *deep state*, cette bureaucratie de Washington. Il ignore le conseil d'Obama. Flynn est nommé conseiller à la Sécurité nationale, un poste clé à la Maison Blanche... Mais le 13 février 2017, vingt-quatre jours après son entrée en fonction, il est viré.

Que s'est-il passé ? Les faits remontent au 28 décembre 2016[3]. Donald Trump n'est pas encore investi président. Juste avant de quitter la Maison blanche, Barack Obama vient d'obtenir les preuves de l'ingérence de Moscou dans l'élection présidentielle. Il décide de frapper fort en annonçant des sanctions musclées contre Moscou, avec, à la clé, l'expulsion de diplomates en poste aux États-Unis. L'ambassadeur russe à Washington Sergeï Kislyak appelle alors Michael Flynn. Les deux hommes se connaissent bien. Ils se sont rencontrés à l'époque où le général dirigeait la

---

1. https://www.politico.com/magazine/story/2016/10/how-mike-flynn-became-americas-angriest-general-214362.
2. https://www.nytimes.com/2017/05/08/us/politics/obama-flynn-trump.html.
3. « Statement of the offense, USA vs. Michael T. Flynn », 1er décembre 2017.

Defense Intelligence Agency. Le lendemain, Flynn contacte un membre de l'équipe de transition de Trump, qui se trouve alors à Mar-a-Lago : il est décidé d'«éviter une escalade» avec les Russes[1]. Flynn rappelle dans la foulée Kislyak à qui il demande de ne pas répondre aux sanctions. Le message passe : à la surprise générale, le 30 décembre 2016, Vladimir Poutine annonce qu'il n'engagera pas de représailles. Le lendemain, Kislyak confirme à Flynn, au téléphone, que cette décision est liée à sa requête.

Les deux hommes ont aussi d'autres discussions, notamment à propos d'un vote prévu aux Nations unies sur un projet de résolution visant à condamner la politique de colonisation des territoires palestiniens par Israël.

Le problème pour Flynn, c'est que toutes les conversations de l'ambassadeur russe à Washington sont enregistrées par les «grandes oreilles» américaines. Sans savoir qu'il était sur écoute, le général américain a parlé à Kislyak de sujets que rien ne l'autorisait à aborder puisque Obama était encore président. Un comble pour l'as du renseignement qu'il fut, mais c'est ainsi que le FBI a pu le confondre. Le 24 janvier, quatre jours seulement après s'être installé à son poste de conseiller à la Sécurité nationale à la Maison Blanche, les agents du Bureau l'interrogent sur ses entretiens avec Kislyak. Flynn minimise. Sally Yates, la responsable par intérim du ministère de la Justice, autorité de tutelle du FBI, alerte alors la Maison Blanche que sa version contredit les écoutes, et que ça pose un gros problème. Au bout de trois semaines, Trump, la mort dans l'âme, se sépare de Flynn, officiellement pour avoir caché au vice-président Mike Pence la teneur de ses conversations relatives aux sanctions avec l'ambassadeur russe.

---

1. *Ibid.*

Trump, pendant un temps, ménage son ancien conseiller à la Sécurité nationale. «C'est un type bien», répète-t-il[1]. James Comey, encore directeur du FBI, racontera plus tard cette scène incroyable dans le Bureau Ovale (que Trump nie) où le président fait sortir tout le monde, le prend à part, seul, pour tenter de le convaincre de laisser Flynn en paix. Mais c'est l'inverse qui se produit : le procureur spécial Robert Mueller est nommé, l'enquête prospère et, dix mois plus tard, le 1ᵉʳ décembre 2017, Flynn n'a d'autre choix que de reconnaître ses «crimes», puisque c'est ainsi que l'on qualifie, dans le droit américain, le fait de mentir sous serment au FBI.

Et tout le monde s'interroge : pourquoi le président a-t-il montré tant de sollicitude pour son ex-collaborateur ? Flynn a-t-il agi de son propre chef ou sur ordre ? Va-t-il balancer les proches, voire les membres de la famille du président ?

---

1. Selon la presse américaine, confirmé par James Comey dans son livre *Mensonges et Vérités*.

16

Cadeau de Noël

En arrivant à Mar-a-Lago, sa «Maison Blanche d'hiver», ce 22 décembre 2017, Donald Trump apparaît triomphant. Ce soir-là, on fête le réveillon de Noël. Il est au milieu des siens, les millionnaires de Palm Beach, enclave de super-riches en Floride. Tous ces *happy few* sont d'excellente humeur car il vient de leur offrir un joli cadeau : une baisse d'impôts majeure, la plus importante depuis un quart de siècle, *dixit* la Maison Blanche. Trump avait promis une loi fiscale pour relancer la machine économique aux États-Unis avant la fin de l'année, il est arrivé à la faire passer. Il a signé la loi juste avant d'embarquer dans Air Force One. C'est son premier grand succès législatif. «Vous êtes tous devenus beaucoup plus riches», plastronne-t-il. Et tout le monde applaudit.

Il était temps. Car la base s'impatientait. Doug Heyes, ex-porte-parole du parti républicain, aujourd'hui commentateur sur CNN, se souvient d'une discussion inquiétante trois mois plus tôt avec l'un de ses amis, élu dans l'un des bastions trumpistes du pays : «Ses électeurs et donateurs étaient déçus du fiasco sur le retrait d'Obamacare, témoigne-t-il[1]. "Si le Congrès, dominé par les républicains, n'est pas capable

---

1. Entretien avec l'auteur, 8 février 2018.

de faire passer la loi baissant les impôts, on s'abstiendra à la prochaine élection", disaient-ils. »

Donald Trump semble avoir reçu le message cinq sur cinq. Sans prévenir, il convoque la presse dans la Roseraie de la Maison Blanche, le 16 octobre 2017, à une conférence qui n'était pas prévue à son agenda officiel. Son hôte du jour : Mitch McConnell, le leader de la majorité républicaine au Sénat.

Il vient de déjeuner avec lui, et apparemment ça s'est bien passé. Ce n'était pas gagné d'avance. Car pendant tout l'été, Trump a tiré à boulets rouges sur le patron de la majorité républicaine au Sénat, *via* Twitter. Selon lui, le sénateur a péché par manque de résultats : il est coupable de ne pas lui avoir apporté sur un plateau d'argent le retrait d'Obamacare. « Mitch, retourne au boulot », lui lance Trump sur le réseau social le 10 août 2017. Le ton monte encore le 24 août : « Le seul problème que j'ai avec Mitch McConnell, c'est que, après avoir promis d'abroger et de remplacer Obamacare, il a échoué ! Ça n'aurait jamais dû arriver. »

Les deux hommes ne sont guère faits pour s'entendre.

McConnell a publié un livre-mémoire en mai 2016, alors que Trump est déjà quasiment assuré de décrocher l'investiture républicaine. Dans l'ouvrage, le nom du futur président des États-Unis n'apparaît nulle part. Comme tout le monde à Washington, McConnell n'a pas cru une seconde que Trump allait décrocher le poste suprême.

Avec son air lunaire, sa voix grave et son verbe rare, Mitch McConnell représente tout ce que Trump déteste. Il fait partie de ces républicains du sérail qui n'ont aucun respect pour lui. Il est l'incarnation vivante du *swamp* (« marais »), ce microcosme que le président a juré de purger. McConnell est la personnification de Frank Underwood dans *House of Cards*, saison 1, quand ce dernier n'est que le Majority Whip à la Chambre des représentants, chargé de « fouetter » (*whip*) les élus pour les pousser à voter dans le bon sens. Réélu depuis plus de trente ans sénateur du Kentucky, l'État des steaks et du bourbon, aussi rural que l'est la Caroline du Sud de Frank Underwood, McConnell se dit «adepte de la longévité». D'ailleurs, son livre s'appelle *The Long Game*, la «stratégie du long terme». Il a compris depuis longtemps que Washington est «la ville des petites phrases choc entre-coupées de coupures publicitaires de trente secondes, et qu'à la longue les gens se lassent et passent à autre chose», dit un lobbyiste de la capitale américaine. «À moins d'être doté d'un charisme extraordinaire, explique McConnell dans son livre, ou d'avoir la chance d'être mis sous les projecteurs au bon moment, la seule façon de réussir en politique aujourd'hui, c'est de faire preuve d'endurance et de préparation. Heureusement pour moi, c'est comme ça que je vois la vie, depuis toujours.» McConnell a une particularité rare : il n'a jamais rêvé d'être président des États-Unis. Le Sénat est son royaume où «la plupart des projets de lois nécessitent soixante voix[1] pour passer», ce qui a un «effet modérateur» qui permet, explique-t-il «d'empêcher qu'un texte voté un jour soit abrogé le lendemain par une majorité différente.» McConnell fuit aussi les médias : «Je ne parle à la presse que si c'est à mon avantage. Je déconseille toujours à mes colla-borateurs de révéler les coulisses de mes entretiens avec les présidents et autres personnalités importantes. Il est rare que j'aille dans les dîners en ville, où l'on échange les derniers bruits de couloirs sur les intrigues de cour.»

Son sobriquet, c'est «la Tortue», parce qu'il est insub-mersible. En 2014, il aurait pu se faire battre. Candidat à sa succession, il affronte des salles à moitié vides lors de ses meetings de campagne dans le Kentucky. Face à lui, le parti démocrate sort l'artillerie lourde. Ses têtes d'affiche (la sénatrice Elizabeth Warren, Bill et Hillary Clinton) font

---

1. Soit une majorité qualifiée, le Sénat étant doté de cent membres.

le déplacement pour soutenir une candidate jeune et prometteuse, Alison Lundergan Grimes, procureure générale de l'État, qui le distance dans les sondages mais ne fait pas le poids. McConnell l'emporte haut la main avec plus de quinze points d'avance.

Cette année-là se solde par une raclée pour les démocrates. Le Sénat bascule à droite pour la première fois depuis 2007 et McConnell devient le leader de la majorité républicaine de l'institution. Commence alors une difficile cohabitation avec Barack Obama qui le déteste depuis toujours. Je me souviens de Brian McGuire, alors *chief of staff* de McConnell, commentant devant moi une photo de son patron avec le président ensemble dans la Roseraie prise le 7 novembre 2014[1], trois jours après la défaite des démocrates. L'image montre les deux hommes en train de se parler. Elle donne le sentiment qu'entre eux la communication passe, même si l'ambiance est polaire : le président parle, le patron du Sénat écoute. Selon Brian McGuire[2], c'est une mise en scène, organisée par la Maison Blanche qui veut donner une image bipartisane à Obama défait dans les urnes. En vérité, les couteaux sont tirés entre les deux hommes. C'est la guerre. McConnell a des convictions conservatrices très ancrées. Aux antipodes d'Obama qu'il accuse de vouloir « européaniser » l'Amérique avec des mesures « socialistes ». Il a répété que son objectif ultime était qu'Obama ne fasse qu'un seul mandat (*one-term president*). « Depuis le temps que je suis sénateur, de nombreux portraits ont été écrits sur moi. Et d'habitude, j'endosse le rôle du méchant », s'amuse-t-il en préambule de son livre[3]. Qualifié de « maître de l'obstruction » par ses détracteurs, McConnell est en effet d'une efficacité redoutable dans ce

---

1. « Obama, dernière ligne droite… semée d'embuches », par Olivier O'Mahony, *Paris Match*, 13 novembre 2014.
2. Rencontre avec l'auteur, 16 mars 2015.
3. *The Long Game, op. cit.*

domaine. Après la mort d'Antonin Scalia, le juge à la Cour suprême, idole des républicains ultra-conservateurs, il bloque avec succès la nomination du successeur. Le Sénat a, parmi ses attributions, le pouvoir – énorme – d'approuver ou de retoquer les nominations de personnalités aux plus hautes fonctions de l'État. Obama avait pourtant nommé un très consensuel remplaçant : Merrick Garland. Un démocrate au pedigree impeccable, et parfaitement compatible avec les républicains. Plus centriste, on ne fait pas. Et pourtant, McConnell bloque avec succès sa nomination, arguant du fait que l'élection présidentielle est dans sept mois et que les juges sont nommés à vie. Obama ne peut rien faire. Grâce à McConnell, c'est le candidat de Trump, Neil Gorsuch, forcément conservateur bon teint, qui décroche le job.

McConnell a failli sur Obamacare, mais pas sur la Cour suprême. En obtenant rapidement la confirmation du candidat choisi par Trump, il offre à ce dernier un beau cadeau. Quand j'interroge début décembre 2017 Corey Lewandowski, ancien directeur de campagne de Trump et fan de la première heure, sur ce qui constitue alors le principal succès de son patron à la Maison Blanche, il répond sans hésiter : « La nomination de Neil Gorsuch. » Grâce à celle-ci, les conservateurs sont soulagés : la Cour suprême ne va pas basculer à gauche de sitôt.

McConnell sait bien pourquoi il a l'honneur d'une conférence de presse commune – et impromptue – avec le président dans la Roseraie, le 16 octobre 2017 : Trump a besoin de lui. Car sans le leader du Sénat, le président ne peut pas faire passer cette baisse des impôts, ce « cadeau de Noël » qu'il a promis de promulguer avant la fin de l'année 2017. Pendant l'été, les deux hommes ne se parlent quasiment pas au téléphone. Mais début septembre, Trump prend l'initiative d'appeler McConnell.

« Contrairement à ce qu'on peut lire, nous sommes amis depuis longtemps […] et n'avons jamais été aussi proches », lance Trump en préambule de la conférence de presse. Et de dresser des louanges à son hôte pour le rôle qu'il a joué dans la nomination de son candidat à la Cour suprême.

Sur le visage de McConnell flotte un léger sourire énigmatique. Il a le visage de celui qui n'en revient pas d'être là mais savoure sa revanche. Il s'associe au principal succès du président : « La mesure la plus importante décidée par le président pour changer l'Amérique est la nomination de Neil Gorsuch à la Cour suprême. » Il s'exonère du plus gros échec du maître de la Maison Blanche : « Il est important de rappeler que les principales lois de l'ère Obama ont été votées la deuxième année de sa présidence. » Le show est parfait. Aussi bien dans l'apparence que sur le fond, car il signale que Trump siffle la fin des hostilités. C'est essentiel, car la réforme se heurte à la réticence de certains sénateurs républicains (Jeff Flake, Ron Johnson, Susan Collins, etc.), inquiets pour le déficit budgétaire que cette réforme engendre.

Il est de bon ton, à Washington, d'affirmer que la réforme fiscale n'a pu être votée que parce que Trump a laissé les « pros » travailler. C'est oublier qu'il a envoyé Ivanka sur le front, au Congrès à Washington, puis en meeting en Pennsylanie devant les électeurs. Sa belle-fille Lara, épouse d'Eric Trump, son cadet, s'y est mise aussi, *via* des emails de retape publicitaire auprès des électeurs. En vérité, Trump est prêt à tout pour obtenir cette loi.

Car ses alliés sont inquiets. Roger Stone, son ami de quarante ans, n'est pas à une théorie du complot près, mais il a l'expérience de celui qui a vécu le Watergate quand il travaillait pour Richard Nixon. Et sur le plan des affaires judiciaires, il se dit « pessimiste » pour Trump. L'enquête du procureur spécial Robert Mueller avance alors à grands pas. Le 1er décembre, le Sénat vote la réforme fiscale. Trump pourrait s'en réjouir, sauf que ce jour-là, Michael Flynn, son ancien conseiller à la Sécurité nationale, annonce qu'il plaide coupable dans l'enquête russe. Selon Roger Stone, «le procureur ne pourra pas prouver la collusion avec les Russes, mais j'ai vu comment ça se passait avec le Watergate: il trouvera quelque chose au niveau procédural, qui lui permettra de réclamer la destitution. Et si, l'an prochain, Trump perd la majorité au Congrès, il ne pourra pas terminer son mandat». Selon lui, Trump serait mal informé: «Son entourage ne lui dit pas la vérité.» Stone reproche au général John Kelly de tout bétonner. Ce dernier a été nommé en août 2017 *chief of staff* pour mettre au pas cette Maison Blanche secouée par les limogeages et les fuites à répétition. En réalité, il isolerait le président, «tout comme Alexander Haig quand il dirigeait le cabinet de Nixon», dit Stone. Or, en ce mois de décembre 2017, Trump se sent seul. Stone déplore le départ de Keith Schiller, le garde du corps historique de Trump, viré pour lui avoir fait passer des articles de presse non validés par l'inflexible *chief of staff*… «Je ne suis pas sûr que le général Kelly comprenne la stratégie à suivre face à une enquête d'ordre politique comme celle du procureur Mueller, poursuit Stone. *Idem* pour les avocats du président. Ils seront sûrement d'excellents pénalistes, mais ils lui assuraient encore récemment qu'il allait bénéficier rapidement d'un non-lieu. Tout indique le contraire.» Auteur d'un livre intitulé *The Making of the President*, 2016 («La Fabrique du président») sur la marche de Trump vers la victoire, qu'il a publié en janvier 2017, au moment de l'investiture, Roger Stone dit réfléchir à un nouvel opus, titré cette fois «The Unmaking of the President» («La déconstruction du président»), qu'il espère, jure-t-il, ne jamais avoir à écrire…

Alors, quand la réforme passe, il est soulagé.

À Palm Beach, où il passe la période des fêtes à jouer au golf, tous les témoins le disent: Trump est regonflé à bloc. Tellement ragaillardi qu'il donne, sur un coup de tête, une interview à Michael Schmidt, du *New York Times*, qui lui est présenté par un ami, Chris Ruddy, le patron de Newsmax, un site de presse de droite. La conversation improvisée a lieu dans le restaurant de son club de golf. Après avoir avalé une salade, le président parle librement pendant une demi-heure, sans la protection d'un membre de son service de presse. Il assure à seize reprises qu'entre lui et Poutine aucune collusion n'a eu lieu pendant la campagne…

Le soir du réveillon de Noël, Trump va prier avec Melania à l'église épiscopale de Bethesda-by-the-Sea, à Palm Beach. Il écoute le sermon du révérend James Harland qui évoque l'importance d'utiliser le «pouvoir des mots» avec modération. Certains voient une allusion critique aux tweets présidentiels…

Ces derniers temps, Trump s'est tellement déchaîné qu'il a réussi à s'attirer les foudres du très inoffensif *USA Today*. Dans un éditorial au vitriol, ce quotidien sans étiquette politique le déclare «inapte à nettoyer les toilettes de la future bibliothèque présidentielle de Barack Obama»… Le prédécesseur de Trump semble très regretté en ce moment. Début novembre, Pete Souza, son photographe officiel, publie l'album photo de ses huit années de pouvoir. Mi-décembre, l'ouvrage est en rupture de stock sur Amazon. Pas grave pour les invités de Trump à Mar-a-Lago, qui n'en veulent sûrement pas sous leur sapin de Noël…

17

Le président est-il fou ?

Il faut reconnaître qu'il est télégénique. Avec son sourire ultra-bright, ses cheveux noirs, et son visage sans rides, le Dr Ronny Jackson, 50 ans, est venu, ce mardi 16 janvier 2018, « briefer » les journalistes sur la santé du président. Il a toutes les compétences requises, aussi bien médicales que militaires, puisque, comme tous les médecins qui veillent sur la santé du président, le Dr Jackson est issu des rangs de l'armée. Il y a fait une belle carrière. Vétéran de l'Irak, il a aujourd'hui le grade de contre-amiral. Le Dr Jackson a aussi la légitimité de celui qui était là avant : nommé par George W. Bush en 2006 dans l'équipe médicale de la Maison Blanche, il devient en 2013 le médecin officiel du président, nommé par Obama. Donc, quand il débarque dans la salle de presse de la Maison Blanche avec toutes ses décorations sur la poitrine, présenté par la porte-parole Sarah Huckabee Sanders qui presse les journalistes de ne pas poser de questions « hors sujet », forcément, c'est assez impressionnant.

Son diagnostic est attendu. Trump est âgé de 71 ans quand il remporte l'élection, ce qui fait de lui le président élu le plus âgé de l'histoire des États-Unis. Personne ne s'inquiétait de la santé de Clinton, George W. Bush ou Barack Obama, tous arrivés à un âge relativement jeune. En ce qui concerne

Trump, il y a d'abord des craintes au niveau de ses habitudes alimentaires. Trump est très strict à ce niveau-là, mais pas au sens diététique du terme. Corey Lewandowski, son premier directeur de campagne, en sait quelque chose. Pendant la campagne, l'organisation et le repas du « boss », comme il l'appelle, étaient « un élément clé de sa marche vers la présidence », se souvient-il[1]. Un casse-tête qui nécessitait un véritable travail d'équipe. Au départ, c'était Lewandowski lui-même qui se chargeait de cette tâche hautement stratégique, ce qui paraît assez aberrant, car d'habitude, elle est confiée aux petites mains. Puis il a délégué à son adjoint Michael Glassner, un ex-*senior advisor* de Sarah Palin, l'ancienne candidate à la vice-présidence en 2008.

Le menu préféré de Trump, selon Lewandowski ? Deux Big Mac, deux Filet-o-Fish[2], et, parfois un milkshake au chocolat, quand il est de bonne humeur. L'ex-directeur de campagne se souvient : « Quand il revenait d'un meeting politique particulièrement réussi, il s'asseyait dans son avion, et lançait : "Vous pensez que je mérite un milkshake aujourd'hui ? Je pense que oui", et il y avait intérêt à le lui apporter tout de suite, et bien épais. » Trump est impatient. Après la fin de chaque meeting de campagne, Lewandowski se précipitait au McDo du coin au moment où Trump était sur le point de rejoindre son jet privé. Il fallait calculer le temps du trajet entre le McDo et l'avion, et surtout ne pas se tromper, ni arriver trop tôt sinon le repas allait être froid et Trump mécontent. Personne n'avait envie de subir la colère du patron. Lewandowski raconte qu'une fois, à Chicago, les Big Mac étaient bloqués dans une voiture coincée dans des embouteillages pendant que l'escorte du boss filait sans respecter les feux rouges. « Il a fallu mettre les gaz, on se

---

1. *Let Trump Be Trump, op. cit.*
2. L'équivalent d'un fishburger, au poisson pâné, de chez McDonald's.

serait cru dans une scène de *Fast and Furious*. On n'avait pas le choix. Trump est sans pitié avec les retardataires. »

À la Maison Blanche, Trump a dû bouleverser ses habitudes, mais ne mange guère plus sain. Il a demandé au chef de la cuisine de lui préparer l'équivalent du fameux « Royal Cheese », un cheeseburger de McDonald's, avec beaucoup de ketchup mais sans cornichons. Malheureusement, il semble que les cuisiniers utilisent des produits de trop bonne qualité pour être en mesure de répliquer à l'identique la *junk food*. Alors le patron a râlé. Pendant les premiers mois de la présidence, il envoyait Keith Schiller, son garde du corps historique, promu « directeur des Opérations » à la Maison Blanche, au Mc Donald's du coin, sur la New York Avenue, à l'angle de la 13ᵉ Rue, pour lui rapporter son repas préféré…

Mais l'intervention du Dr Ronny Jackson vise surtout à faire taire les rumeurs sur la santé mentale du président, au cœur de toutes les discussions depuis la parution du livre de Michael Wolff, *Le Feu et la Fureur*, quelques jours plus tôt. D'après Wolff, les proches collaborateurs du président le prennent pour un fou. Le moulin à rumeurs tourne à plein régime : Trump serait atteint d'un début de maladie d'Alzheimer, car son père a été victime de cette maladie après l'âge de 80 ans. Le président est-il vraiment fou ? La question est posée par tout le monde, y compris par le quotidien britannique *The Times*, propriété de Rupert Murdoch, le magnat de la presse, ami du président[1].

Le consultant politique Roger Stone, fidèle parmi les fidèles, ne pense pas qu'il l'est mais se fait quand même du souci. Il connaît Trump depuis quarante ans. Ils se sont rencontrés en 1979 quand, en charge de la campagne de Ronald Reagan à New York, Stone cherchait un local et

---

1. *The Times*, « Trump's mental health questioned by top aide », à la une, 5 janvier 2018.

s'était adressé à Trump qui l'avait accueilli les bras ouverts. Depuis, ils ont eu des hauts et des bas, mais les deux hommes sont toujours proches. Aujourd'hui, «Donald» appelle régulièrement «Roger», parfois vers minuit ou une heure du matin, pour recueillir son avis. Mais vers la fin de 2017, le président donne des signes de faiblesse. «Un soir, j'ai constaté qu'il avait du mal à parler, témoigne Stone[1]. Ses réponses avaient un temps de retard. Vu l'heure tardive, je me suis dit qu'il était fatigué à cause de son rythme de travail infernal. Mais un journaliste du *New York Times*, puis un éditeur m'ont raconté qu'ils avaient eu la même expérience. Et finalement, Trump a fini par bafouiller publiquement, devant les caméras.» C'est arrivé le 6 décembre, dans le salon de réception des diplomates de la Maison Blanche, le jour où il a annoncé l'installation à Jerusalem de l'ambassade américaine en Israël. À la fin du discours, sa diction s'est embrouillée comme s'il était en train de perdre son dentier. La façon dont il a prononcé «United Chteutes» au lieu de «United States» a provoqué l'hilarité générale. Les émissions satiriques du soir s'en sont données à cœur joie. Notamment le «Late Show» de Stephen Colbert sur CBS, dont l'audience cartonne grâce à son antitrumpisme affiché. Selon la Maison Blanche, le président avait tout simplement la gorge sèche. Rien à signaler. Certes. Mais l'ami Roger Stone est sceptique. «C'est peut-être à cause du Coca light…, avance-t-il très sérieusement. Il en boit des litres par jour, et cette boisson, quand elle est consommée excessivement, peut provoquer des troubles de mémoire, voire des symptômes de démence. Ou peut-être est-ce l'effet d'un calmant qui lui serait administré à son insu[2]…» Stone est connu pour avoir tendance à voir des complots partout.

---

1. Entretien avec l'auteur, 16 décembre 2017.
2. *Ibid.*

Mais le simple fait qu'un proche du président, qui ne lui veut que du bien, s'interroge sur sa santé mentale est troublant.

Fait rarissime, la question est également posée à la porte-parole lors des points presse quotidiens de la Maison Blanche. Peter Alexander de NBC tire la première salve le 3 janvier, juste après que Trump eut tweeté qu'il avait un «bouton nucléaire plus gros» que celui de Kim Jong-un, le leader nord-coréen : «Les Américains doivent-ils s'inquiéter de la santé mentale du président ?» demande le journaliste.

Brian Karem, qui fait quasiment partie des murs dans la salle de presse de la Maison Blanche (et qui représente plusieurs journaux dont *Playboy*), récidive deux jours plus tard. «Et ça ne me faisait pas plaisir d'évoquer le sujet», confessera-t-il plus tard à Brian Stelter, le présentateur de l'émission «Reliable Sources» sur CNN[1]. La salle de presse a un côté très formel, tout le monde porte une cravate, y compris Brian Karem, même si son journal n'est pas exactement issu de l'establishment, et on ne plaisante pas sur le respect de l'éthique et de la déontologie journalistique, alors, évidemment, ce n'est pas le genre de sujet que l'on aborde de gaieté de cœur. Mais comme tout le monde en parle… D'autant que la question a même fait l'objet d'une réunion au Capitole, où des élus démocrates et un sénateur républicain ont fait venir une psy de renom, le Dr Bandy Lee. Celle-ci vient alors de publier un livre collectif avec vingt-sept psychiatres intitulé *The Dangerous Case of Donald Trump* («Le cas dangereux de Donal Trump»). Selon elle, pas de doute : Trump perd les pédales, et c'est inquiétant…

Et c'est justement parce que cette thèse commence à prendre de l'ampleur que, le 16 janvier 2018, le Dr Ronny Jackson, avec sa poitrine bardée d'étoiles, et son sourire aux dents blanches, tient à répondre «à toutes les questions, à la demande du président». Pendant près d'une heure, il

---

1. 7 janvier 2018.

explique que Trump est en « excellente » santé (il répète le terme huit fois). Pourquoi ? Très simple : il n'a jamais bu d'alcool, jamais fumé, et il dispose « de gènes incroyables » et d'une « forme cardiaque étonnante ». N'en déplaise à Sanjay Gupta, le spécialiste médical de CNN qui croit déceler chez Trump une maladie cardiaque, hypothèse vite reléguée au rang de *fake news* malintentionnée par les médias trumpistes. Selon le Dr Jackson, Trump aurait été « doté par Dieu » d'une « énergie supérieure à la normale ». Selon lui, il est apte à faire deux mandats et pourrait vivre jusqu'à 200 ans s'il mangeait plus sainement. Rien que ça ! Certes, il serait souhaitable qu'il perde du poids (il pèse 108 kilos pour 1,90 mètre), mais tout va bien. Et côté mental, itou : le bon docteur a effectué des tests cognitifs qui auraient détecté des signes d'Alzheimer s'ils s'étaient révélés positifs. Mais Trump « est extrêmement vif d'esprit et s'exprime très clairement », commente-t-il. Le jour où Trump a bafouillé à la fin d'un discours, c'est sa faute à lui, le docteur : « Je lui avais prescrit du Sudafed quelques jours auparavant, et sans m'en rendre compte, j'ai dû lui assécher la gorge. »

N'en jetez plus : on n'a jamais vu une conférence de presse médicale aussi délirante à la Maison Blanche. Le Dr Jackson en fait tellement que ça en devient risible. L'émission satirique « Saturday Night Live » ne va pas le rater, le samedi suivant. « Le médecin de Trump est-il en bonne santé ? », s'interroge Dana Milbank dans le *Washinton Post*[1] dans un billet grinçant.

Quand il tweete qu'il est « un génie très équilibré », Trump passe pour l'inverse… Mais c'est également vrai que Trump, qui dort quatre à cinq heures par nuit, semble increvable. Ce qu'il a fait pendant la campagne, notamment à la fin quand

---

1. https://www.washingtonpost.com/opinions/is-trumps-doctor-okay/2018/01/17/0d887f50-fbce-11e7-ad8c-ecbb62019393_story.html?utm_term=.cf4e53ee161a.

il enchaînait quatre meetings par jour, est remarquable pour un homme de son âge. *Idem* en tant que président. Les voyages officiels, qui sont épuisants, ne le rebutent pas, au contraire. Faire l'aller-retour à Paris pour le défilé du 14 juillet 2017 alors qu'il était en Europe la semaine d'avant ne lui a pas fait peur. Partir pendant douze jours en Asie en novembre 2017, non plus. Ceux qui s'imaginent que Trump pourrait tomber sous le coup du vingt-cinquième amendement de la Constitution américaine, qui prévoit la destitution du président pour incapacité mentale, se font des illusions. Et pour le bon Dr Ronny Jackson, son excellente prestation a failli lui valoir une belle promotion. Le 28 mars dernier, il était nommé secrétaire aux Anciens Combattants des États-Unis, un poste ministériel important car Trump adore les «vets» de la US Army, et vice versa... Avant de finalement renoncer après que d'anciens collègues l'eurent accusé de «conduite inappropriée». En cause : sa propension à prescrire les médicaments «comme des bonbons» et sa consommation parfois exagérée d'alcool. *Exit* Ronny Jackson, qui se retrouve sur le carreau, comme tant d'autres anciens de l'encore très jeune administration Trump...

18

Ne touche pas à mon fusil d'assaut

14 février 2018 – Fusillade au lycée
de Parkland, Floride – 17 morts

Le rendez-vous n'a été annoncé nulle part. Aucune caméra, aucun photographe n'est là pour l'immortaliser. L'atmosphère est pourtant très chaleureuse, à en croire ses participants. Ce jeudi 1ᵉʳ mars, Donald Trump reçoit à la Maison Blanche les principaux responsables de la National Rifle Association. La NRA est le tout-puissant lobby des armes, qui finance les campagnes de très nombreux candidats républicains, à commencer par le président lui-même. Entre lui et la NRA, tout baigne. Son fils Donald Jr, chasseur émérite, adore cette institution si représentative de la vraie Amérique des cow-boys et des westerns. La NRA n'a qu'un credo : la défense du second amendement de la Constitution, qui garantit aux citoyens américains le droit de porter des armes. Seulement voilà : depuis le massacre du lycée de Parkland en Floride, qui a coûté la vie à 17 personnes, l'organisation est sur la défensive, comme chaque fois qu'une fusillade provoque la consternation et l'émotion dans le pays. Pas question, pour Trump, de la désavouer cependant : quand ses responsables ressortent de la Maison Blanche, ils sont tous ragaillardis. « Bon (excellent) entretien avec la NRA » se réjouit le président sur Twitter. Il confirme ainsi un autre tweet diffusé quelques minutes plus tôt par Chris Cox, qui annonce que le président a rejeté toutes les mesures anti-NRA, comme par exemple l'augmentation de 18 à 21 ans de l'âge légal pour détenir des fusils d'assaut.

Cette fois, les activistes qui militent en faveur d'un contrôle du port d'armes avaient pourtant vraiment cru qu'ils allaient être entendus. Lourde erreur.

À 14 h 30, ce mercredi 14 février, Nikolas Cruz, 19 ans, s'infiltre dans le bâtiment 12 du lycée de Parkland lourdement armé, et commence à tirer. David Hogg, étudiant en classe de terminale, est en cours de science environnementale quand il entend les détonations. Son père est un officier du FBI à la retraite. Il manipule lui-même des armes depuis sa tendre enfance. Pour lui, le doute n'est pas possible : ce sont des coups de feu. Il avertit la prof, qui ferme tout de suite la porte de la salle de classe. Mais la sonnette d'alarme retentit. Nikolas Cruz vient de la déclencher pour attirer le plus de monde possible dans les couloirs. « On a alors cru à un exercice d'évacuation incendie », raconte David[1]. Les élèves se lèvent, se précipitent à l'extérieur. Là, ils tombent sur une foule de camarades qui leur disent de rebrousser chemin : « Il arrive par-là ! » David et ses amis marchent en sens inverse, mais se heurtent à un surveillant qui leur bloque le passage. Le tueur est en train de monter les escaliers juste derrière. David a le temps de se cacher dans une remise. « Nous étions terrorisés », se souvient-il. Il n'a que 17 ans, mais il sait déjà qu'il sera journaliste plus tard. Il a la passion des images. Sur sa page d'accueil de Facebook, il a posté une photo de lui en train de regarder avec un grand sourire son appareil photo muni d'un gros micro. Il est aussi l'un des piliers de la station télé de l'école. Dans la remise, il sait que le meurtrier peut débarquer, tirer à travers la

---

1. Entretien avec l'auteur, 19 février 2018.

porte. S'il doit mourir, il veut que ça serve à quelque chose. «L'éducation de mon père, qui m'a toujours dit qu'il fallait garder son sang-froid en pareille occasion, m'a sauvé la vie, ainsi que celle de mes camarades, car j'ai pu calmer ceux qui paniquaient[1].» Il sort son téléphone et commence à filmer la scène dans l'obscurité, pour laisser un témoignage à ceux qui retrouveront son portable après sa mort. La voix basse, il raconte qu'il est dans cette remise, entouré de 30 à 40 élèves qui se laissent volontiers interviewer, pour l'éternité… Tous s'en sont sortis mais beaucoup ont perdu un ami.

Ce 14 février, dans les salles de rédaction, on pense d'abord que cette nouvelle tragédie n'est qu'une réédition de la fusillade de Sandy Hook, dans le Connecticut, qui avait fait 27 morts dans une école, des jeunes enfants pour la plupart. L'émotion avait alors été immense mais n'avait été suivie d'aucune loi, aucune mesure. Les cris «Plus jamais ça» avaient résonné dans le vide. Il y avait eu un concert de prières, et puis plus rien. Barack Obama était venu en personne à une veillée funèbre improvisée dans un gymnase de la ville de Newtown. Il avait rendu hommage aux victimes, dont il avait cité les noms un par un, suscitant des soupirs de désespoir dans l'assistance. Dans ces circonstances dramatiques, il avait su trouver les mots justes pour panser les plaies.

Mêmes causes mêmes effets: à Parkland, ce 14 février 2018, les équipes des chaînes de télé se précipitent sur le lieu du drame pour enchaîner les directs, avec les inévitables témoignages des victimes qui, au début, croient que les coups de feu sont des pétards, puis les prières, les veillées aux bougies, Anderson Cooper sur CNN qui refuse de prononcer à l'antenne le nom du meurtrier (c'est un principe chez lui, pour éviter de donner l'envie à d'autres d'en faire

---

1. *Ibid.*

autant et devenir ainsi célèbre…). Comme Adam Lanza, le tueur de Newtown, Nikolas Cruz est un déséquilibré. Il habite Parkland, une bourgade huppée et verdoyante de 30 000 habitants, qui a décroché le titre désormais pathétique de «ville la plus sûre de Floride» en 2017. C'est un jeune homme fluet au regard inquiétant. Malcolm Roxburgh, aimable septuagénaire né en Jamaïque, qui vit à quatre maisons de la sienne, garde un très mauvais souvenir de lui. «Je le voyais déambuler sous mes fenêtres, la tête baissée et recouverte d'une capuche même quand il faisait chaud, me raconte-t-elle. Clairement, c'était un gamin à problème», me dit-il[1]. Cruz balançait des noix de coco sur l'allée qui mène au garage de Malcolm, ce qui l'empêchait de se garer. «Un jour, raconte Christine, l'épouse de Malcolm, j'ai été voir Lynda, sa mère, qui s'est montrée aimable mais totalement dans le déni. J'ai menacé d'aller voir la police et le lendemain, les noix de coco avaient disparu.»

Nikolas Cruz a été adoptée à la naissance. Il habite avec sa mère et son frère Zachary dans une confortable maison de 350 mètres carrés dotée de cinq chambres, au milieu des hauts palmiers. Là s'arrête la chance. Il a trois ans quand les médecins constatent qu'il souffre d'un handicap mental et cinq ans quand meurt son père adoptif. À l'adolescence, ses problèmes s'aggravent. Il est transféré dans une école spécialisée, où il reste deux ans avant d'être admis au lycée Marjory Stoneman Douglas, là où il commettra son massacre. «On se disait que si un tueur se trouvait parmi nous, ça ne pouvait être que lui», me dit Mike, un étudiant de 16 ans, qui le connaissait. Nikolas Cruz ne se cache pas. En septembre 2016, il poste sur Snapchat une vidéo où il se taille les veines, accompagnée d'un commentaire raciste antinoir. Il dessine aussi une croix gammée sur son sac à dos que sa mère lui fait effacer. Il ne parle à personne. Il

---

1. Entretien avec l'auteur le 16 février 2018.

s'éprend d'une petite amie qui le plaque, ce qui, selon ses camarades, le rend fou furieux. Finalement, le lycée décide de l'expulser. Le 1ᵉʳ novembre, sa mère, dont il est proche, meurt d'une pneumonie à l'âge de 68 ans, lui laissant un important patrimoine de 800 000 dollars auquel il ne peut pas toucher avant l'âge légal. Orphelin, il est recueilli par James et Kimberly Sneads, les parents d'un de ses rares copains. Selon Kimberly, il était totalement immature, bizarre et «très déprimé[1]». Il ne savait pas s'occuper de son linge ni utiliser un micro-ondes, et il ne savait pas conduire, ce qui est rare aux États-Unis. Selon elle, ce n'était pas un méchant garçon. Certes, il avait une passion pour les armes, notamment son AR-15, un fusil d'assaut dont il va se servir pendant la tuerie, mais, s'excuse Kimberly: «J'avais la clé de l'armoire où il le rangeait, je ne savais pas qu'il avait un double[2].» Et puis, en Floride, n'importe qui peut s'acheter un revolver. Nikolas dit alors vouloir entrer dans l'infanterie militaire. Le 5 janvier, un de ses proches contacte pourtant le FBI à cause de ses messages inquiétants sur les réseaux sociaux où il expose son obsession des armes et son désir de tuer. C'est la deuxième alerte, après celle lancée trois mois et demi plus tôt par Ben Bennight, un bloggeur du Mississippi[3]. Elle va rester lettre morte. Kimberly ne voit

---

1. *Sun Sentinel*, 17 février 2018: «We had this monster living our roof and we didn't know», par Paula McMahon.
http://webcache.googleusercontent.com/search?q=cache:IOu14d-wBdtYJ:www.sun-sentinel.com/local/broward/parkland/florida-school-shooting/fl-school-shooting-family-helped-nikolas-cruz-20180217-story.html+&cd=1&hl=en&ct=clnk&gl=it&client=firefox-b-1.
2. *Ibid.*
3. Le 24 septembre 2017, soit cinq mois avant la tuerie, Ben Bennight a intercepté un message signé Nikolas Cruz qui écrit: «Je vais devenir un professionnel du massacre dans les écoles.» Il alerte alors l'agent local du FBI qui vient le voir, relève l'adresse email associée au profil de l'auteur, mais, après vérification, constate qu'elle n'existe pas. Affaire classée, malheureusement.

rien venir non plus. Elle pense même que Nikolas va «un peu mieux[1]». Quelques jours avant le drame, elle lui présente son psy. La séance se passe plutôt bien. Le matin du 14 février, jour du massacre, il lui dit qu'il a décidé de rester à la maison «parce que c'est la Saint-Valentin[2]».

Dans les milieux trumpistes, la tuerie de Parkland suscite la gêne. En témoigne cette émission sidérante de la star de Fox News, Sean Hannity, le soir même de la tuerie. Hannity est un commentateur ami du président dont le fonds de commerce est de taper sur la gauche. Ses positions sont alignées sur celles de la Maison Blanche. Hannity et Trump se parlent régulièrement au téléphone, le soir après l'émission, laquelle bat des records d'audience[3]. Celle du 14 février est particulièrement révélatrice de l'embarras et même des désaccords qu'engendre le drame de Parkland dans l'électorat républicain.

Pour Hannity, c'est très simple : la fusillade n'aurait jamais eu lieu si l'école avait été correctement défendue. C'est juste un problème de protection. Sean Hannity sait qu'il évoque un sujet sensible pour son audience donc il marche sur des œufs : «Je ne veux pas tout politiser ici, et je sais que je suis connu pour ça, mais peut-on parler d'une solution qui assurerait la sécurité des étudiants ? Peut-on envisager la mise en place de militaires ou de policiers à la retraite qui permettraient d'empêcher l'irruption d'intrus qui n'ont rien à faire dans l'école ?» Et d'ajouter : «Je ne suis pas en train de parler du débat sur le port des armes.» Malheureusement, un de ses intervenants, Ted Williams, un ancien détective de police, a le mauvais goût de ne pas être d'accord et de

---

1. «We had this monster living our roof and we didn't know», art. cité.
2. *Ibid.*
3. 3,4 millions de téléspectateurs selon le *New York Times*, du 1er juillet 2018. https://www.nytimes.com/2018/07/01/business/media/fox-news-trump-bill-shine.html.

mettre les pieds dans le plat. «Que peut faire un gardien face à quelqu'un qui débarque avec une quinzaine d'armes, un masque à gaz?», demande l'invité. Bonne question. Mais Sean Hannity lui coupe la parole: «Je connais des écoles sécurisées de cette manière et ça marche. Les gardiens deviennent les amis des élèves. Ça crée un lien. C'est une solution gagnant-gagnant qui ne coûte pas très cher. Vous pouvez assurer la sécurité partout dans ce pays, personne ne me convaincra du contraire», assène le présentateur. Fermez le ban. Sauf qu'un deuxième invité débarque en duplex, et lui non plus n'est pas d'accord avec ce scénario rose. Il s'appelle Geraldo Rivera. C'est une figure de Fox News. Sean Hannity ne peut pas vraiment se permettre de le renvoyer dans les cordes comme il l'a fait avec le premier intervenant, alors il le laisse parler. «Vous avez entendu les pan pan pan? s'énerve Geraldo, la moustache frémissante. C'est le bruit du AR-15 [le fusil d'assaut de Nikolas Cruz]. Ce sont des armes faites pour tuer, et depuis l'expiration du Brady Ban[1], on vend ces machines!» Sean Hannity prend peur: «Geraldo, on n'est pas en train de faire un débat sur la détention des armes à feu!» Arrive alors un autre interve-nant en duplex, le shérif David Clarke, affublé de son habi-tuel chapeau de cow-boy, qui vient à sa rescousse: «Après la fusillade Sandy Hook à Newtown, j'ai proposé qu'on mette des gardes armés dans les écoles. Je me suis fait clouer au pilori par les bonnes âmes de gauche», lance-t-il. Encore un peu et tous ses massacres vont être la faute des démocrates… Mais Sean Hannity ne va pas aussi loin. Pour conclure son émission, il choisit la voix de la modération. «Je suis sûr qu'il existe un terrain d'entente qui permettrait d'assurer la

---

1. Le Brady Ban est une loi votée en 1994 pour dix ans, sous la prési-dence de Bill Clinton, qui interdit la vente de certains fusils d'assaut et leur utilisation par des citoyens civils. Depuis 2004, ces armes sont de nouveau permises à la vente.

sécurité de ces gamins.» En réalité le message de l'émission, c'est : touche pas à mon deuxième amendement.

À la Maison Blanche, la gêne est tout aussi palpable. La tragédie provoque le mutisme : le point presse quotidien est repoussé à 16 heures, puis tout simplement annulé, à la surprise générale.

Sur son compte Twitter, Donald Trump est d'une sobriété étonnante, se contentant de messages tout en retenue, adressant ses «pensées et prières» aux victimes...

Le lendemain, il se fend d'un petit discours officiel (six minutes) dans la *Diplomatic Room*, le salon diplomatique de la Maison Blanche sans prendre de questions ni aborder le sujet qui fâche : le contrôle des armes. «Nous devons travailler ensemble pour créer une culture dans notre pays qui embrasse la dignité de la vie», déclare-t-il prudemment. Il annule dans la foulée son meeting d'Orlando ainsi qu'un autre qu'il avait prévu de tenir à Ambridge en Pennsylvanie, mais maintient son déplacement à Mar-a-Lago, sa résidence en Floride. Parkland n'est qu'à une cinquante de kilomètres de Palm Beach. Trump promet d'aller voir les familles de victimes.

Au même moment, le moulin à fantasmes se met en marche. Le lendemain du drame, un ami du président m'assure que c'est un coup de Daech. Il me propose de me mettre en contact avec Pamela Geller, une star de la droite dure, qui tient un site dans lequel elle affirme que le tueur avait des liens avec le mouvement terroriste islamiste[1]. Sur le ton de l'évidence, il me dit : «Le FBI l'avait dans le collimateur, ce n'est pas parce qu'il était fou, mais parce qu'il était lié à Daech. Pamela a les documents officiels qui le prouvent.» Selon lui, Nikolas Cruz était un être déséquilibré et malade. «Que voulez-vous, on n'y peut pas grand-chose,

---

1. http://www.politifact.com/punditfact/statements/2018/feb/19/ pamela-geller/no-proof-nikolas-cruz-was-motivated-islamic-or-lef.

me lâche-t-il, avant d'insister : Et probablement, les islamistes sont derrière tout ça. »

Alex Jones, fondateur du site infowars.com et adepte de la théorie du complot, prétend quant à lui que l'auteur du massacre est un « sympathisant de Daech » de surcroît « communiste[1] », diffusant la photo d'un dénommé Marcel Fontaine, 24 ans, originaire de Boston, qui n'a rien à voir avec le massacre. Le jeune homme finira par porter plainte pour diffamation, affirmant être « harcelé » en ligne par les adeptes du site Infowars. Alex Jones a fini par se raviser et, une fois n'est pas coutume, à présenter ses excuses pour cette « erreur[2] », qui rappelle ce qu'il avait sorti après le drame de Sandy Hook, quand il avait affirmé que la tragédie était en réalité un canular inventé par les militants antiarmes désireux de provoquer l'émotion dans le pays pour en finir avec le deuxième amendement…

Pendant ce temps-là, un événement prend tout le monde par surprise, le vendredi 16 février, deux jours après la fusillade. Car les affaires continuent sur le front de l'enquête russe. Rod Rosenstein, le numéro deux du département de Justice qui supervise le procureur Mueller, annonce la mise en examen de treize Russes pour « conspiration contre l'État américain » pendant l'élection présidentielle de 2016. Les enquêteurs du FBI ont pris les hackers russes la main dans le sac. Ils ont des noms et même des emails confondants qu'ils sont parvenus à récupérer, quand ils diffusaient sur la toile des messages contre Hillary Clinton en se faisant passer pour des Américains. Pour les agents du FBI, il ne fait aucun doute que la Russie a manœuvré pour faire élire Trump, ce que

---

1. https://www.washingtonpost.com/news/morning-mix/wp/2018/04/04/infowars-alex-jones-sued-again-this-time-for-falsely-identifying-man-as-parkland-shooter/?utm_term=.bff919e920ad.
2. https://www.infowars.com/report-florida-shooter-inspired-by-isis-allahu-akbar.

ce dernier a toujours refusé de reconnaître. La machine à relayer la propagande présidentielle se met alors à tourner à plein régime. Car le même jour, Christopher Wray, le patron du FBI, présente les excuses de son institution[1] pour ne pas avoir donné suite aux alertes lancées par un proche du tueur qui signalait son comportement inquiétant le 5 janvier, un mois et demi avant le massacre. Pain bénit pour les supporters trumpistes : voilà le FBI accusé par Trump, dans un tweet daté du 17 février[2], d'être davantage préoccupé par la «chasse aux sorcières» russes que par la défense des citoyens américains…

L'après-midi du 16 février, Trump se rend comme prévu en Floride pour y passer un long week-end, la journée du lundi 19 étant fériée[3]. En début de journée, il tweete qu'il va rencontrer les familles de victimes, les policiers et les aides-soignants sans donner de détail. Mais rien n'est annoncé officiellement. On apprendra plus tard que finalement, dans la soirée, Donald Trump débarque au quartier général du shérif du comté de Broward, qui englobe Parkland. Il félicite alors les secouristes à sa façon : «Donnez-leur une augmentation !», lance-t-il, suscitant les rires. L'officier Michael Leonard est devant lui. «C'est moi qui ai trouvé et arrêté le tueur», dit-il timidement. Trump le regarde et lâche : «Vous êtes bien modeste. Si j'étais à votre place, je me serais présenté très différemment. J'aurais dit : "Sans moi, on l'aurait jamais trouvé"… »

---

1. https://www.fbi.gov/news/pressrel/press-releases/fbi-statement-on-the-shooting-in-parkland-florida.
2. https://twitter.com/realDonaldTrump/status/965075589274177536?ref_src=twsrc%5Etfw%7Ctwcamp%5Etweetembed%7Ctwterm%5E965075589274177536&ref_url=https%3A%2F%2Fwww.miamiherald.com%2Fnews%2Flocal%2Fcommunity%2Fbroward%2Farticle200822214.html.
3. C'est le President's Day.

Si Trump avait voulu donner de l'importance à cette visite des victimes et des héros de Parkland, nul doute qu'il s'y serait pris autrement. Mais tous les hôteliers le savent, quand un incident arrive dans un de vos établissements, une seule attitude : faire comme si rien ne s'était passé. Il y a une photo qui circule où on voit Nikolas Cruz affublé d'une casquette rouge *Make America Great Again*. C'est mauvais pour la «marque». Le président fait donc le minimum en espérant tourner la page.

Mais les temps ont changé. Rien ne va se passer comme avant. À Newtown, les familles de victimes étaient assommées par le chagrin. À Parkland, leur colère s'exprime de manière beaucoup plus véhémente. «Monsieur le président, faites quelque chose!», implore sur CNN Lori Alhadeff, la mère d'Alyssa, 14 ans, tuée pendant la fusillade[1]. Comme tous ses camarades, David Hogg, le journaliste en herbe du lycée qui a filmé la scène du massacre depuis la remise de sa classe, passe lui aussi en boucle sur les chaînes de télé. Il a un message, qui résonne avec une force particulière dans cette Amérique bloquée sur un sujet tabou : le contrôle des armes. David était enfant au moment du massacre de Sandy Hook à Newtown dans le Connecticut. À l'époque, c'étaient les parents qui avaient exprimé leur douleur et leur révolte. Mais à Parkland, les victimes sont des ados issus de familles souvent aisées, parfaitement à l'aise avec les réseaux sociaux. Grace à eux, le massacre est vu de l'intérieur, filmé en direct avec les smartphones, comme si on y était. Et les étudiants ont bien l'intention de s'en servir pour que l'Amérique se regarde en face.

Emma Gonzalez, une amie de David Hogg, est beaucoup moins policée que lui. Âgée de 18 ans, elle préside l'alliance *gay-straight* (homo-hétéro) du collège, association qui prône «l'égalité et la compréhension» entre les êtres humains,

---

1. https://www.youtube.com/watch?v=-cmaeYG3EIE.

quelles que soient leurs inclinations. Quelques jours avant la tragédie, elle s'était exprimée dans le journal du lycée pour soutenir les «frères et sœurs opprimés en Égypte» par la répression antigay. Trois semaines avant la fusillade, elle avait décidé de se raser les cheveux, contre l'avis de ses parents, parce qu'elle en avait «marre de coiffer» ses longues boucles brunes, ce qu'elle raconte sur son compte Instagram, très fière de son nouveau look. Le jour du massacre, elle était en cours dans un auditorium et a cru comme tout le monde à un exercice d'évacuation. Elle a perdu un proche, un autre est à l'hôpital. Et elle a juré que son lycée «entrerait dans l'Histoire», comme celui qui aura arrêté l'épidémie de massacres dans les écoles aux États-Unis.

Dans la longue liste des ennemis de Donald Trump, il y a donc désormais une jeune pasionaria. «Si le président veut venir me dire en face qu'il est désolé mais qu'il ne peut rien faire, je me ferai un plaisir de lui demander combien il a reçu de la part de la National Rifle Association. Et vous savez quoi? Je connais la réponse: 30 millions de dollars! Ça représente 5 800 dollars par victime depuis le début de l'année 2018!» Les lycéens de Parkland en ont assez. Emma a prévu d'aller quelques jours plus tard à Tallahassee, capitale de la Floride, pour interpeller les politiques, avant de prendre la tête, le mois suivant, d'une grande manifestation baptisée «Marche pour nos vies». Trump a promis une vague «session d'écoute» où il va se ridiculiser en se laissant filmer, une note à la main, par sa directrice de la communication Hope Hicks qui lui donne des éléments de langage à suivre («je vous entends», écrit-elle notamment…). Il faut croire que l'empathie n'est pas le fort du boss de la Maison Blanche.

Les étudiants de Parkland vont vite comprendre ce qu'il en coûte de crier haut et fort leur détresse. Stars des réseaux sociaux, ils sont devenus des cibles. Emma Gonzalez, qui n'avait jamais utilisé Twitter avant la tragédie, voit son compte dépasser la barre du million d'abonnés. Mais à entendre certains supporters de Trump, le succès leur serait monté à la tête. Certains seraient tout simplement des « acteurs », c'est-à-dire des imposteurs, David Hogg en tête, obligé de démentir à la télé, accompagné de son père, ancien flic du FBI, qui reste muet mais dont la présence à l'antenne sert de caution. On a du mal à imaginer le traumatisme de ces jeunes, mineurs pour la plupart, tous inconnus avant le 14 février, projetés sur le devant de la scène, et vilipendés par une large partie de l'Amérique quelques jours seulement après avoir vu leurs camarades périr et failli mourir eux-mêmes...

Seulement voilà : l'émotion est trop forte. On peut tout politiser, reste qu'à Parkland on pleure encore les 17 victimes. Et l'Amérique, patrie du deuxième amendement, divisée plus que jamais entre les pro- et antiétudiants de Parkland, n'en peut plus de détenir le triste record mondial des fusillades. Alors CNN organise un débat sur le port des armes dans un gymnase de 7 000 places bourré à craquer, près de l'endroit où la fusillade a eu lieu. Jake Tapper, le présentateur vedette qui mène les discussions, dira plus tard que c'est l'émission la plus difficile qu'il ait jamais eu à diriger. L'événement, diffusé en prime time le 21 février, fait un carton en terme d'audience mais provoque la colère des partisans de Trump (relayée par l'inévitable Sean Hannity sur Fox News) qui accusent CNN de profiter d'un drame pour faire de l'audience et promouvoir les militants *antiguns*. Entre les deux camps, le ton monte : Dana Loesch, une porte-parole de la NRA, ira même jusqu'à insulter les médias, coupables selon elle d'« adorer les fusillades » à cause des audiences qui s'ensuivent. Énième provocation, nouveau tollé, applaudissements chez les pro-Trump, consternation chez les autres... Les jours passent, l'émotion ne retombe pas, mais le lobby proarmes est plus que jamais sur la défensive.

Et le 28 février, Donald Trump semble avoir entendu le message lancé par ceux qui veulent moins d'armes dans le pays. Il convoque à la Maison Blanche 17 élus des deux bords à une réunion «bipartisane» consacrée au sujet. Il tient alors un discours étonnamment favorable à davantage de contrôle des armes. Il semble prôner un «plan d'ensemble» qui aille dans la direction d'un contrôle plus strict du port des armes aux États-Unis. L'événement est filmé, les élus républicains sont pris de court, les démocrates sont hilares, surtout quand Trump invite les premiers à parler aux seconds. «Joe et Pat, vous allez devoir vous asseoir avec Dianne et proposer quelque chose», lance-t-il. Joe (Manchin) est sénateur démocrate qui penche à droite, élu de la Virginie de l'Ouest, État où l'électorat militaire est prépondérant. Pat (Toomey) est un sénateur républicain de Pennsylvanie. Tous deux sont coauteurs d'un projet de loi bipartisan concocté après Sandy Hook qui instaurerait un contrôle d'antécédents quasi systématiques lors de l'achat d'armes à feu. Ce texte avait alors été enterré par le parti républicain, suite à un lobbying intensif de la NRA. Face à eux, Trump la joue «président au-dessus des partis». «Les gens de la NRA ont beaucoup de pouvoir, c'est vrai. Ils en ont sur vous. Ils en ont moins sur moi», assure-t-il. Assise à côté de lui, Dianne (Feinstein), sénatrice californienne, figure du parti démocrate, et favorable à un contrôle du port d'armes aux États-Unis[1], regarde «Joe» et «Pat» avec un grand sourire ironique… Après la réunion, c'est le branle-bas de combat dans les rangs conservateurs. Les élus républicains se succèdent à la télévision pour répéter que personne n'a envie d'une loi antiarmes qui n'aura aucune chance de passer. Même Breitbart News, le site Web

---

1. Elle avait été très impliquée dans l'élaboration du Brady Ban.

longtemps dirigé par son conseiller Steve Bannon, s'inquiète de cette apparente «concession» aux démocrates[1]…

Or c'était un leurre.

Car le lendemain de cette réunion, quand les responsables de la NRA viennent à la Maison Blanche, le ton a changé. Oublié, le débat de la veille. Selon le *Washington Post*, Trump aurait vraiment tenté de faire quelque chose. Mais la seule avancée depuis la fusillade de Parkland, c'est une loi appelée Fix NICS Act qui améliore le partage de l'information concernant les antécédents criminels pour chaque personne souhaitant s'acheter une arme. Une mesure qui ne fâche personne, et sûrement pas la NRA… Conclusion de Gabrielle Giffords, ex-députée démocrate qui a failli mourir d'une balle lors d'une fusiullade (et qui est restée handicapée depuis): «Donald Trump a laissé sa présidence se faire prendre en otage par le lobby des armes[2]». On ne saurait mieux dire.

---

1. https://www.breitbart.com/big-government/2018/02/28/trump-guns-nra-white-house-meeting-gun-policy.
2. https://www.washingtonpost.com/politics/trump-addresses-nra-members-for-first-time-since-parkland/2018/05/04/4fabe0e0-4faa-11e8-84a0-458a1aa9ac0a_story.html?utm_term=.c3fb9e892d81.

19

Steve Bannon persiste et signe

Ce 16 mars 2018, Steve Bannon est fièrement assis dans le salon de la Breitbart Embassy. Située juste derrière le Capitole à Washington, cette maison bourgeoise du XIXe siècle a des allures de (petite) ambassade avec vaste salle de réception, chandeliers en verroterie, moulures, belle hauteur sous plafond, tentures dorées de style victorien aux fenêtres, et paysages de campagne à l'ancienne sur les papiers peints... Elle était, trois mois auparavant, le cœur battant de Breitbart News, le site de la droite radicale et populiste qu'il a dirigée pendant six ans, mais dont il s'est fait virer en janvier 2018. Difficile de le déloger : cette maison, qu'il loue sur ses deniers, est la sienne, ou, du moins, celle qu'il occupe quand il est dans la capitale. Il dort à l'étage. Son neveu Sean me fait entrer par le sous-sol. Bannon est vêtu de son traditionnel pantalon kaki de combat et sa « double-chemise » (l'une par-dessus l'autre). Sur la cheminée est posée le livre *Devil's Bargain*, le best-seller du journaliste Joshua Green. En bon français : « Le pacte avec le diable. » Et le diable, c'est lui, Steve Bannon, l'homme qui a fait élire Trump. Un rôle qu'il affectionne. Il semble de bonne humeur : son récent voyage en France l'a comblé. Il est venu à l'invitation de Marine Le Pen au congrès du Front national à Lille. « J'avais vraiment l'impression d'être en famille avec eux. J'étais chez les déplorables ! » Il aime ce terme, employé malencontreusement par Hillary Clinton pendant la campagne de 2016 à l'encontre des électeurs de Trump, devenu un cri de ralliement les trumpistes.

Autrefois, Steve Bannon recevait dans cette maison le ban et l'arrière-ban de ce que certains appellent désormais le « nouveau Washington », cet establishment d'extrême droite désormais au pouvoir, à l'occasion de fêtes animées et très courues. Le 19 octobre 2017, il a ainsi accueilli Steve Miller comme le « dernier derrière la ligne de front[1] », c'est-à-dire l'ultime « déplorable » encore en place à la West Wing. À la Maison Blanche, on appelait les deux hommes « les Steve ». Miller (*senior advisor*, haut conseiller) et Bannon, alors *chief strategist* (stratège en chef). Mais ça, c'est le passé. En janvier 2018, *Le Feu et la Fureur*, livre de Michael Wolff dévastateur pour Trump et largement alimenté par les confidences de Steve Bannon, paraît. Steve Miller monte au front, sur CNN cette fois, pour défendre le président, et descendre en flamme Steve Bannon, son ex-mentor, avec un excès de zèle qui a surpris. Ça se passe comme ça chez les extrêmistes de droite : on adore la castagne. Ça fait partie du business. De la vie. Comme si on en avait besoin pour s'amuser…

En tout cas, dans ce grand salon, Steve Bannon est aujourd'hui seul, alors qu'il était jusqu'à l'été dernier un des hommes les plus puissants de l'Amérique. Il a tout perdu : son job à la Maison Blanche en août 2017, puis sa présidence de Breitbart, sur ordre de l'une de ses grandes « mécènes » Rebekah Mercer, la fille du milliardaire Robert Mercer, actionnaire de Breitbart News, qui a agi sous pression de la Maison Blanche. Une disgrâce totale, spectaculaire. « On ne

---

1. Comme le relate Jennifer Jacobs de Bloomberg News sur son compte twitter, photo à l'appui. https://twitter.com/jenniferjjacobs/status/921356724459753472?lang=en.

le regrettera pas », écrit alors *The Economist*, dans un numéro spécial consacré à l'an un de la présidence Trump[1].

Qui est Steve Bannon ? Élevé chez les cathos, il a grandi dans une famille qu'il qualifie *blue color democrat*, des ouvriers démocrates, en réalité un peu plus que ça : son père a passé toute sa vie à AT&T où, parti de rien, il est devenu cadre moyen. Selon Steve Bannon[2], sa loyauté à ce fleuron du capitalisme américain a été trahie. La retraite de son père, investie dans des actions AT&T, a été réduite à néant par la récession de 2008 et l'effondrement de la Bourse. Aujourd'hui, l'ancien démocrate Marty Bannon, 96 ans et toujours vaillant, suit fièrement les aventures de son fils dans les contrées de l'extrême droite, à Washington comme en France quand il rencontre Marine Le Pen.

Ado, Steve Bannon a grandi dans un internat militaire de Virginie, le Benedictine College Preparatory, qui l'a tenu à l'écart du grand mouvement de libération sexuelle et de contestation des années 1960 et 1970. Il s'engage très tôt dans la US Navy, une expérience de sept années qui va le marquer à vie. Il est déployé dans le golfe Persique pendant la crise des otages en Iran, en 1980, qui se solde par un échec cinglant. Il est scandalisé par la façon dont Jimmy Carter gère la situation. C'est à ce moment-là qu'il vire à droite toute.

Démobilisé, Steve Bannon veut devenir riche, entre à Harvard, où, de l'avis de ses camarades de promotion, qui ne reconnaissent pas le Bannon d'aujourd'hui, il passe pour « l'un des éléments les plus brillants[3] ». Il se lance dans la

---

1. https://www.economist.com/united-states/2018/01/11/banished-bannon.
2. https://www.wsj.com/articles/steve-bannon-and-the-making-of-an-economic-nationalist-1489516113.
3. Selon Matt Viser, *The Boston Globe*, 26 novembre 2016, « Harvard Classmates Barely Recongnize the Bannon of Today ». Article payant. https://www.bostonglobe.com/news/politics/2016/11/26/look-steven-bannon-and-his-years-harvard-business-school/B2m0j85jh5jRKzKbMastzK/story.html.

finance, chez Goldman Sachs d'abord, le saint des saints, puis se met à son compte. Il fonde Bannon & Co, une petite «boutique financière», qu'il arrive à revendre très cher à la Société Générale, laquelle se fait bien avoir, car il ne reste pas longtemps, or la boîte repose essentiellement sur le carnet d'adresses de ses fondateurs. Devant moi, il en rit encore.

Désormais riche, Bannon met le cap sur Hollywood dont il déteste pourtant le «gauchisme». Il se réinvente comme producteur et réalisateur, avec clairvoyance, en investissant dans *Seinfeld*, une série télé à laquelle personne ne croit sauf lui et quelques autres, qui lui permet de toucher des royalties à vie. Admirateur de Leni Riefenstahl, l'auteure de films de propagande à la gloire de Hitler, il rêve de faire des films[1] «puissants». Car Bannon a pris goût à la politique, tendance extrême droite. Après l'élection d'Obama, il se rapproche d'un mouvement populiste, nationaliste, antiestablishment, et libertaire: le *Tea Party*[2]. Il s'enflamme pour certaines têtes d'affiche de cette nouvelle mouvance, notamment Sarah Palin, l'ex-candidate républicaine à la vice-présidence aux côtés de John McCain contre Obama en 2008, sur laquelle il écrit et réalise un documentaire dithyrambique[3]. Il est aussi devenu très proche d'Andrew Breitbart. Ce talentueux bloggeur de droite, qu'il a rencontré en 2004 à la première de son documentaire sur Ronald Reagan, *In the Face of Evil*, a créé l'année suivante un petit site Web qui porte son nom, Breitbart News. Quand il meurt d'un arrêt cardiaque en 2012, à l'âge de 43 ans, Bannon prend sa succession.

---

1. Il en fera dix-huit au total.
2. Ce mouvement doit son nom au Tea Party de Boston, révolte politique contre l'Empire britannique en 1773, qui annonce la guerre d'Indépendance américaine.
3. *The Undefeated*, 2011.

Sous sa direction, Breitbart News va devenir un organe de propagande pour Donald Trump. Quand le milliardaire se présente en juin 2015, Bannon voit en lui un possible « messager » de ses idéaux. En août 2016, le candidat, qui vient d'être investi par le parti républicain, est à deux doigts de sombrer dans les sondages. Il ne supporte plus Paul Manafort, son second, devenu par ailleurs hautement toxique à cause de ses liens très lucratifs avec l'ancien dictateur d'Ukraine, Viktor Ianoukovitch. Trump veut le virer, et une « bonne fée » se rapproche de lui pour lui trouver le remplaçant idéal. Elle s'appelle Rebekah Mercer. Cette influente héritière milliardaire, mécène de Breitbart News, fait la pluie et le beau temps dans l'extrême droite américaine. Elle a son candidat : Steve Bannon. Ce dernier s'entend très bien avec le candidat depuis qu'il l'a rencontré en 2011 à la Trump Tower. Il cherche depuis toujours à soutenir un homme ou une femme politique qui fera triompher ses idéaux nationalistes et populistes. Ceux-ci ne coïncident pas à 100 % avec ceux de Trump, lequel n'est pas un idéologue. L'un et l'autre n'ont pas forcément les mêmes priorités. Entre eux, ce sera un peu un jeu de dupes. Mais peu importe. Ils partagent le même objectif : la conquête de la Maison Blanche. Et Bannon est l'un des très rares à être convaincu que son nouveau mentor va gagner l'élection présidentielle, comme il me le confie : « Je n'aurais jamais dirigé sa campagne si je n'avais pas cru à sa victoire. »

Mais une fois au pouvoir, ça se passe mal. Les lignes de fractures apparaissent très vite. Bannon a inspiré le discours d'investiture du président axé sur le thème de l'Amérique d'abord (*America First*). Il fait la couverture du magazine *Time* sur ce sujet, ce qui irrite le président. Mais surtout, il est droit dans son idéologie et se heurte au « clan Goldman Sachs » (qu'il appelle aussi les « démocrates de New York ») représenté par Ivanka, la fille du président, et Jared Kushner, son gendre, avec lequel il s'entendait pourtant bien pendant la campagne. Il choisit de s'installer dans une petite pièce à quelques mètres du Bureau Ovale qu'il baptise «War Room», salle de guerre. Au début, il y a juste des chaises, de quoi poser un ordinateur portable et, surtout, un grand tableau blanc sur lequel il énumère les promesses de l'administration Trump, les efforts accomplis et ce qui reste à faire. Le gardien des idéaux du trumpisme, ce serait donc lui. Une posture qui ne plaît pas à tout le monde.

Ce ne devrait pas être très compliqué de mettre en place le programme, jure-t-il : «Trump a été élu sur un petit nombre de promesses simples : faire revenir les jobs aux États-Unis, construire un mur à la frontière mexicaine, arrêter l'immigration illégale», me dit-il. Mais très vite, il se rend compte que ce n'est pas si simple. Il vit sa position comme s'il défendait une fortesse assiégée en interne (le «clan Goldman Sachs» qui s'opposerait à la rupture) et en externe (la nomenklatura de Washington[1], très anti-Trump). Il bosse comme un dingue, se bat sans succès contre le premier raid sur la Syrie en avril 2017, car il estime que l'Amérique n'a aucun intérêt à aller se battre là-bas, mais obtient de Trump qu'il annonce le retrait américain de l'accord de Paris sur le changement climatique, un des «faits d'armes» dont il est «le plus fier»…

Après la couverture de *Time Magazine*, et la parution du livre *Devil's Bargain*, qui lui donne le beau rôle dans l'élection Trump, Bannon semble être tombé en disgrâce auprès de ce président qui, comme le note un diplomate en place à Washington, a une «conception saint-simonienne» du pouvoir : «Un jour, tel conseiller est au pinacle, le lendemain, c'est un autre.» Et c'est exactement ce qui arrive à Bannon : on l'enterre dans les premiers mois de la présidence, puis on le voit réapparaître tout sourires dans la Roseraie au printemps lors des conférences de presse de Trump, souvent

---

1. Aussi appelée le Deep State, l'État profond, souterrain, qui lutte pour préserver ses intérêts au détriment de l'Amérique, selon ses détracteurs.

accompagné de son «copain» Steve Miller, celui qui écrit
les discours du président. Mais quand l'été approche, les
guerres de tranchée entre les membres de l'équipe sont telles
que Trump finit par nommer *chief of staff* John Kelly, un
général quatre étoiles pour recadrer tout ce beau monde. Ce
dernier se charge de faire le ménage. Et le trublion Bannon
en fait les frais. *Exit,* le 18 août 2017.

Il ne perd pas de temps pour rebondir: dès l'après-midi
de son limogeage, il dirige la conférence de rédaction de
Breitbart News dont il a repris les commandes. Accueilli
comme un héros, il s'entête dans sa croisade antiestablishment. Son objectif: dézinguer l'état-major du parti républicain, et notamment Mitch McConnell, le patron de la
majorité au Sénat, avec lequel il est en guerre ouverte. Le
12 décembre 2017, l'Alabama, bastion sudiste, républicain
et réputé imprenable, doit élire son nouveau sénateur, en
remplacement de Jeff Sessions, qui occupait le poste jusqu'à
ce qu'il devienne l'*attorney general* de Trump. McConnell
a son candidat: le modéré Luther Strange. Bannon s'oppose à lui en allant soutenir le très controversé Roy Moore,
ancien juge et ex-chef de la cour de justice de l'Alabama,
qui s'est fait remarquer par ses positions intégristes et homo-
phobes[1], et qui, à la surprise générale, finit par l'emporter
à la primaire républicaine de l'État. On croit alors Bannon
tout-puissant, on le voit en faiseur de rois qui menacerait
de déstabiliser le Grand Old Party. Erreur. Car Roy Moore
a de gros problèmes… Alors que le mouvement #MeToo
vient tout juste de commencer, il est accusé d'attouchements
et de harcèlement sexuels par des femmes qui avaient 14
ou 15 ans au moment de faits. «Tout ça, c'est de la propagande montée en épingle par l'establishment du parti

---

1. Dans son livre *So Help Me God* (WND Books, 2005), Roy Moore
estime que l'homosexualité est «immorale, détestable, un crime contre
l'humanité».

républicain », élude aujourd'hui Bannon, qui, comme d'habitude, ne fait pas dans la dentelle. Il va sur place défendre son poulain qui arrive à ses événements de campagne à cheval juché d'un chapeau de cow-boy comme dans les films de Far West. Bannon en rajoute en brandissant une vieille carabine sur les tréteaux à bout de bras. C'est grotesque, ringard, *soooo american*, paraît-il, mais surtout très improductif. Car Roy Moore, piètre candidat, tétanisé par les accusations de pédophilie, qui, bien qu'elles soient couvertes par la prescription, sont concordantes et accablantes, est dépassé par un rival démocrate, Doug Jones, très bien organisé. En Alabama, les femmes blanches votent docilement pour Moore, mais elles sont dépassées par les Noires qui votent en masse pour le démocrate. Pour Bannon, c'est une claque. Pour Trump aussi, qui, influencé par son ex-stratège, avait apporté son soutien au perdant lors d'un meeting à Pensacola en Floride, un vendredi soir, à dix kilomètres de la frontière de l'Alabama[1].

Mais ce qui signe la chute de Bannon, c'est le livre de Michael Wolff, *Fire and Fury*, qu'il alimente grandement. Il fait passer Trump pour un idiot et pour un fou, « passible du vingt-cinquième amendement[2] », répétera Wolff sur les plateaux de télévision, et cela, le président ne le supporte pas. Il répond par un communiqué au lance-flamme, dans lequel il accuse son ex-conseiller d'avoir « perdu la tête », et obtient son départ auprès de Rebekah Mercer, la mécène de Breitbart News, qui le vire. Voilà Bannon déchu. Il n'a désormais ni plateforme pour diffuser ses idées, ni financements pour les promouvoir. Retour à la case départ.

---

1. https://www.cnn.com/2017/12/08/politics/trump-pensacola-florida-rally/index.html.
2. Qui permet la destitution du président en cas « d'incapacité d'exercer les pouvoirs et de remplir les devoirs de sa charge ».

Pourquoi Bannon a-t-il collaboré à ce livre avec l'auteur Michael Wolff, dont il lui était facile pour lui de savoir qu'il était incontrôlable, vu ses antécédents et les polémiques qui ont jalonné sa carrière ? « Les propos cités dans cet ouvrage n'ont pas été démentis », fait remarquer Bannon. Aurait-il pris la grosse tête ? C'est possible. Certains ont cru qu'il voulait se présenter à la présidence lui-même. Évidemment, il dément. « Je ne suis pas un homme politique », me dit-il. Il en a toutes les qualités, en particulier cette façon très particulière de répondre ce qui l'arrange. Le livre de Michael Wolff ? Il jure ne pas « l'avoir lu », mais il en connaît les moindres détails : il me corrige quand je lui cite de manière approximative des passages de l'ouvrage, comme par exemple ces pages hilarantes où Wolff compare la campagne de Trump au film de Mel Brooks, *Les Producteurs*, qui raconte l'histoire d'escrocs fauchés cherchant à monter une comédie musicale pathétique à Broadway, dans le seul but de s'enrichir par un flop prévisible, mais dont le scénario est tellement délirant (et mauvais) qu'il finit par devenir un succès… Son limogeage de la Maison Blanche, puis de Breitbart News ? « C'est moi qui suis parti dans les deux cas. Quand j'ai quitté la présidence, j'étais soulagé. » Circulez, y a rien à voir : Steve Bannon est un maître de la « vérité alternative », celle qui sert son propos.

L'homme est cadenassé : il ne s'ouvrira pas sur ses états d'âme. Quand il est à New York, il reçoit dans une suite d'un hôtel luxueux sur Park Avenue. Ses proches ne l'ont pas lâché. Alexandra Preate, son attachée de presse de toujours, est encore là. Avec elle, il a des bagarres de vieux couple. Devant moi, lors de notre premier entretien, il demande : « Alors, on fait du *off* ou du *on the record* ? » Elle penche pour du *off*, lui n'a rien contre le *on*, mais il ne me connaît pas, alors il se plie à son avis, en ajoutant, grinçant : « Vous comprenez, elle a fait un boulot tellement bon avec la publication du bouquin de Michael Wolff. » Et tout le monde se marre, elle comprise.

En revanche, quand je pose des questions à Alexandra sur sa relation professionnelle avec Bannon, d'emblée je la sens réticente : surtout, ne pas faire d'ombre au « boss ».

Il s'assume en tant que provocateur qui peut aussi bien faire passer le président pour un crétin tout en affirmant le soutenir « à 100 % ». Ce serait sa façon à lui d'être loyal tout en restant fidèle à lui-même. Il jure avoir plus de pouvoir à l'extérieur qu'à l'intérieur de la Maison Blanche. Voire... Bannon est toujours en contact avec bon nombre de conseillers du président. Il est très bavard. Quand je l'ai rencontré pour la première fois en mars, il croyait savoir que le général John Kelly, le *chief of staff* du président, partirait bientôt, et ne serait pas remplacé, « car le président fera comme John F. Kennedy ou Jimmy Carter pendant les premières années de sa présidence : il supprimera ce poste, dont il n'a pas besoin »... Il m'a aussi dit, à tort, que la rencontre annoncée entre le président américain et Kim Jong-un, le leader nord-coréen, « n'aura jamais lieu, pour des raisons d'ordre logistique »...

Aujourd'hui, le banni dit « ne rien regretter ». Il ne parle à Trump que « par avocats interposés, à cause de l'affaire russe », mais assure « ne pas lui en vouloir ». L'éloignement du pouvoir l'a peut-être rendu plus modeste. Quand on l'interroge sur ses anciens collègues de la présidence, il se retranche dans une langue de bois remarquable. Ils sont tous formidables, que ce soit Kellyanne Conway qu'il aimerait voir succéder à Hope Hicks, l'ex-directrice de la communication de la Maison Blanche, ou Jared Kushner (« avec qui j'ai des différences, c'est vrai, mais c'est quelqu'un de très bien ») ou encore son épouse Ivanka Trump, la fille préférée du président (« très classe »). Bannon s'est assagi : finies les petites phrases cruelles sur ses ex-rivaux dans l'entourage présidentiel. Reposé, souriant, amaigri, il jure avoir « détesté » les sept mois passés dans la West Wing. « Je ne suis pas un *staffer* [simple membre du staff] dans l'âme, se défend-il, mais un *street fighter* [un combattant de rue], et depuis très longtemps déjà, mon propre patron. Pour moi, la Maison Blanche était juste un lieu de travail très militaire, avec un poste de commandement au sous-sol, la Situation Room. J'avais l'impression d'être sur un navire de guerre. Avant d'y entrer en janvier dernier, je n'y avais mis les pieds. C'est un honneur d'y avoir passé sept mois, mais cet endroit ne me manque pas du tout », dit-il aujourd'hui. Son pire souvenir ? « Les chamailleries permanentes » entre membres de l'équipe présidentielle, qu'il a pourtant beaucoup alimentées, par presse interposée. Et son meilleur ? Quand il a été visité l'Hermitage à Nashville dans le Tennessee, la propriété d'Andrew Jackson, un lointain prédécesseur de Trump, populiste lui aussi. « Nous célébrions le 250e anniversaire de la naissance du président Jackson. Un moment très émouvant », se souvient-il.

Bannon est resté le même : courtois en privé, vociférant des injures en public. Le contraste était très frappant entre mon interview et une allocution au symposium du *Financial Times* consacré à l'avenir des médias, un conclave très chic avec des panélistes top niveaux (Jeff Zucker, président de CNN, Dean Baquet directeur du *New York Times*). Bannon était invité pour faire la clôture de ce colloque, ce qui n'est pas rien. À l'entrée de l'immeuble de Columbus Circle à côté de Central Park où se tenait l'événement, des manifestants proches de Bernie Sanders brandissaient des pancartes, pour dénoncer aussi bien Bannon que le *Financial Times* qui l'invitait. Étonné par le décalage entre le « Bannon à l'attaque » qui parle au symposium et le « Bannon intello » qui s'exprime devant moi, je lui demande qui il est exactement, et il me répond qu'il est les deux. « Quand je parle en public, c'est un combat, qui ne me rebute pas, bien au contraire. Il faut aller au contact pour lutter contre le bruit ambiant créé par la presse, qui sera toujours du côté des mondialistes, pas des nationalistes. »

Rien ne le décourage. «Je suis en mission», dit-il. Selon lui, les gens veulent retrouver l'identité dont ils ont été dépossédés par les États, les banques centrales, le grand capital et les réseaux sociaux. «Je crois beaucoup à l'avenir des crypto-monnaies comme Bitcoin qui constituent une vraie menace pour l'euro», affirme-t-il. Au passage, il part en guerre contre Mark Zuckerberg, «qui avait l'air d'un petit garçon» quand il était interviewé par CNN, le 21 mars 2018[1], sur le vol des données privées de ses utilisateurs dont Facebook, accuse Bannon, «fait commerce». L'ex-stratège de Trump se dit très sollicité aujourd'hui. Il songe à racheter des médias actuellement en vente pour s'en servir de plateforme afin de propager sa bonne parole. «Je suis assez riche pour ne pas avoir besoin de travailler, me dit-il. Quand j'ai revendu ma petite banque d'affaires à la Société Générale dans les années 1990, j'ai pris un mois de vacances, et je me suis ennuyé à mourir. J'ai besoin d'action. Je n'ai aucun autre hobby que d'avaler des livres d'histoire.»

Et il a toujours la même obsession : faire triompher ses idéaux. Aux États-Unis d'abord, où il veut faire gagner son camp aux *Midterms*, pour lesquelles il se dit très pessimiste. Mi-août, il a annoncé le lancement d'un «super PAC», un comité de financement de la campagne législative pour soutenir les candidats républicains. Il affirme alors avoir déjà collecté plus de 5 millions de dollars. «Je n'ai jamais eu de problèmes pour lever des fonds», se vante-t-il dans une longue interview à Ari Melber sur MSNBC. Au même moment, il a annoncé la diffusion de «Trump@War», un documentaire hagiographique sur le président, décrit comme un héros populiste qui tient ses promesses de campagne, tandis que ses détracteurs agresseraient les vraies gens, à savoir les électeurs trumpistes.

---

1. https://money.cnn.com/2018/03/21/technology/mark-zuckerberg-cnn-interview-transcript/index.html.

Une fois l'élection législative *Midterms* du 6 novembre 2018 passée, Bannon a ensuite l'intention de mettre le cap sur l'Europe où, dit-il, il compte alors passer «80% de [son] temps[1]» jusqu'aux élections européennes de avril-mai 2019. Objectif: propager la «révolution» trumpiste sur le Vieux Continent. Bannon s'est ainsi rapproché de l'avocat belge Mischaël Modrikamen, fondateur du très droitier «parti populaire» à Bruxelles. Ce dernier a créé au début de l'année dernière une fondation, appelée Le Mouvement, dont les statuts indiquent qu'elle «se veut le lien entre le Mouvement initié par le président D. J. Trump et les citoyens et les mouvements politiques actifs dans d'autres pays, dont les acteurs pour la campagne pour le Brexit[2]». Il s'agit de défendre, entre autres, «la souveraineté des nations […], la lutte contre l'Islam radical […], et la défense d'Israël en tant qu'État souverain sur sa terre historique». Parmi les membres fondateurs de cet organisme, figure la Française Laure Ferrari, une proche de Nigel Farage, le leader de l'UKIP britannique, parti qui a gagné le référendum sur la sortie du Royaume-Uni de l'Union européenne. *Via* ce Mouvement, Bannon veut offrir une «boîte à outils» à tous les mouvements d'extrême droite eurosceptiques. Il veut embaucher un staff de vingt-cinq personnes à Bruxelles, dont un expert en sondages, un conseiller communication, etc. Quand ses amis pro-Brexit lui ont appris que leurs dépenses de campagne avaient été limitées à 7 millions de livres sterling, il n'en est pas revenu. «Avec 7 millions, tu n'as rien. Ni données Facebook, ni pub, rien. Et je leur ai dit: "Vous avez réussi à extraire la cinquième puissance économique mondiale de l'Union européenne pour 7 millions de livres,

---

1. Entretien avec l'auteur, 19 août 2018.
2. http://www.ejustice.just.fgov.be/tsv_pdf/2017/01/11/17301031.pdf.

bravo"[1] ». Persuadé qu'avec beaucoup d'argent et l'aide de vrais pros dans l'art de la guerre électorale, tout est possible, Bannon veut apporter aux nationalistes européens son savoir-faire qui a fait triompher Trump. Il veut faire du Mouvement le pendant de Open Society, la fondation du milliardaire financier George Soros, qui a distribué 32 milliards de dollars depuis sa création en 1984 à des causes dites « de gauche » (liberté d'expression, justice, égalité, etc). Bannon a un objectif : rafler un tiers des sièges aux prochaines européennes, et constituer un groupe parlementaire qui permettrait d'avoir suffisament de pouvoir pour déstabiliser les institutions communautaires.

Mais rien ne dit qu'il soit accueilli les bras ouverts. « Bannon est américain et n'a rien à faire dans un parti politique européen[2] », lui a rétorqué Jérôme Rivière, le porte-parole international du Rassemblement national. Alexander Gauland, député et dirigeant de l'AfD (Alternative für Deutschland, mouvement populiste, eurosceptique, qui a obtenu 12,6 % aux dernières élections législatives de septembre 2017) ne dit pas autre chose : « Nous ne sommes pas l'Amérique. Les intérêts des partis antiestablishment en Europe divergent. Bannon n'arrivera pas à forger une alliance en vue des élections. » Bannon, de son côté, n'en a cure : « Les médias deviennent fous parce que j'arrive, mais c'est exactement l'inverse qui se passe : je suis très bien reçu. En réalité, au départ, j'ai été approché par des Européens qui sont venus me voir pour me dire : "Hey, on a besoin de votre expertise contre Soros qui nous mène la vie dure"[3] », me dit-il. Pour lui, quoi qu'il arrive, le combat continue...

1. https://www.thedailybeast.com/inside-bannons-plan-to-hijack-europe-for-the-far-right.
2. https://www.politico.eu/article/steve-bannon-europe-brussels-plan-populists-salvini-le-pen.
3. Entretien avec l'auteur, 19 août 2018.

20

Saint Donald, idole des religieux

Elle se tient debout juste derrière le président. Tout a été prévu pour qu'elle soit bien visible sur la photo. Donald Trump lui rend hommage pendant son petit discours. «Merci aux membres de mon cabinet qui nous ont rejoints, aux côtés de leaders religieux qui font un incroyable travail, parmi lesquels ma bonne amie Paula White», lance-t-il. Ce 3 mai 2018, c'est jour de prière (National Day of Prayer) à la Maison Blanche, comme pour chaque premier jeudi du mois de mai, une tradition qui remonte à l'ère Reagan[1]. Depuis la Roseraie, sous une température de 30 degrés, Trump annonce un nouveau décret qui vise à «promouvoir la liberté religieuse[2]». Selon un scénario désormais bien huilé, il s'installe derrière une petite table estampillée du sceau présidentiel, s'empare d'un gros stylo, appose sa signature au bas de la page, de son écriture désormais célèbre, tout en pointe, puis expose aux photographes le texte, sous les applaudissements du public. Paula White a droit à un petit cadeau. Le président lui remet

---

1. Le National Day of Prayer a été instauré sous la présidence Truman en 1952, mais c'est depuis l'ère Reagan qu'il a lieu tous les premiers jeudis du mois de mai.
2. *Executive order on the establishment of a White House faith and opportunity initiative.*

le stylo qu'il a utilisé pour signer le document. Ravie, elle repart avec. Deux jours plus tard, sur son site Web www.paulawhite.org, elle raconte la scène, qui montre à quel point elle est importante dans la vie du président.

Paula White est aujourd'hui l'une des pasteures les plus influentes des États-Unis. Elle souffle dans l'oreille du président. Mais elle n'a rien d'une bonne sœur. On dirait plutôt une femme d'affaires. Elle est blonde, fine, juchée sur de très hauts talons, habillée et maquillée comme une présentatrice télé, qu'elle fut d'ailleurs, dans l'émission qu'elle a créée, «Paula White Today», un talk show du style Oprah Winfrey, diffusé sur le câble qui a attiré des millions de téléspectateurs. Elle vend des livres, qui sont généralement des best-sellers, dont *Dare to Dream*[1] («Osez rêver»), avec sa citation de Donald Trump en couverture : «Si vous lisez ce livre, le succès vous attend.» Elle est mariée à Jonathan Cain, un chanteur-compositeur de rock, qui, au printemps 2018, a publié ses mémoires *Don't Stop Believin'* («Ne cessez pas de croire»). Paula en fait la promotion sur son compte Twitter qui, en mai dernier, annonçait plus de 600 000 abonnés. Son Église, le New Destiny Christian Center, basée à Apopka en Floride, ne désemplit pas. Ses sermons, où elle prêche la «pensée positive», sont diffusés sur YouTube. Elle est «télévangéliste», c'est-à-dire prédicatrice religieuse qui prêche à la télévision. Et c'est comme ça que Donald Trump l'a découverte, en regardant une chaîne locale chrétienne diffusée à Palm Beach, en Floride.

Paula White a découvert Dieu vers l'âge de 20 ans après s'être mariée «par erreur» avec son premier mari, Dean Knight, qui lui a donné un fils, Bradley, né juste avant les noces. Comme Trump, elle a divorcé deux fois. Elle raconte volontiers comment Dieu lui «a permis de s'en sortir» et réparer ses erreurs de jeunesse. Elle était une jeune fille

---

1. Édition Faithwords, avril 2017.

paumée, victime d'abus sexuels quand elle était enfant et ado[1], née dans un milieu non croyant du Mississippi, d'une mère alcoolique et d'un père qui s'est suicidé, mais elle a trouvé sa voie grâce au *Almighty*, le Tout-Puissant. Elle est très jolie, elle a la foi, elle passe bien à la télé et n'a pas froid aux yeux quand il s'agit de parler en public. Dieu l'a sauvée, et à plus d'un titre : grâce à lui elle a trouvé sa vocation, et elle est à la tête d'une fortune de plusieurs millions de dollars qui lui a permis, entre autres, de s'offrir un pied-à-terre dans... la Trump Tower[2].

Donald Trump est lui aussi adepte d'une philosophie positive. Il n'a jamais été un grand croyant mais il se définit comme protestant tendance presbytérienne, et pour lui comme pour beaucoup d'Américains, l'athéisme n'est pas de son monde. On peut être hédoniste, avoir des maîtresses, et croire en Dieu. Car l'essentiel, c'est de croire. C'est le point de départ de la *winning attitude*. L'Amérique est un peuple de croyants fiers de l'être, dont Trump est l'un des visages. Quand il était jeune, il était fasciné par un pasteur, Norman Vincent Peale, qui a officié à son premier mariage avec Ivana, la skieuse tchèque. Ce révérend est l'un des idéologues du *prosperity gospel* que l'on pourrait résumer ainsi : priez, et les dollars tomberont du ciel. C'est grosso modo ce que prêche Paula White, ordonnée pasteure dans les années 1980.

Parmi les dirigeants religieux qui soutiennent Trump, elle est celle qui « le connaît depuis le plus longtemps », explique

---

1. *Dare to Dream, op. cit.*
2. Paula White a un train de vie tellement somptueux qu'elle s'attire les foudres du sénateur républicain de l'Iowa Charles Grassley. En 2007, ce dernier ouvre une enquête sur elle et plusieurs autres télévangélistes du même calibre. Il s'interroge sur l'usage qu'elle fait des dons versés par les membres de sa paroisse, mais ne trouve aucune preuve. L'enquête est classée sans suite en 2010.

le journaliste David Brody[1]. Elle adore raconter comment elle l'a rencontré «fin 2001 ou début 2002». Un jour, elle est au bureau, un assistant lui annonce que Donald Trump est en ligne. Elle croit à un canular mais s'empare quand même du téléphone, c'est bien sa voix. «Il me dit qu'il m'a vue à la télé, et voudrait absolument me rencontrer. Il me répète mot pour mot trois sermons que je venais de prononcer. Ce fut le début d'une amitié, pas seulement avec Donald, mais avec son staff, sa famille, ses enfants, ses amis[2]...»

Commence alors une relation «spirituelle» avec le futur président des États-Unis. Un jour, à l'occasion d'un de leurs premiers rendez-vous à New York, au début des années 2000, elle lui dit: «Je ne veux ni de votre argent, ni de votre célébrité, je veux votre âme[3]». Trump la regarde alors, stupéfait. Plus tard, elle dira: «Dieu connecte les gens entre eux de manière stratégique. J'ai eu le sentiment que le Saint-Esprit m'avait lancé un appel. Comme s'il m'avait assigné de la mission de devenir son amie[4].»

Désormais, Trump et Paula White restent en contact permanent. En 2011, quand il pense déjà à se présenter à la présidentielle, il la consulte. «Pouvez-vous inviter des gens à venir prier autour de moi?», lui demande-t-il alors, curieux «d'entendre Dieu à ce sujet[5]». La pasteure fait alors venir à la Trump Tower une trentaine d'amis, des pasteurs issus de

---

1. David Brody et Scott Lamb, *The Faith of Donald J. Trump, a Spiritual Biography*, HarperCollins, 2018.
2. https://edition.cnn.com/videos/politics/2016/10/20/donald-trump-paula-white-spiritual-adviser-erin-intvu.cnn.
3. https://www.washingtonpost.com/lifestyle/magazine/she-led-trump-to-christ-the-rise-of-the-televangelist-who-advises-the-white-house/2017/11/13/1dc3a830-bb1a-11e7-be94-fabb0f1e9ffb_story.html?utm_term=.541dc140dbe0.
4. *The Faith of Donald J. Trump, op. cit.*
5. *Ibid.*

diverses affiliations chrétiennes. Après la prière, Trump lui demande son verdict. Elle lui conseille de s'abstenir : «Je ne crois pas que le timing soit le bon.» À juste titre : à l'époque, Trump ne pèse pas grand-chose dans les sondages. En 2015, le paysage a changé : Obama ne peut pas se représenter, et, traditionnellement, ce genre d'«élection d'alternance» se solde par la victoire d'un candidat qui est l'exact opposé de son prédécesseur[1]. Cette fois, Trump a ses chances, même s'il est le seul ou presque à y croire. Il appelle à nouveau Paula White et lui dit : «Je crois vraiment que Dieu me parle, et que peut-être mon destin est de me présenter à la présidence[2].» Et à nouveau, elle réunit ses collègues pasteurs évangéliques autour de lui pour une prière...

Beaucoup d'entre eux, au départ, sont sceptiques. Car au départ, le *tycoon* est une curiosité plus qu'un candidat sérieux. Or les évangéliques représentent 25 % de l'électorat. Si l'on ajoute les chrétiens conservateurs, le pourcentage monte à 32 %[3]. C'est énorme. Aucun républicain ne peut espérer remporter l'investiture du parti ni, *a fortiori*, l'élection présidentielle sans le soutien du vote chrétien. Et, sur ce terrain-là, Trump a un adversaire formidable : Ted Cruz, qui va d'ailleurs lui ravir la primaire de l'Iowa début février 2016.

Dans la coulisse, Paula White s'active aux côtés de plusieurs pasteurs dont Jerry Falwell Jr, un autre soutien très engagé du futur président. Fils de Jerry Falwell Sr, icône de la «majorité morale» qui a fait élire Ronald Reagan en 1980, ce révérend est le président de la Liberty University à Lychburg (Virginie), une université chrétienne, qui encourage

---

1. Ce fut le cas en 2008 (Obama après Bush Junior), 2000 (Bush Junior après Bill Clinton), 1992 (Clinton après Bush père), 1980 (Reagan après Carter) etc. Seule exception récente à la règle : George Bush père, qui a succédé à Reagan dont il fut le vice-président.
2. *The Faith of Donald J. Trump, op. cit.*
3. *Ibid.*

«l'engagement dans une vie qui mène à Jésus-Christ notre Sauveur, Dieu de l'univers[1]». Avec lui et d'autres collègues évangéliques, Paula White organise, le 21 juin 2016, une grande réunion entre Trump et les leaders chrétiens évangéliques, qui va se révéler déterminante. À l'époque, Trump a déjà l'investiture en poche : il est le candidat républicain «présomptif», avant de le devenir officiellement un mois et demi plus tard à la convention républicaine. Ted Cruz, son dernier rival, s'est retiré de la course après sa cuisante défaite dans l'État de l'Indiana un mois et demi plus tôt. Trump a déjà conquis une partie importante de l'électorat évangélique, mais pas suffisamment encore pour espérer l'emporter à la présidentielle. Paula va lui permettre de définitivement mettre la main sur ces électeurs en contribuant activement à l'organisation de ce grand meeting qui se déroule à huis clos, où seuls les journalistes de médias amis sont conviés. Trump exige que la réunion ait lieu sur ses terres : Manhattan. Tous les leaders religieux, plus habitués aux grandes plaines de la Middle America qu'aux néons de la Grosse Pomme, se retrouvent ainsi sur la moquette d'un grand hôtel à côté de Times Square. «On était flattés d'être là», me dit un participant. Le discours est calibré. Les questions soigneusement encadrées par un présentateur «vedette», Mike Huckabee, ancien gouverneur de l'Arkansas, pasteur de son état, ex-candidat à la présidentielle à deux reprises et père de la future porte-parole de la Maison Blanche, Sarah Huckabee Sanders. De l'avis général, ce meeting marque un tournant dans la marche de Trump vers le pouvoir. «J'ai vu des gens basculer après avoir vu Trump sur scène ce jour-là, témoigne un participant. Ils avaient soutenu Ted Cruz et juré ne jamais voter pour Trump.»

Qu'est-ce qui les a fait changer d'avis ?

---

1. http://www.liberty.edu/index.cfm?PID=6899.

Marié trois fois, Trump n'est peut-être pas le candidat idéal à leurs yeux, mais il est l'inventeur d'un slogan de campagne attrape-tout (*Make America Great Again*), qui leur donne l'impression qu'il est sur la même ligne qu'eux. Les évangéliques ont beaucoup souffert sous Obama[1], le président qui a soutenu et obtenu de la Cour suprême la légalisation du mariage gay, une mesure qu'ils ont toujours en travers de la gorge. Comme Trump, ils considèrent que l'Amérique est sur la pente du déclin. Ils savent que leurs thèses sont devenues minoritaires, et moquées par les élites médiatiques de New York qui défilent dans les talk shows humoristiques de fin de soirée (Stephen Colbert sur CBS, Trevor Noah sur Comedy Central, et surtout Jimmy Kimmel sur ABC, qui a boosté son audience en moquant le trumpisme). Ils constatent que les gens prient moins, que la population est de plus en plus mélangée, ce qui menace leur supériorité numérique par rapport aux autres catégories ethniques. Comme Trump, ils estiment que le pays est grippé par le «politiquement correct». Comme Trump, ils y voient une forme de censure qui violerait leur droit à la liberté d'expression prévu par le premier amendement. «La philosophie que défend Trump fleure bon l'Amérique d'avant 1960», reconnaît le journaliste David Brody dans sa «biographie spirituelle»[2]. Et vis-à-vis de cet électorat, Trump présente un autre avantage : non seulement il est d'accord avec eux, mais en plus c'est un entrepreneur à succès, donc il passe pour un homme d'action qui ne va pas se contenter de promesses vagues ni prétendre être un parangon de vertu. Il n'a jamais cherché à se présenter sous un jour favorable vis-à-vis de cet électorat, ni à cacher son passé : au contraire, il assume tout, et c'est ça qui fait sa force, notamment par rapport à une candidate comme

---

1. Comme les *liberals* (militants de gauche) souffrent beaucoup aujourd'hui sous Trump.
2. *The Faith of Donald J. Trump, op. cit.*

Hillary Clinton, jugée trop calculatrice pour être honnête. Pendant sa campagne, quand Trump prend soin de se justifier sur un sujet particulièrement sensible, l'avortement, ça passe, aussi étonnant que ça puisse paraître. Autrefois, il y était favorable, mais il y serait devenu opposé après avoir vu la vie d'une amie métamorphosée (en bien) par la naissance d'un enfant dont elle avait initialement prévu d'avorter…

Paula White est une fidèle : même dans les moments difficiles, elle est présente aux côtés du milliardaire candidat. Quelques heures après la diffusion de la vidéo où on l'entend se vanter de pouvoir « attraper des femmes par la chatte », en octobre 2016, elle l'appelle. « J'ai entendu un homme contrit, embarrassé, racontera-t-elle plus tard. Il m'a dit : "J'ai changé, je suis un homme meilleur aujourd'hui", et je l'ai cru parce que je le connais depuis très longtemps et que nous avons eu de nombreuses conversations personnelles[1]… » Elle a décidément la foi.

Et Trump le lui rend bien. Le 20 janvier, c'est elle qu'on voit à ses côtés, le jour de l'investiture, dire la prière devant des millions de téléspectateurs. Pour elle, c'est la consécration. Puis il la nomme présidente du « Conseil consultatif évangélique » de la Maison Blanche. Ce comité non officiel qui coordonne environ 35 pasteurs et activistes chrétiens est chargé de conseiller le président sur des questions diverses (religion, immigration, etc.). Paula White est désormais obligée de déléguer beaucoup de ses activités pastorales, car elle se rend une fois par semaine en moyenne à Washington. Selon son porte-parole Johnnie Moore, elle est à la fois « pasteure et coach[2] » pour le staff de la Maison Blanche. Et, plus

---

1. https://www.npr.org/2017/01/22/511103607/
trumps-spiritual-adviser-talks-about-relationship-with-president.
2. https://www.washingtonpost.com/lifestyle/magazine/she-led-trump-to-christ-the-rise-of-the-televangelist-who-advises-the-white-house/2017/11/13/1dc3a830-bb1a-11e7-be94-fabb0f1e9ffb_story.html?utm_term=.f44cf88578da.

que jamais, conseillère spirituelle du président, proche de toute la famille Trump.

Son rôle n'est pas officiellement défini, mais depuis qu'il est président, force est de constater que Trump suit à la lettre le catéchisme évangélique. Il a signé le 4 mai 2017 un décret promouvant « la liberté d'expression et la liberté religieuse[1] », dont l'objectif est de mettre fin à « l'amendement Johnson », décrété par l'ancien président démocrate Lyndon B. Johnson, qui interdisait aux Églises de faire de la politique ou de soutenir des candidats de leur choix. C'était une des grandes revendications des conservateurs évangéliques, au nom de la liberté de culte. Trump a aussi apporté son soutien officiel (*via* le ministère de la Justice) à Jack Phillips, un pâtissier religieux du Colorado, qui a refusé de faire un gâteau de mariage à un couple homosexuel, au motif que c'est contraire à ses principes. Le pâtissier a fini par obtenir gain de cause auprès de la Cour suprême des États-Unis, où Trump a nommé, comme promis, un juge connu pour ses positions conservatrices et antiavortement, Neil Gorsuch. Une aubaine pour les évangéliques. Et depuis qu'il est dans le Bureau Ovale, Trump a multiplié les nominations de juges fédéraux conservateurs, ce qui soulève une vague d'excitation en Californie depuis le décès, en mars 2018, du juge Stephen Reinhardt, *alias* le très influent « lion de gauche », nommé par… Jimmy Carter. Ce dernier avait résisté aux pressions de son camp pour prendre du champ pendant qu'Obama était encore président et permettre à ce dernier de le remplacer par un magistrat de son bord. Les conservateurs californiens sont aujourd'hui ravis : ils comptent sur Trump pour nommer un successeur qui sera un allié dans cette juridiction qui jusqu'à présent fait figure de bastion de la gauche…

---

1. https://www.whitehouse.gov/presidential-actions/presidential-executive-order-promoting-free-speech-religious-liberty.

Le président a aussi décidé de reconnaître Jérusalem comme capitale d'Israël, une vieille revendication des chrétiens évangéliques pour qui un retour de Jésus sur terre passe par la reconnaissance d'Israël comme État juif. Il a tenu parole sur ce sujet sensible, contrairement à ses prédécesseurs républicains qui s'y étaient pourtant engagés. Trump a aussi surpris tout le monde en décrétant par un tweet matinal le bannissement des « transgenres » dans l'armée américaine. Cette mesure, les conservateurs ne la réclamaient même pas, mais dans la communauté, la majorité a applaudi à ce « formidable » coup de tête présidentiel. Et peu importe si personne n'a été consulté ou si la mesure viole allègrement le règlement de l'armée...

« On n'a jamais eu autant de soutien que depuis que Trump est là, estime David Brody. Même du temps de Bush père et fils, les portes nous étaient moins ouvertes ». Selon le journaliste, il y aurait des pasteurs tous les jours de passage à la présidence... Le 19 janvier 2018, Trump recevait ainsi dans la Roseraie de la Maison Blanche les militants antiavortement de la « March for Life ». Jamais un président des États-Unis ne les avait reçus avec autant de pompe. Ni Reagan ni Bush (le père comme le fils) ne leur avaient ouvert les portes de la Maison Blanche pour leur rassemblement annuel... Ce jour-là, le soleil brille, et la température est étonnamment clémente en plein hiver. Trump se réjouit devant ses convives que « seulement 12 % des Américains soient en faveur de l'avortement » et promet de défendre « le droit à la vie, qui est le tout premier principe posé par la Déclaration d'indépendance » des États-Unis en 1776. Dans la foulée, il annonce de « nouvelles propositions visant à protéger la liberté de conscience des docteurs, infirmières » et tout professionnel médical opposés à l'avortement. La foule adore. Au même moment, Stormy Daniels apparaît sur les chaînes de télévision câblées. Le visage de cette star du porno, qui a été payée 130 000 dollars pour garder le silence sur sa nuit avec le futur président, commence tout juste à passer sur les écrans. Mais les évangéliques réunis ce jour-là dans la Roseraie de la Maison Blanche l'ignorent, pour une raison simple, m'explique un responsable d'un des principaux lobbies évangéliques des États-Unis : « On sait très bien qu'on n'a pas élu un moraliste en chef à la Maison Blanche. Ce n'est pas le sujet. Nous avons élu quelqu'un qui fait avancer la cause. Ce qui compte, c'est la nomination des juges à la Cour suprême, la composition du cabinet (nous avons cinq ministres évangéliques, ça compte, dont Mike Pence, le vice-président), et enfin la politique menée par le gouvernement, or Donald Trump est totalement en ligne avec nos idées. C'est la raison pour laquelle nous continuons à le soutenir. »

21

Trump-Kim : «Je t'aime moi non plus»

Le soleil vient à peine de se lever sur la base militaire d'Andrews près de Washington quand Donald Trump sort d'Air Force One ce mercredi matin 13 juin 2018. Sans cravate et les traits fatigués, il salue le Marine qui lui ouvre la porte de sa voiture avec un geste martial exagéré qui trahit son autosatisfaction. Trump est content de lui. Il revient d'un périple de six jours qui l'a mené de La Malbaie, Canada, à l'île de Sentosa, à Singapour. Et ce voyage lui a probablement fait gagner quelques voix.

Acte 1 – Le G7 de La Malbaie au Canada (8-9 juin 2018)

Trump n'avait pas envie d'y aller. Il l'avait fait savoir à Justin Trudeau, l'organisateur du sommet quelques jours avant de partir. Déjà en mai 2017, au G7 à Taormina en Sicile, il avait refusé de signer la déclaration commune sur le changement climatique et le sommet s'était achevé sur un échec. Puis en juillet, au G20 à Hambourg, il avait récidivé dans cette posture solitaire et rebelle[1]. La veille de son arrivée, il avait prononcé un discours à forts relents nationalistes

---

1. Entre les deux sommets, Trump avait annoncé, le 1er juin 2017, le retrait américain de l'accord de Paris sur le changement climatique.

en Pologne, l'un des rares pays européens où il jouit d'une popularité élevée. Pour l'occasion, il avait même boutonné sa veste, preuve que l'heure était grave : il fallait bien ça pour célébrer l'histoire de la Pologne, ce peuple qui s'est libéré du joug nazi et soviétique. Une fois à Hambourg, il s'est retrouvé seul à propos du commerce et de l'environnement face au reste du monde et notamment à Angela Merkel qu'il ne porte pas dans son cœur.

Trump n'a cessé de le répéter pendant sa campagne présidentielle : il déteste le multilatéralisme, ces grandes réunions consensuelles où les plus puissantes nations du monde se retrouvent entre elles et, selon lui, ne décident rien... Il a toujours préféré les relations bilatérales, évidemment plus avantageuses pour l'Amérique, première puissance mondiale. Trump est un adepte de la loi du plus fort et toute sa démarche consiste à sortir les États-Unis d'un schéma mis en place après la Seconde Guerre mondiale dans lequel sa puissance serait « diluée ».

Quand il arrive à La Malbaie, au Canada, Trump est encore plus persuadé que le multilatéralisme ne mène nulle part. Les arguments d'Emmanuel Macron pendant sa visite d'État de fin avril 2018 ne l'ont manifestement pas ému. Et il a viré tous ceux qui penchaient pour une approche plus équilibrée vis-à-vis du reste du monde, comme le général H.R. McMaster, le conseiller à la Sécurité nationale, et Rex Tillerson, le secrétaire d'État. Le premier a été remplacé par John Bolton, le second par Mike Pompeo. Deux « faucons » qui n'ont qu'une envie : dynamiter l'ordre mondial et ses structures héritées de 1945.

Trump n'a qu'une idée en tête : réduire les déficits commerciaux de l'Amérique face à ses partenaires, en particulier la Chine, le Canada et l'Allemagne[1]. C'est une vieille

---

1. En 2017, le déficit commercial américain s'élève à 17 milliards de dollars avec le Canada, 63,6 milliards avec l'Allemagne et 375 milliards avec la Chine.

marotte qui lui tient à cœur depuis toujours. Trump n'a pas beaucoup de convictions, mais là-dessus, il est inébranlable. En 1987, il avait acheté des pleines pages de pub dans le *New York Times* pour dénoncer le Japon qu'il accusait de gagner de l'argent sur le dos des États-Unis. Pendant sa campagne, il a troqué le Japon pour la Chine. Et il a ajouté dans son collimateur l'Allemagne.

Que Trump s'en prenne au très inoffensif Canada, personne ne l'avait vu venir. Mais il semble que le jeune et sémillant Trudeau énerve le président qui a l'âge d'être son père. Entre eux, ça n'a jamais été l'amour fou. Les deux hommes ont pourtant des points communs. Ils sont tous les deux des héritiers – d'une dynastie, politique pour le Canadien, immobilière pour l'Américain. Ils ont conquis le pouvoir sans que personne les voie venir. Comme son homologue américain, Trudeau, dont le fait d'armes était d'avoir montré ses pectoraux lors d'une émission télévisée, a été très sous-estimé. Les deux hommes sont aussi des maîtres dans l'art de communiquer, des as de l'autopromotion.

Mais Trudeau, c'est l'anti-Trump. Quand le président américain fait toute sa campagne sur la restriction de l'immigration musulmane, le Premier ministre canadien fait l'inverse en ouvrant les bras aux réfugiés syriens et en le faisant savoir. Le 7 décembre 2015, Donald Trump, qui n'est pas encore président, annonce une proposition de campagne qui consiste à fermer les frontières américaines aux ressortissants musulmans « jusqu'à ce que nos autorités soient en mesure d'évaluer la situation ». Trois jours plus tard, on voit Justin Trudeau, qui vient tout juste d'être élu Premier ministre canadien, à l'aéroport de Toronto[1] en bras de chemise, en train d'accueillir les familles syriennes sortant de l'avion, devant les caméras. Larmes, sourires, et émotion en direct. Excellente opération de communication pour un Premier

---

1. https://www.theguardian.com/world/2015/dec/11/plane-carrying-syrian-refugees-arrives-toronto-canada.

ministre « ouvert et tolérant sur le reste du monde ». Les
États-Unis ne veulent pas de vous ? Venez donc chez nous.
Le message est reçu cinq sur cinq par Trump qui n'apprécie
pas et saura s'en souvenir.

Quand Trump décide de lancer sa guerre commerciale
contre le reste du monde, il ne fait qu'appliquer son programme. Je me souviens très bien de la première fois où je
l'ai entendu parler d'une taxe sur les importations pour punir
les entreprises qui délocalisent leurs usines dans des pays où
la main-d'œuvre est moins chère : c'était le 17 juillet 2015 à
Hot Springs, dans l'Arkansas, modeste bourgade américaine
où Bill Clinton a passé une partie de son enfance[1]. Je n'avais
pas encore vu le futur président tenir meeting « en province »,
loin de New York. Ce soir-là, personne ne le prenait encore
au sérieux. Il avait annoncé sa candidature cinq semaines
plus tôt et tout le monde pensait que ses tirades contre les
Mexicains le discréditeraient à jamais. Trump était invité
par le parti républicain local : la bourgeoisie de la ville était
là, attablée, pour venir écouter son discours débridé à l'occasion d'un *fund-raising dinner* (dîner organisé pour lever des
fonds au profit de candidats du coin). C'était un vendredi
soir d'été et il y avait du monde. Trump suscitait la curiosité,
c'était évident. Mais ce qui m'a frappé le plus, c'était à quel
point il était applaudi quand il lançait ses propositions protec-
tionnistes, *a priori* totalement iconoclastes pour des membres
d'un parti acquis au libre-échange. Il faut lui reconnaître ce
mérite : à l'époque, cette proposition de campagne paraissait
novatrice. Et sur ce point-là, non seulement Trump n'a pas
changé, mais il a convaincu les républicains qui, quand il se
rend au G7 de La Malbaie, au Canada, sont de plus en plus
nombreux à le suivre dans ses velléités de mener une guerre
commerciale contre le reste du monde.

---

1. https://www.parismatch.com/Actu/International/En-campagne-
avec-Donald-Trump-802608.

Entre Trump et Trudeau, la tension est montée d'un cran quand l'Américain a annoncé, le 31 mai 2018, sa décision d'augmenter de 25 % les droits d'importations sur l'acier en provenance du Canada. Trudeau a répliqué en augmentant drastiquement les droits de douane sur certains produits laitiers – une mauvaise nouvelle pour l'Amérique agricole qui a massivement voté pour Trump. Il a aussi manifesté très fort son opposition au voisin américain, a l'occasion notamment d'une interview à « Meet the Press »[1], l'émission dominicale politique de NBC où il affirme, « au nom des soldats canadiens qui ont combattu aux côtés des Américains », que la démarche de Trump est « franchement insultante ». « Comment peut-on considérer le Canada comme une menace stratégique pour les États-Unis ? Ça, j'ai du mal à le digérer », lance alors Trudeau.

Trump a alors très envie de se « payer » ce Justin Trudeau, jusque-là pas très dangereux. Il l'a déjà fait en privé à l'occasion d'une conversation téléphonique qui va fuiter dans la presse, où il aurait rappelé, à tort, que les Canadiens avaient incendié la Maison Blanche en 1812 (il s'agit en réalité des Britanniques)[2].

Puis il fait connaître son courroux de manière très publique, en sabotant le G7.

Avant même d'arriver, il tweete une provocation, proposant d'inclure la Russie dans cette instance. Une tactique typique, qu'il a utilisée par le passé bien avant d'entrer en politique. Il s'agit de diviser l'adversaire. Et ça marche : Giuseppe Conte, le Premier ministre italien, qui vient de prendre ses fonctions à la tête d'une coalition antiestablishment eurosceptique, tombe dans le panneau en approuvant l'idée. Il est le seul et sera prié de faire marche arrière durant

---

1. https://www.youtube.com/watch?v=dh3mKgkgWFc.
2. https://edition.cnn.com/2018/06/06/politics/war-of-1812-donald-trump-justin-trudeau-tariff/index.html.

le sommet, mais dans l'esprit de Trump, c'est déjà une victoire. Il le fera savoir en tweetant toute ton amitié pour ce
«type super» (*a really great guy*[1]).

Une fois sur place, il joue le jeu pour la séance photo
d'ouverture, où tout le monde sourit. L'image des leaders
des sept grandes puissances mondiales, avec en toile de fond
un lac qui évoque l'harmonie et la paix, est alors parfaite. Le
ciel est bleu, mais il va bientôt se couvrir... Trump arrive en
retard aux réunions, déclare que son pays en a «marre d'être
la *piggy bank* [tirelire] que tout le monde pille»... Il signe à
contrecœur une déclaration commune finale de huit pages
laborieusement négociée pour harmoniser les positions sur
le commerce international, puis part avant tout le monde,
séchant la séance consacrée au changement climatique. Plus
tard il entend, dans Air Force One, la déclaration de Justin
Trudeau, qui affirme : «Nous, Canadiens, sommes polis,
mais nous ne nous laissons pas bousculer[2]». Le Premier
ministre canadien ajoute avoir qualifié devant son homologue de «plutôt insultants» les droits douaniers américains
et confirme son intention de taxer davantage «à compter
du 1er juillet» l'importation de certains produits d'origine
américaine en «représailles à celles imposées injustement»
par Washington. Il ne fait que répéter ce qu'il a déjà dit,
mais pour Trump, trop c'est trop : il fait savoir qu'il retire sa
signature du projet de communiqué commun difficilement
négocié entre les membres du G7. Cette volte-face inédite
est une énorme provocation de plus, et une insulte pour
les pays amis de l'Amérique. Mais il ne s'arrête pas là : il

---

1. https://twitter.com/realDonaldTrump/status/
1005550889422110721?ref_src=twsrc%5Etfw%7Ctwcamp%
5Etweetembed%7Ctwterm%5E1005550889422110721&ref_
url=https%3A%2F%2Fwww.tpi.it%2F2018%2F06%2F15%
2Ftrump-elogia-conte%2F.
2. https://ici.radio-canada.ca/nouvelle/1106092/canada-commerce-
donald-trump-malbaie-echange-g7-sommet-justin-trudeau.

envoie le lendemain deux émissaires à la télévision pour jouer les porte-flingues contre Trudeau en des termes d'une violence inédite à propos d'un voisin et allié de l'Amérique. Son conseiller pour les affaires commerciales Peter Navarro affirme qu'il y a « une place spéciale en enfer » pour des alliés « de mauvaise foi » comme Trudeau qui, selon lui, trahissent leurs amis[1]. Larry Kudlow, directeur du Conseil national économique de la Maison Blanche, l'accuse d'avoir « poignardé dans le dos » Donald Trump en faisant sa déclaration alors que ce dernier était déjà parti… Le message est clair : voilà ce qu'il en coûte à quiconque s'oppose à Trump. On est traîné dans la boue. Qu'on soit allié ou non ne change rien à la donne. C'est ça, la diplomatie trumpienne. La diplomatie par l'insulte et l'intimidation. Le reste du monde est choqué. Les élus du parti républicain aussi. « J'ai passé mon week-end à discuter avec les républicains de tout bord, tout le monde désapprouve avec véhémence », rapporte la journaliste Jamie Gabriel sur CNN, lundi 11 juin. Peut-être… Mais sur les réseaux sociaux, le ton est différent. « Désolé, Trudeau, il y a un nouveau shérif dans la ville. Le lâche [Obama] a quitté l'immeuble et l'Amérique ne tolérera plus de mauvais deals commerciaux avec des faux alliés », lance un supporter[2], qui accompagne son message d'une photo du Premier ministre canadien portant des chaussettes assez ridicules estampillées de canards jaunes… Pour Trump, c'est tout ce qui compte : sa base approuve. Elle est satisfaite. Les démonstrations de muscles et d'adrénaline, elle adore et en redemande.

---

1. Il finira par s'excuser pour ses propos « inappropriés ». https://www.nytimes.com/2018/06/12/us/politics/navarro-trudeau-hell-mistake.html.
2. https://mobile.twitter.com/RealMAGASteve/status/1005805653405904896. Tweet de @RealMAGASteve, compte suivi par 75.000 abonnés à la mi-juillet 2018. « Sorry, Trudeau, there's a new sheriff in town. The coward has left the building and America will not accept bad trade deals from #FakeAllies who wears rubber ducky socks #MAGA ».

Acte 2 – Le sommet avec Kim Jong-un

C'est une superproduction comme Donald Trump les aime. Rien n'est laissé au hasard. L'éclairage est parfait. Les visages impeccablement maquillés malgré les 30 degrés et l'humidité extrême qui règne à Singapour. Les télés sont arrivées la veille et font du remplissage parce qu'il n'y a rien à dire. On passe et repasse en boucle la limousine Mercedes de Kim Jong-un qui roule dans les rues entourée des malheureux gardes du corps qui courent à ses côtés malgré la chaleur, puis la balade à pied et les selfies que s'offre le dictateur la veille du sommet dans les rues de Singapour. Le suspens monte : tout le monde est scotché devant le poste pour un programme dont l'horaire n'a pas été fixé par hasard : la rencontre a lieu à 9 heures du matin le mardi 12 juin, c'est-à-dire 21 heures la veille sur la côte est américaine et 18 heures sur la côte ouest : l'heure du primetime.

Ce sommet, Trump l'a ardemment désiré. Quand, le 8 mars 2018, il apprend que Kim Jong-un souhaite le rencontrer, il saute sur l'occasion. C'est même la seule fois, depuis qu'il est à la Maison Blanche, qu'il fait une apparition express dans la salle de presse. Il prend tout le monde par surprise et prévient qu'une « annonce majeure » va être faite le jour même à 19 heures. Jon Karl, de la chaîne ABC, lui demande s'il s'agit des négociations avec la Corée du Nord. Trump a du mal à cacher son excitation : « C'est presque encore plus que ça », répond-il mystérieusement, avant d'ajouter : « Et j'espère que vous mettrez ça à mon crédit. »

Et le jour J, personne n'est déçu par la mise en scène aussi léchée qu'un épisode de « The Apprentice », sauf que ça va durer beaucoup plus longtemps : cinq heures et demie au total, de la première poignée de mains à la signature d'une déclaration officielle… Il y a tout ce qu'il faut pour maintenir le téléspectateur rivé devant son écran, y compris le coup de théâtre de dernière minute : une demi-heure avant le début du sommet, Trump annonce que le « grand » Larry Kudlow, son conseiller économique, vient d'avoir une crise cardiaque. Fallait-il vraiment le dire – sur Twitter ! – à ce moment-là ? Où était l'urgence ? Beaucoup y voient une manœuvre typique de Trump de faire monter le suspens. Mais heureusement, rien de grave : « Larry » est à l'hôpital et il va s'en sortir. On respire. Le spectacle peut commencer. Avec dix minutes d'avance, Kim arrive le premier dans sa Mercedes, qui fleure bon la dictature bananière (les chefs d'État ou de gouvernements de grandes démocraties ne roulent jamais dans une limousine de ce genre, ils optent pour des modèles plus sobres). Trump arrive à l'heure pile, dans « The Beast », le monstre blindé construit sur la plateforme d'une Cadillac Escalade modèle 2009 qui servait déjà aux déplacements d'Obama. Les portes s'ouvrent : les téléspectateurs épatés peuvent en constater l'épaisseur du blindage, symbole de superpuissance. Trump sort, sans un sourire évidemment : ce n'est pas le moment. Plus que jamais il la joue « Winston Churchill », l'un de ses héros dont il a remis le buste dans le Bureau Ovale qu'Obama avait retiré[1]. L'heure est grave, il en va de la sécurité du monde… Dans la foulée, le moment tant attendu arrive : la poignée de main « historique », que Trump interrompt le premier, montrant le chemin à suivre. L'intention de prendre le contrôle des événements est évidente. Trump domine de sa taille son homologue, qui a l'air un peu perdu. Les deux hommes se retrouvent dans un salon pour une déclaration. On entend alors pour la première fois le son de la voix de Kim qui avoue sa surprise d'être là, car il y a eu « beaucoup d'obstacles ». Pendant quarante-cinq

---

1. Il est tellement fasciné par Winston Churchill que, le 12 juillet 2018, pendant sa visite officielle au Royaume-Uni, il s'attardera à l'exposition consacrée au vieux leader britannique, au château de Bleinheim, et finira par arriver en retard au dîner prévu le soir même où 150 invités l'attendent.

minutes, les deux leaders se parlent à huis clos, accompagnés de leurs seuls traducteurs. Trump avait prévenu, lors de sa conférence de presse au Canada, qu'il saurait dès les premiers instants s'il pourrait « faire confiance » à Kim. Apparemment, c'est le cas.

Et comme dans une émission de télé, le timing est parfaitement respecté. 21 h 45, les deux hommes émergent de leur huis clos et se rendent dans une autre salle pour une réunion élargie. Trump a tenu à ce que, parmi ses collaborateurs, John Bolton, son conseiller à la sécurité, soit là. Quatre mois plus tôt, ce dernier, qui ne travaillait pas encore à la Maison Blanche, expliquait dans le *Wall Street Journal* qu'il fallait bombarder la Corée du Nord « de manière préventive [...] avant qu'il ne soit trop tard »[1]. Sa présence à la table de négociations est un événement en soi, peut-être, une tactique d'intimidation de la part de Trump vis-à-vis de ses homologues.

Après la réunion, vient le repas. En arrivant, Trump regarde alors les photographes : « Vous prenez de bonnes images pour qu'on apparaisse sympas, beaux et minces ? », leur lance-t-il. Il parle comme au bon vieux temps de « The Apprentice » dont il était *executive producer* (c'était écrit à la fin du générique). Le menu du repas est copieux : cocktail de crevettes, confit de côtes de bœuf avec gratin dauphinois, porc croustillant aigre-doux, cabillaud braisé au soja, tarte au chocolat ganache... Mais les deux hommes ne s'attardent pas. Quarante-cinq minutes plus tard, ils ressortent de la salle à manger, marchent seul sur une petite allée entourée de plantes luxuriantes. Trump échange quelques mots avec Kim qui fait semblant de comprendre, alors qu'il ne parle pas un mot d'anglais. Il fait le show en lui montrant du doigt un petit massif, et Kim fait mine d'approuver. On dirait

---

1. https://www.wsj.com/articles/the-legal-case-for-striking-north-korea-first-1519862374.

deux acteurs. «Ça se passe encore mieux que prévu», lance Trump au pool de journalistes qui les attendent au bout de l'allée. Puis alors qu'il continue son chemin, il se retourne vers les reporters et lâche, la bouche en coin, sur le ton de la confidence : «On va vers la signature.» Ah bon? Quelle signature? Personne n'est au courant, le suspense est entier. On suit donc les deux leaders en se demandant ce qui va se passer, et là, surprise, on découvre qu'ils font un détour par «The Beast» : Trump montre sa voiture au pauvre Kim qui n'avait pas, paraît-il, les moyens de se payer son hôtel cinq étoiles. Ça aussi, c'est typique de Trump : autrefois, il impressionnait ses clients en les faisant monter dans son penthouse dégoulinant de dorures. Là, il impressionne son homologue avec sa voiture de fonction, il est vrai spectaculaire. La scène inspire d'ailleurs une blague à son ami Sean Hannity, présentateur vedette de Fox News et partisan zélé : «Si Kim n'a pas les moyens de se payer sa chambre, je veux bien lui prêter la mienne, je dormirai sur le divan», rigole-t-il, depuis son studio installé à quelques encâblures. On imagine alors le *red neck* de la Middle America se gondoler en regardant, fasciné, ce spectacle inouï qui flatte son patriotisme.

La «signature» annoncée par Trump est la scène finale du show. Une happy end, comme dans un bon film hollywoodien. Ce n'est pas *Embrassons-nous, Folleville!* mais ça y ressemble. Et c'est assez drôle parce que les choses ne se passent pas tout à fait comme Trump l'aurait souhaité. Il est évident qu'il veut faire durer le plaisir mais que son interlocuteur en a un peu marre de tout ce cinéma, et on le comprend. Trump en fait des tonnes pour démontrer qu'il est ici le maître des lieux. Il s'improvise présentateur de télévision : «Voulez-vous faire une déclaration à la presse», comme si Kim avait besoin de cette invitation pour dire un mot à des journalistes qui n'attendent que ça. Un peu plus tôt, on l'a entendu dire, par l'intermédiaire de son traducteur, qu'il avait l'impression d'être « dans un film de science-fiction »… Ce dictateur aurait donc de l'humour ! On veut en savoir plus. Mais Kim, la mine réservée, fait court et protocolaire : « Aujourd'hui, nous avons eu un sommet historique et décidé de laisser le passé derrière nous. Le monde va voir la différence. Je voudrais exprimer toute ma gratitude au président Trump pour avoir rendu cette rencontre possible. » Il signe la déclaration qui reconnaît, en termes vagues, qu'il « s'engage à travailler à la dénucléarisation[1] complète de la péninsule coréenne ». Un journaliste du *Los Angeles Times*, Noah Bierman, se hasarde à poser une question : « Allez-vous abandonner vos armes nucléaires ? » Le dictateur nord-coréen ne répond pas, et il est le premier à se lever. Trump lui emboîte le pas. Cette fois, c'est Kim qui marche le premier. Il est temps de se dire au revoir, à l'endroit même où il se sont dit bonjour cinq heures et demie plus tôt. Sourires, poignée de main appuyée, et puis Kim part, devant Trump qui le regarde s'éloigner avant de disparaître à son tour.

Le show est fini et, pour Trump, la partie est gagnée haut la main. De nombreux commentateurs expliqueront que Trump s'est fait « avoir » (*outfoxed*, selon l'éditorialiste de *New York Times*, Nicholas Kristof[2]). À tort, à mon avis. Car même s'il n'en sort pas grand-chose de concret, ce sommet demeure un incroyable succès qui laisse bouche bée toute l'Amérique, y compris les détracteurs de Trump, bien obligés de reconnaître qu'avec un dangereux personnage comme Kim mieux vaut s'échanger des poignées de main que des missiles. Ce n'est sûrement pas Obama l'intellectuel qui aurait obtenu un tel résultat. Trump a tenu en haleine des millions de

---

1. Le terme « dénucléarisation » est répété à trois reprises dans la déclaration commune sans qu'aucune mesure contraignante soit détaillée.
2. https://www.nytimes.com/2018/06/12/opinion/trump-kim-summit-north-korea.html.

téléspectateurs. Le reste n'est que du service après-vente. Les Américains ne voient pas en direct sa longue conférence de presse (une heure et cinq minutes) car il est trop tard dans la nuit pour la regarder. On apprendra alors que, pendant cette première rencontre, Trump a dégainé un iPad et a présenté à Kim une vidéo sur le futur radieux promis à la Corée du Nord si elle se range aux côtés de l'Oncle Sam. La diplomatie selon Trump, c'est simple comme l'immobilier : il faut faire rêver le client. Pour vendre un immeuble ou un appartement, on diffuse des films publicitaires qui vantent les prestations de l'immeuble, l'emplacement, les vues… Pourquoi, en effet, ne pas faire pareil avec le chef d'un État exsangue financièrement ? Quand il évoque ce petit film lors de sa conférence de presse, Trump semble très fier de sa trouvaille. « Je pense qu'il a aimé, déclare-t-il. [La vidéo] était bien faite. Elle montre une réalité qui pourrait très bien être l'avenir, sachant que l'autre option [le conflit] est tout simplement très mauvaise… Huit de ses représentants ont regardé, je crois qu'ils étaient fascinés… » Pendant cette conférence de presse, Trump est sur un petit nuage. Il s'offre le petit plaisir de rabaisser Jim Acosta, le correspondant à la Maison Blanche de CNN qu'il déteste. « *Be nice, be respectful* », lui lance-t-il, tel un maître d'école, à « l'élève » Acosta qui répond : « Je serai très respectueux, Sir ».[1] La mise au pas d'un journaliste, c'est une image qui marche bien dans l'Amérique d'aujourd'hui.

---

1. Face au même Jim Acosta, Trump ira plus loin pendant sa conférence de presse commune avec la Première ministre britannique Theresa May, lors de sa visite officielle au Royaume-Uni. Il refusera purement et simplement de prendre sa question (« *CNN is fake news* », accusera-t-il), passant la parole à son confrère de Fox News, John Roberts, qui s'empressera de la prendre.

Acte 3 – Retour à Washington

Trump donne ensuite quelques interviews puis remonte dans Air Force One pour rentrer à Washington. Au milieu du voyage, la politique politicienne reprend ses droits. Trump tweete son soutien pour Katie Arrington[1] qui mène campagne contre Mark Sanford dans une primaire républicaine pour le siège de député du premier district congressionnel de Caroline du Sud. Mark Sanford est l'élu sortant et candidat à sa reconduction. Il serait logique que, durant cette primaire, les encartés républicains le rééélisent pour qu'il défende leurs couleurs aux *Midterms*, les élections législatives de novembre 2018. Mais Mark Sanford a un défaut : il n'est pas trumpiste. Il a même commis l'erreur de dénoncer le culte de la personnalité du président. Crime de lèse-majesté. « Il sera beaucoup mieux en Argentine », estime Trump dans son tweet, qui fait allusion à un épisode embarrassant pour le député Sanford. En 2009, ce dernier avait été retrouvé avec sa maîtresse à Buenos Aires où il s'était discrètement envolé, espérant que personne ne s'en rendrait compte[2]. Mardi soir, lors de la primaire, les résultats tombent : Mark Sanford est battu, Katie Arrington, l'alliée du président, gagne, et Trump est satisfait. Il peut en effet mesurer le chemin parcouru en un an. Il a désormais des conseillers à la Maison Blanche qui lui obéissent au doigt et à l'œil, prêts à propager la colère présidentielle à la télé contre un allié récalcitrant, le Premier ministre Justin Trudeau. Mais il a aussi, désormais, un parti républicain de plus en plus à sa botte : les nouveaux élus lui font allégeance, les opposants

---

1. https://twitter.com/realdonaldtrump/status/1006630395067039744?lang=en.
2. Sandford était alors marié et gouverneur de Caroline du Sud. L'épisode s'est soldé par un divorce et sa démission. Solidement ancré localement, Sandford avait néanmoins réussi un étonnant comeback en se faisant élire à la Chambre des représentants deux ans plus tard, en 2013.

se retirent, partent à la retraite, ou, comme Mark Sanford, se font battre. Grâce à ce sommet avec Kim, l'homme qu'il traitait de *little rocket man* à la tribune des Nations unies en septembre 2017, Trump peut justifier sa réthorique agressive (« nécessaire pour obtenir des résultats », dit-il). Il prend de court tous les pronostics alarmistes. Il voit sa cote de popularité remonter à des niveaux similaires à ceux d'Obama à époque comparables (43 à 45 % d'opinions favorables selon les sondages). Et il arrive aux *Midterms* avec un beau succès diplomatique.

22

Helsinki, l'anti-Singapour

Lundi 16 juillet, Trump espérait revenir de sa rencontre avec Vladimir Poutine sous les applaudissements, comme ce fut le cas après son sommet avec Kim Jong-un. C'est raté. Pendant le vol du retour, il regarde sur les écrans d'Air Force One les réactions à sa conférence de presse commune avec Vladimir Poutine. Elles sont presque toutes négatives. À l'exception de son ami Sean Hannity et de Tucker Carlson, les présentateurs de Fox News à qui il vient d'accorder une interview l'un après l'autre, tout le monde hurle, y compris des personnalités qui d'habitude le soutiennent. Cette quasi-unanimité est une première depuis le début de la présidence. «Poutine domine à Helsinki», titre Drudge Report, le très influent site de droite[1]. «C'est la plus grosse erreur de Trump depuis le début de son mandat», tweete Newt Gingrich, l'ancien *speaker* (président) républicain de la Chambre des représentants, ennemi de Bill Clinton, et auteur de deux livres très élogieux sur le président depuis

---

1. Ce site a révélé l'affaire Monica Lewinsky en 1998. Depuis, son succès auprès de l'électorat de droite n'a cessé de croître.

257

le début de son mandat[1]. Même à Fox News, la chaîne préférée du pouvoir, le sommet fait grincer des dents. John Roberts, son correspondant attitré à la Maison Blanche, explique que «Trump vient de sacrifier [en anglais : *throw under the bus*] les services de renseignements» du pays devant Poutine. Neil Cavuto, son collègue de Fox Business News, l'un des plus véhéments, qualifie quant à lui le sommet de «honteux». Le lendemain, Brian Kilmeade, qui coanime «Fox & Friends», l'émission matinale que Trump ne rate jamais, fait la leçon au président, face caméra, comme s'il s'adressait à lui : «Vous avez épaté le monde [par le passé], mais quand Newt Gingrich, le général Jack Keane[2] et Matt Schlapp[3] affirment que le président s'est planté et qu'il a fait passer nos services de renseignements pour des idiots, il faut faire une pause et réfléchir […] Personne n'est parfait…[4]»

Tout avait pourtant si bien commencé – du moins, du point de vue de Trump.

Comme à Singapour, le sommet de Helsinki a été précédé d'un autre, orageux, avec les alliés traditionnels des États-Unis, réunis à Bruxelles au sein de l'Otan. Mais au lieu de s'en prendre à Justin Trudeau, Trump s'est cette fois attaqué à Angela Merkel, son autre meilleure ennemie.

Entre eux, ça n'a jamais été l'amour fou. Dès leur première rencontre, ça s'est mal passé.

---

1. *Understanding Trump* («Comprendre Trump») préfacé par Eric Trump, le fils cadet du président, publié en juin 2017 par Hachette Books, et *Trump's America : the Truth about our Nation's Great Comeback* («L'Amérique de Trump : la vérité sur le grand retour de notre nation»), publié en juin 2018 par le même éditeur.
2. Héros multidécoré de la guerre du Vietnam.
3. Président de l'American Conservative Union, puissant lobby conservateur, et époux de Mercedes Schlapp, directrice de la communication stratégique à la Maison Blanche, et à ce titre, proche collaboratrice de Trump.
4. http://www.towleroad.com/2018/07/brian-kilmeade.

«Angela, tu me dois mille milliards de dollars[1].» En recevant la chancelière allemande dans le Bureau Ovale pour la première fois le 17 mars 2017, Donald Trump lui présente la note. Ces mille milliards, c'est le montant que représente, selon lui, la différence entre ce que l'Allemagne a promis de dépenser pour sa défense militaire, et ce qu'elle a réellement payé. Une douche froide pour Merkel. Pourtant, ce jour-là, quand il l'accueille à l'entrée de la West Wing, alors qu'elle sort de sa voiture, Trump est tout sourires. Mais durant leur tête-à-tête, les amabilités ne durent pas. Merkel refuse de rentrer dans le bras de fer que Trump lui impose. Il veut avoir le dernier mot et l'aura, à la fin de leur rencontre, dans le même Bureau Ovale, devant les photographes qui réclament une poignée de mains. Angela, penchée sur son coude gauche, glisse à Trump en anglais: «Ils veulent que nous nous serrions la main», comme s'il n'avait pas entendu. L'intéressé reste immobile, le regard dans le vague, un léger sourire sur le visage, ravi de son bon coup. Comme s'il prenait un malin plaisir à rappeler qui est le maître du monde et qui est le boss, ici, à la Maison Blanche, dans ce Bureau Ovale. Merkel, soucieuse des bonnes convenances, aurait pu passer outre. Au contraire, elle enfonce le clou en écarquillant les yeux devant les photographes, l'air de dire: «Il est encore plus dingue que je ne croyais.»

Est-ce la ressemblance physique et vestimentaire entre Merkel et Hillary Clinton qui irrite Trump? La scène du Bureau Ovale en rappelle une autre, celle du deuxième débat présidentiel avec la candidate démocrate où il s'était planté derrière elle et l'avait toisée du haut de son 1,90 mètre, l'air inquiétant. Comme la rivale déchue de Trump, la chancelière allemande est une femme entière que les mâles dominants n'impressionnent guère. Aux yeux de

---

1. https://www.wsj.com/articles/summit-looms-for-a-strained-nato-alliance-1531080102?mod=hp_lead_pos1.

Trump, elle a un défaut majeur : elle s'entendait bien avec Obama qui lui a accordé son tout dernier coup de fil en tant que président, avant de quitter le pouvoir, une attention à la hauteur de «l'amitié» qu'il lui porte, a alors expliqué son cabinet. Elle a aussi eu le tort d'accueillir son élection en des termes glaciaux, l'appelant au «respect de la démocratie, de la liberté, de la règle de droit et de la dignité de chacun, quels que soient l'origine, la couleur de peau, le genre, l'orientation sexuelle ou politique…» Dans les chancelleries à Washington, il est évident qu'il y a un «problème personnel» entre Trump et Merkel. Entre eux, aucune estime, aucun atome crochu. Et les conseillers du président américain en parlent ouvertement. «L'entourage de Trump ne cache pas qu'entre Merkel, la fille de l'Allemagne de l'Est, et lui, le milliardaire de New York, ça n'a jamais marché», me confie un bon connaisseur des arcanes du pouvoir à Washington. «À la Maison Blanche, on la trouve "passive-agressive" : dans les discussions privées, elle affiche une certaine rondeur qui cache mal une hostilité rentrée à tout ce que peut dire Trump, ce qu'il n'arrive pas à comprendre.» Aux yeux de tous, il est évident que Merkel a, dès le début, du mal à encaisser Trump qu'elle prend de haut, avec ce sourire ironique qui rappelle celui d'Hillary quand elle l'appelait par son prénom − «Donald» − de manière cavalière lors du premier débat présidentiel. «Angela a parfois été maladroite, contrairement à Macron qui a su le flatter», me dit un diplomate. Quand Trump lâche devant elle, lors de leur conférence de presse commune du 27 avril 2018, une boutade sur le prix exorbitant de la construction de la nouvelle ambassade américaine à Jerusalem, elle pique du nez : impossible que cette marque évidente de dédain ait pu échapper à ce président sensible aux réactions de son auditoire.

Cette hostilité entre Trump et Merkel est d'autant plus surprenante que le président américain est allemand d'origine : à l'âge de 16 ans, son grand-père Frederick a quitté sa ville natale de Karlstadt, en Bavière, pour faire fortune en Amérique, où il est mort en 1918. Seulement voilà : comme l'explique Gwenda Blair[1], l'auteure d'une des premières biographies du président, écrite bien avant son élection, *The Trumps: Three Generations of Builders and a President* (2001), « le père de Trump, qui s'appelait également Frederick, a tout fait pour dissimuler son héritage allemand, dont il craignait qu'il ne soit mauvais pour le business. Le sentiment antigermanique pendant le vingtième siècle était fort à New York, surtout dans le milieu de l'immobilier où les juifs sont nombreux. Il disait alors que la famille était d'origine suédoise. » Comme son père, Donald a réécrit l'histoire dans *The Art of the Deal*, où il affirme également que son grand-père paternel vient de Suède. Comme lui, pendant longtemps, il parlait rarement de son lien avec l'Allemagne. Alors que le vendredi 14 juillet, lors de sa conférence de presse commune avec Theresa May, Première ministre britannique, il rappelait, à deux reprises, que sa mère était née en Grande-Bretagne, « une terre qui veut dire beaucoup » pour lui…

Mais ces considérations familiales font pâle figure face aux enjeux économiques et politiques. La défiance affichée par Trump vis-à-vis de l'Allemagne dépasse ce pays et remonte à très loin. Elle puise sa source dans le déficit commercial abyssal que les États-Unis affichent (120 milliards d'euros) par rapport à l'Union européenne, tout en finançant par ailleurs sa sécurité militaire *via* l'Otan. Et parmi les États-membres du l'UE, la patrie d'Angela Merkel est celle qui « se moque » le plus de l'Amérique aux yeux du président américain : elle affiche un excédent commercial insolent de 65 milliards de dollars sur l'Amérique, mais ne dépense pas grand-chose pour son armée qui est, de l'avis des spécialistes, « dans un

---

1. Entretien avec l'auteur, 14 juillet 2018.

état lamentable », et a en plus approuvé la construction d'un pipeline pour s'approvisionner en gaz russe (le contrat Nord Stream 2). Trump l'a répété à Emmanuel Macron lors de sa visite d'État à Washington, en avril : il en a assez de ces Mercedes qui défilent sur la 5ᵉ Avenue quand les Cadillac et autres voitures américaines sont quasiment absentes sur le continent européen. Et pour lui, ce n'est pas une lubie, ça fait très longtemps qu'il le pense. Il est convaincu que son pays est victime d'accords mal négociés. Dès 2000, alors qu'il est – déjà – candidat à l'élection présidentielle, il en parle dans son livre-programme *The America We Deserve*, 2000 (« L'Amérique que nous méritons »). « Si j'étais élu, je prendrais moi-même la tête des négociations avec les Japonais, les Français, les Allemands et les Saoudiens. Ces partenaires commerciaux seraient obligés de s'asseoir face à Donald Trump [*sic*] et je vous garantis que les États-Unis cesseraient de se faire avoir. » Actuellement, l'Europe taxe les importations de voitures hors UE de 10 %. En revanche, aux États-Unis, les autos étrangères sont imposées à hauteur de 2,5 % au passage à la frontière. Une « injustice » que Trump dénonce dans tous ses meetings. Electoralement, c'est payant. Sa base ouvrière de l'Ohio ou du Michigan, berceau de l'industrie automobile américaine, adore. Mais le discours de Trump porte au-delà de son électorat. « L'Amérique traverse un moment jackso-nien », analyse François Delattre[1], l'ambassadeur français à l'Onu, qui fait référence à Andrew Jackson, le septième président des États-Unis dont Trump a fait accrocher le por-trait dans le Bureau Ovale. Les deux hommes ont des points communs, à commencer par le goût pour « l'uni-isolation-nisme[2] », à savoir : l'unilatéralisme (« l'Amérique d'abord ») et l'isolationnisme (l'Amérique délivrée des engagements multilatéraux hérités de l'après-guerre, dont Trump est

---

1. Entretien avec l'auteur, 14 juillet 2018.
2. La formule est de François Delattre.

persuadé qu'ils coûtent davantage aux États-Unis qu'ils ne lui rapportent). « Le vent de désengagement qui souffle sur l'Amérique s'est levé bien avant l'arrivée aux affaires du président Trump », poursuit Delattre, qui pense que ce mouvement lui « survivra »…

Trump aurait bien aimé pouvoir négocier un deal avec Angela Merkel qu'il appelle « la présidente de l'Europe ». Vu la place de l'Allemagne sur le Vieux Continent, les autres pays membres n'auraient d'autre choix que de se soumettre aux desiderata d'Angela, a-t-il d'abord cru, avant de se rendre compte que, dans logique des institutions européennes, ce n'est pas si simple. Alors Trump a changé son fusil d'épaule : il s'est débarrassé de H.R. McMaster, son conseiller à la Sécurité nationale et de Rex Tillerson, son secrétaire d'État (ministre des Affaires étrangères), qui plaidaient en faveur du statu quo et du respect des institutions internationales issues de la Seconde Guerre mondiale, pour les remplacer par des conseillers d'accord avec lui. Pour parvenir à un accord commercial plus équitable à ses yeux, il caresserait le rêve de « faire exploser l'Union européenne, tout comme les autres organisations multilatérales, qui se mettent en travers de sa politique « l'Amérique d'abord », estime une source en contact avec la Maison Blanche sur ce dossier. Après avoir augmenté les droits de douane sur l'acier le 1er mars dernier, il a menacé d'en faire autant sur l'automobile, ce qui aurait des conséquences autrement dramatiques sur les économies du Vieux Continent, à commencer par l'Allemagne. Et pour faire passer son message, il est arrivé au sommet de l'Otan en attaquant directement – et nommément – la chancelière.

Le petit déjeuner avec Jens Stoltenberg, le secrétaire général de l'Otan devait être une simple rencontre protocolaire, pour la photo. Mais Trump en a décidé autrement. Au lieu de répondre aux habituelles platitudes diplomatiques, il se lance dans une diatribe contre l'Allemagne, qu'il accuse d'être «contrôlée» par la Russie qui, grâce à l'accord Nord Stream 2 qui vient d'être signé, va lui procurer «60 à 70%» de sa consommation d'énergie. Un camouflet pour l'Amérique selon lui, qui assure la protection militaire du pays sans rien recevoir en retour. Trump aura beau déclarer quelques heures plus tard avoir une «excellente relation» avec la Merkel, la violence de la charge laisse les alliés de l'Amérique groggy.

La peur et la confusion étaient évidemment l'effet recherché par le président américain, qui ne fait qu'utiliser une stratégie éprouvée dans la promotion immobilière new-yorkaise : montrer ses muscles, déstabiliser l'adversaire, pour dicter ses conditions en déclarant que c'est bien pour tout le monde. Quand il quitte Bruxelles pour rejoindre l'Angleterre, où il n'est pas le bienvenu, il récidive avec cette incroyable interview[1] accordée au *Sun*, le tabloïd le plus puissant de la Couronne, propriété de son ami Rupert Murdoch, dans laquelle il s'en prend cette fois à Theresa May tout en louant les qualités du pire ennemi de la Première ministre britannique : Boris Johnson, l'ex-ministre des Affaires étrangères qui vient de quitter le gouvernement avec fracas. Selon le président américain, elle a mal négocié le Brexit. Il lui a donné des conseils mais elle n'aurait pas écouté. Quels conseils ? L'intéressée finira par lever le voile, deux jours après le départ de son homologue américain : «Il me disait de poursuivre en justice l'Union européenne», déclare-t-elle en s'esclaffant au journaliste Andrew Marr de la BBC. «Ma suggestion était peut-être un peu brutale», a reconnu Trump lors de sa conférence de presse commune. En effet... Comme Angela Merkel que Trump a régulièrement insultée durant sa campagne, Theresa May aurait alors pu lui en vouloir. Au contraire, elle se montre particulièrement

---

1. https://www.thesun.co.uk/news/6766531/trump-may-brexit-us-deal-off.

aimable. Elle a même accepté la main qu'il lui tendait pour l'aider à descendre les quelques marches avant d'affronter la presse. Et pour cause : May n'est pas Merkel. « Elle n'avait guère le choix », analyse un expert. En effet, coupée de l'Europe, le Royaume-Uni a plus que jamais besoin de sa « relation spéciale » avec l'Amérique. Pas question de se fâcher avec son président… Trump, qui le sait bien, peut aller serrer sereinement la main de la reine d'Angleterre, puis passer le week-end en Écosse tranquille, dans son club privé de Turnberry. Dans les rangs républicains, personne ne s'est ému de ses tirades contre Merkel ou May. Malgré les démentis d'Emmanuel Macron, il affirme que, grâce à lui, les Européens se sont engagés à prendre à leur charge un pourcentage plus élevé de dépenses militaires, ce qui permettra aux États-Unis de se désengager et de réaliser des économies. Il semble sur un petit nuage.

Quand il arrive à Helsinki, il est très détendu. Trop, peut-être. Il avait prévenu six jours auparavant, sur la pelouse de la Maison Blanche, juste avant de s'envoler vers l'Europe : « De tous mes rendez-vous, il se peut que celui avec Poutine soit le plus facile. » À tort.

Ce sommet, il l'a voulu de toutes ses forces. Contre l'avis de ses conseillers.

Trump a rencontré Poutine pour la première fois le 7 juillet 2017, à l'occasion du G20 de Hambourg en Allemagne. Quand ils se saluent devant les caméras, le tsar russe joue alors sur du velours : pour détendre l'atmosphère, il se paie les journalistes présents. « C'*est* eux qui vous ont insulté ? lui demande-t-il en aparté. — Ah oui, c'est eux ! » répond Trump, ravi que quelqu'un, enfin, semble le comprendre. Poutine est hilare. Bien joué, en effet : il n'est plus le paria de la scène internationale. L'image d'un dictateur qui emprisonne les journalistes de son pays et rigole avec le « leader du monde libre » suscite le malaise, mais elle a l'avantage de briser la glace. Une fois à l'abri des regards, les deux présidents passent aux choses sérieuses. Selon Rex Tillerson, alors son secrétaire d'État, Donald Trump cuisine son homologue «pendant quarante minutes» sur la question de savoir si ses services ont bien «hacké» les ordinateurs du parti démocrate et le staff d'Hillary Clinton pendant la campagne. Poutine, naturellement, a répondu qu'il n'y était pour rien. Est-ce vraiment surprenant ? Trump avait-il vraiment envie d'en savoir plus ? Après avoir nié les intrusions informatiques venues de Moscou, pourtant qualifiées de «certaines» par les services de renseignements américains, il a fini par les reconnaître mais en les minimisant, terrorisé par l'idée selon laquelle il devrait son élection à son homologue russe. Qu'importe : il n'est pas là pour «polémiquer», mais pour «aller de l'avant», selon Tillerson. La discussion, prévue pour durer trente minutes, se prolonge pendant plus de deux heures. Même Melania, la Première dame, dépêchée sur place pour les interrompre, ne parviendrait pas à écourter la conversation entre les deux hommes qui semblent avoir tant de choses à se dire… En Russie, cette rencontre au sommet est présentée – déjà – comme un grand succès pour Poutine. Un avis partagé aux États-Unis par la plupart des commentateurs, ainsi que par bon nombre de ténors du parti républicain. «J'approuve sa vision du monde mais je ne comprends vraiment pas sa stratégie avec les Russes», attaque le sénateur de Caroline du Sud Lindsey Graham, qui réclame des sanctions contre Moscou. «Donald Trump s'est comporté comme une star à Hambourg […] et le meeting a débouché sur un cessez-le-feu en Syrie qui va sauver de nombreuses vies», rétorque alors Reince Priebus, le *chief of staff* du président[1]… Seule certitude : quelles qu'en soient les raisons, il y avait très longtemps qu'un président américain ne s'était pas si bien entendu avec

---

1. http://www.foxnews.com/transcript/2017/07/09/reince-priebus-breaks-down-trumps-trip-to-g-20-summit.html.

le leader russe. «Bill Clinton a mangé du sanglier chez lui, George W. Bush l'a regardé dans le blanc des yeux et a cru avoir compris son âme, Barack Obama a tenté la réconciliation, mais aucun des trois n'est parvenu à nouer une relation personnelle avec Poutine», explique alors David Nakamura du *Washington Post*[1]. Ce que Trump veut, c'est réussir là où ses prédécesseurs ont échoué, peut-être, avance François Delattre, l'ambassadeur français à l'ONU, parce qu'il fait un «pari kissingérien à l'envers[2]». En 1972, Henry Kissinger avait été le maître d'œuvre du grand rapprochement sino-américain pour isoler Moscou. Là, il s'agirait de contenir Pékin en faisant alliance avec Moscou, partant du principe que la Chine, deuxième puissance économique mondiale, est désormais le vrai rival de l'Amérique, tandis que la Russie, dont l'économie est lilliputienne par rapport à la taille du pays, ne l'est plus...

Il faut reconnaître à Trump une vraie constance dans sa démarche par rapport à la Russie. Il a passé sa campagne à dire qu'il fallait améliorer les relations avec Poutine et former une alliance avec lui contre Daech. Certains de ses conseillers, comme George Papadopoulos, ont même tenté d'organiser un sommet avant même l'élection présidentielle américaine de novembre 2016. En mars 2018, quand Poutine est réélu président de la Russie, Trump le félicite et l'invite à la Maison Blanche. La dernière fois que le tsar russe a mis les pieds dans le Bureau Ovale, c'était en novembre 2001, sous George W. Bush. Cela fait si longtemps... Pourquoi ne pas l'accueillir à nouveau? Selon la presse américaine, ses conseillers ont tout fait pour le

---

1. https://www.washingtonpost.com/politics/phone-taps-power-plays-and-sarcasm-what-its-like-to-negotiate-with-vladimir-putin/2017/07/05/edcd8246-5e66-11e7-9fc6-c7ef4bc58d13_story.html?utm_term=.bfd97f880f8b.
2. Entretien avec l'auteur le 20 juillet 2018.

dissuader. Peut-être avaient-ils raison, l'enquête russe rendant difficile tout réchauffement des relations entre Moscou et Washington. Mais cette «courtoisie» n'a rien d'étonnant. C'est en ligne avec les discours de campagne de Trump, dûment approuvés par les 63 millions d'électeurs qui ont voté pour lui.

Après le sommet avec le leader nord-coréen, l'idée de recevoir Poutine à la Maison Blanche tourne à l'obsession chez Trump. Il a réussi son show avec Kim, il veut le refaire avec le tsar russe. Une façon, aussi, d'adresser un pied de nez au procureur Robert Mueller, sur le mode : «même pas peur».

Selon la presse américaine[1], le sommet aurait été «très mal préparé». Trump aurait initialement voulu que Poutine vienne à la Maison Blanche, mais ce dernier n'était pas chaud, peut-être pour ne pas donner le beau rôle à Trump en faisant le déplacement sur ses terres. Finalement, la rencontre a eu lieu à Helsinki – proche de la Russie, pratique pour Trump de passage en Europe – et symbolique – il évoque les accords d'Helsinki de 1975 par lesquels trente-cinq nations, dont les États-Unis et l'Union soviétique, s'étaient engagées à améliorer les relations entre l'Est et l'Ouest.

Mais dès la veille du sommet, on sent du flottement. Quel est exactement l'ordre du jour ? Celui du sommet avec le leader nord-coréen était clair : il s'agissait d'arracher plus que des promesses, des actes signant la fin de l'arsenal nucléaire nord-coréen. Alors qu'avec le président russe, on se demande de quoi ils vont parler. Quelle est l'urgence ? Le

---

1. Lire à ce propos l'article prémonitoire de Susan Glasser dans *The New Yorker*, qui pronostique avec trois jours d'avance ce qui va se passer au sommet.
https://www.newyorker.com/news/letter-from-trumps-washington/an-amateur-boxer-up-against-muhammad-ali-washington-fears-trump-will-be-no-match-for-putin-in-helsinki.

sommet n'est précédé ni d'une crise diplomatique, ni de tirs de missiles. La veille, Trump semble vouloir dégonfler *via* un tweet[1] l'attente qu'il a lui-même créée.

Trump s'imagine que, comme avec Kim, son message de paix va être celui que tout le monde va retenir. Dans son préambule à la conférence de presse, il se présente comme l'héritier d'une «fière tradition de la diplomatie audacieuse» américaine. Après tout, l'Amérique et la Russie possèdent «à elles deux, 90% des armes nucléaires» en circulation sur la planète. Une bonne raison pour relancer un «dialogue productif»… Sauf que rien ne se passe comme prévu.

Car Poutine n'est pas Kim. Il est à la tête d'une nation à cheval sur deux continents, dotée du deuxième arsenal nucléaire de la planète quand l'autre dirige un tout petit pays à l'ombre la deuxième puissance économique mondiale, la Chine. Face à Trump, devant les photographes, Kim ferait presque pitié quand Poutine, qui se paie le luxe d'arriver avec une heure de retard au rendez-vous (une habitude chez lui), semble au contraire tout à fait à son aise. C'est d'ailleurs lui qui prend la parole en premier, lors de la conférence de presse. Rien à voir avec Kim qui laisse le président américain lui demander s'il veut faire une déclaration à la presse…

Après avoir fait la liste des sujets abordés avec Poutine durant ces plus de deux heures d'entretien privé[2], Trump répond aux journalistes américains et c'est là que ça se gâte. À Jeff Mason, de Reuters, qui lui demande s'il considère la Russie responsable de la dégradation des relations avec l'Amérique, il répond que les deux pays sont responsables et que les États-Unis ont été «idiots». Puis, à Jonathan Lemire,

---

1. «Même si je réussis, je serai critiqué pour ne pas en avoir fait assez», écrit-il à l'attention des *fake news* médias, ces «ennemis du peuple» par définition opposés à tout ce qu'il fait…

2. L'interférence présumée russe dans l'élection américaine, la prolifération nucléaire, le terrorisme islamiste, l'Iran, la Syrie.

d'Associated Press, qui lui demande qui il croit, entre ses services de renseignements pour qui l'ingérence russe est prouvée et Poutine qui la nie, il renvoie dos à dos les deux parties : « Mes collaborateurs me disent que c'est la Russie. Le président Poutine me dit que ce n'est pas la Russie. Je dirai seulement ceci : je ne vois aucune raison pour laquelle ce serait la Russie. »

Pendant cet échange sidérant, Poutine ne va pas aider son homologue. D'abord, il avoue ouvertement avoir souhaité l'élection de Trump. Puis, après la conférence de presse, Poutine enfonce le clou devant Chris Wallace, de Fox News, qui le malmène, lui présentant le procès-verbal du procureur Mueller mettant en examen douze officiels des services de renseignements russes pour leur implication suspectée dans la manipulation de l'opinion publique avant l'élection américaine. Réaction de Poutine : « Les emails hackés étaient-ils faux ? Non. » Circulez, il n'y a rien à voir… Encore un peu et il va encenser les hackers pour avoir révélé la vérité. Commentaire, le lendemain, d'Abby Huntsman, coprésentatrice de « Fox and Friends », l'émission matinale de Fox News : « Poutine a quasiment reconnu, à sa façon, son ingérence dans l'élection américaine. Mais ingérence ne signifie pas collusion. Trump a été [légitimement] élu président des États-Unis, il est temps qu'il s'en remette. » Ce n'est certes pas le genre de commentaire que Trump a envie d'entendre sur sa chaîne préférée. Pendant ce temps-là, Rachel Maddow, sur MSNBC, la chaîne concurrente, s'interroge ouvertement sur le *worst case scenario*[1], le scénario noir dans lequel le président américain serait l'otage de son homologue russe qui aurait de quoi le faire chanter… Si Trump voulait faire taire les rumeurs de collusion avec la

---

1. http://www.msnbc.com/rachel-maddow/watch/maddow-time-for-americans-to-face-worst-case-scenario-on-trump-1278891587866?playlist=associated.

Russie grâce à ce sommet que personne ne lui demandait d'organiser, il a provoqué l'inverse.

Assiégé par les critiques, Trump organise la contre-attaque dès son retour à Washington. Une fois n'est pas coutume, il fait marche arrière. Il profite d'une réunion de cabinet, le 18 juillet, pour déclarer que sa langue a fourché. Il affirme aussi qu'il fait confiance à ses services de renseignements. À ce moment-là, la salle plonge dans l'obscurité. « Oh, quelqu'un a éteint la lumière, s'étonne le président, avant qu'elle ne revienne. Ça doit être un coup des agences de renseignements ! enchaîne-t-il, avant de sourire : Ça va, les gars ? C'était étrange… Mais tout va bien. » Bravo, l'artiste : sous pression, Trump démontre, par ce trait d'humour, que décidément rien ne l'atteint. Mais il y a des moments où la réalité dépasse la fiction. Si quelqu'un veut un jour réaliser un film sur la présidence Trump, façon *The West Wing* de Aaron Sorkin qui s'inspira des deux mandats Clinton, il n'aura pas besoin de scénariste…

Mais le lendemain, nouveau retournement : Sarah Sanders, la porte-parole du président, annonce *via* Twitter que Poutine est invité à la Maison Blanche à l'automne, soit avant les élections législatives. Dan Coats, le directeur du renseignement national (*Director of National Intelligence*), qui l'apprend alors qu'il est en train de répondre aux questions de la journaliste Andrea Mitchell au « Security Forum » de l'Aspen Institute, un inflent think tank américain, manque de tomber de sa chaise. « Okaaaay. Ça va être spécial », dit-il, suscitant les rires de l'assemblée. Âgé de 75 ans, ancien sénateur de l'Indiana, ex-ambassadeur américain en Allemagne nommé par George W. Bush, Dan Coats fait partie de ces républicains traditionnels qui en ont vu d'autres et peuvent se permettre de parler librement. Il corrigera néanmoins le tir en déclarant « ne pas avoir voulu manquer de respect » au président si susceptible. Mais tout ça n'est pas très grave : le 25 juillet, la Maison Blanche fait finalement savoir que l'invitation de Poutine est « repoussée à l'année prochaine », quand la « chasse aux sorcières » (c'est-à-dire l'enquête du procureur Robert Mueller) sera terminée et enterrée. Le même jour, Trump reçoit Jean-Claude Juncker, le président de l'Union européenne, avec qui il signe un armistice commercial, à la surprise générale. « Entre l'Union européenne présidée par Jean-Claude Juncker et les États-Unis d'Amérique dirigés par votre serviteur, c'est l'amour ! » lance-t-il alors dans un tweet accompagnant une photo de Jean-Claude Juncker qui l'embrasse dans le Bureau Ovale. Mais l'expression figée du visage du président de l'Union européenne, qui rate la main tendue de Trump devant les caméras lors de sa conférence de presse commune improvisée dans la Roseraie de la Maison Blanche, semble dire l'inverse… Peu importe : les électeurs de Trump n'ont que faire de ces allers-retours trumpiens. Malgré le concert de critiques, 79 % des sympathisants approuvent la façon dont Trump a mené sa conférence de presse avec Poutine[1]. Ce qui explique pourquoi, en grande partie, dans la classe politique conservatrice, seuls ceux qui n'avaient rien à perdre (pour l'essentiel, des élus en fin de carrière, comme Newt Gingrich par exemple), se sont élevés pour critiquer le président. Début 2016, Trump déclarait : « Je pourrais tirer sur quelqu'un au milieu de la 5ᵉ Avenue, sans perdre d'électeurs. » La prédiction est désormais vraie : auprès de l'électorat républicain, Trump peut dire ou faire n'importe quoi, il est intouchable.

---

1. https://www.axios.com/republicans-poll-donald-trump-press-conference-putin-5776322f-a483-4e21-b50c-028799b08367.html.

23

Quand l'économie va, tout va

Donald Trump n'a peut-être pas choisi par hasard le «portique sud» de la Maison Blanche pour s'exprimer sur l'envolée de la croissance économique du pays, ce 27 juillet 2018. Les photos le montrent : le symbole des célèbres colonnades de la Maison Blanche qui montent vers le ciel (et qui rappellent celles de Wall Street) est plus fort que le gazon verdoyant de la Roseraie où, traditionnellement, durant l'été, les points presse présidentiels se tiennent. Le président peut triompher : les chiffres viennent de tomber le matin même : l'économie américaine tourne à 4,1 % de croissance au second trimestre 2018 (contre 2,2 % au premier)[1]. « Si la croissance continue à ce rythme, la taille de l'économie doublera dans un délai plus court que sous les présidents Obama et Bush », prédit-il. La veille, Trump a vendu la mèche sur « ces chiffres inimaginables » lors d'un meeting à Granite City, une ville industrielle de l'Illinois : « Si je les avais utilisés pendant la campagne, les médias

---

1. Ce chiffre qui, fin août 2018, a été révisé à la hausse à 4,2 %, a de quoi faire rêver Emmanuel Macron. La veille, l'Insee annonçait des chiffres de croissance décevants pour la France, + 0,2 % au deuxième trimestre 2018, ce qui laisse à penser que l'objectif de 3 % sur l'année ne sera pas tenu.

fake news auraient dit : "Il exagère" », a-t-il lancé en pointant du doigt les caméras qui le filment…

A-t-il raison ?

Mercredi 9 novembre 2016, 00 h 42. Le vainqueur de l'élection présidentielle n'est pas encore officiellement déclaré, mais tout indique déjà que ce sera Donald Trump. Paul Krugman, prix Nobel d'économie, écrit alors sur le site du New York Times une chronique sur le vif qui va faire date[1]. Il prédit « une récession mondiale, sans qu'on puisse en voir la fin ». Pourquoi ? « En temps normal, explique l'économiste, mettre à la tête de la première puissance économique un irresponsable et un ignorant serait déjà une très mauvaise nouvelle », mais, ce qui rend les choses encore plus compliquées, c'est « l'état de fragilité fondamentale dans lequel le monde se trouve aujourd'hui, huit ans après la grande crise financière ». Il ajoute : « On s'en est sortis essentiellement parce que les taux d'intérêts sont bas. Mais que se passe-t-il si une catastrophe arrive et si l'économie a besoin d'être stimulée ? Les banques centrales ont très peu de marges de manœuvre pour baisser encore plus les taux. » Paul Krugman n'est pas le seul à prédire la catastrophe, loin de là. « Pour moi, le doute n'est pas permis : une victoire de Trump signifierait un effondrement des marchés[2] », pronostique de son côté le milliardaire Mark Cuban, *mogul* du *sport business*, propriétaire d'une équipe de basketball (Dallas Mavericks). Cet entrepreneur soutient certes la candidate Hillary Clinton, mais il est avant tout un businessman, sans aucune expérience politique, investisseur à succès, star d'un show de téléréalité, « Shark Tank » sur la chaîne ABC, conçu par Mark Burnett, le même producteur que celui de

---

1. https://www.nytimes.com/interactive/projects/cp/opinion/election-night-2016/paul-krugman-the-economic-fallout.
2. https://www.businessinsider.com/mark-cuba-no-doubt-in-my-mind-market-crashes-if-trump-wins-2016-9?IR=T.

« The Apprentice » : dans cette Amérique trumpiste, où c'est le plus célèbre qui a raison, son opinion compte…

Trump arrive avec une « politique économique » qui se démarque de la doxa républicaine dans laquelle les comptes de l'État sont censés être en équilibre et où le libre-échange serait l'alpha et omega de toute action publique. Sa vision est un mix de populisme nationaliste et de « politique de l'offre » chère aux économistes conservateurs classiques du type Arthur Laffer, qui fut l'un de ses *senior advisors* pendant la campagne et continue à l'alimenter en idées. Cet économiste s'est rendu célèbre dans les années 1980 pour sa célèbre courbe (dite « courbe de Laffer ») qui stipule que « trop d'impôt tue l'impôt ». Il a travaillé avec Reagan, dont il a influencé la politique fiscale, inspiré Margaret Thatcher et Helmut Kohl en Europe, et sort en octobre 2018 un livre intitulé *Trumponomics*[1], titre qui rappelle les « Reaganomics », la politique économique de Reagan, considéré comme un dieu vivant par les républicains d'aujourd'hui.

Dès son arrivée au pouvoir, en bon chef d'entreprise, Trump commence par faire la « chasse à la réglementation » au sein de l'administration. Il fait passer le décret *one-in, two-out* qui déclare que, pour chaque nouvelle réglementation engendrant des coûts, les agences fédérales doivent en identifier deux à supprimer. À la tête de l'Agence de l'environnement, coupable à ses yeux de provoquer une inflation des coûts gouvernementaux, il nomme Scott Pruitt, un climatosceptique revendiqué qui s'est signalé par ses critiques acerbes envers l'administration dont il a désormais la charge. Pruitt s'exécute de sa tâche avec zèle, jusqu'au jour où Trump, qui l'adore, doit le virer la mort dans l'âme

---

1. Stephen Moore, Arthur B. Laffer PhD, *Trumponomics. Inside the America First Plan to revive our Economy*, préfacé par Larry Kudlow, principal conseiller économique du président.

parce que son protégé a un peu trop abusé des dépenses somptuaires… aux frais du contribuable.

Puis Trump fait voter sa réforme fiscale fin 2017. C'est à ce jour le principal fait d'armes de son mandat. Il est destiné tant à doper la machine économique américaine qu'à affaiblir l'opposition démocrate, ce que Newt Gingrich résume ainsi[1] : « La coalition de gauche antitrumpiste déteste les baisses d'impôts car ils considèrent que tout l'argent devrait revenir au gouvernement afin de permettre aux gens éclairés (non déplorables[2]) de le dépenser. Dès qu'un impôt augmente, c'est le pouvoir de la gauche qui monte. Dès qu'une taxe régresse, l'influence de la gauche diminue. Alors que les hommes et les femmes de l'Amérique de Trump considèrent que c'est à eux seuls de décider de la façon dont ils vont dépenser leur propre argent. Donc l'idée d'une baisse d'impôts leur convient parfaitement. Ils ne sont pas idéologiquement contre le gouvernement mais ils estiment qu'il y a beaucoup de gâchis dans l'administration. » On voit ici la défiance des Américains vis-à-vis de l'État, aux antipodes de la conception française, où la protection de l'État est vue comme un acquis, voire un droit.

Selon Newt Gingrich qui cite les chiffres du comité des voies et moyens de la Chambre des représentants, la réforme fiscale décidée par Trump représenterait une baisse de 2 059 dollars en 2018 sur la facture d'impôts payée par un couple avec deux enfants gagnant 73 000 dollars par an (salaire national médian américain). Pour une famille monoparentale avec un enfant, l'économie s'élèverait à 1 300 dollars. Mais la réforme fiscale voulue par Trump s'adresse surtout aux entreprises qui voient le taux d'impôt sur les bénéfices passer de 35 % à 21 %. Cet énorme cadeau à la

---

1. Newt Gingrich, *Trump's America, op. cit.*
2. Les déplorables sont les électeurs de Trump, depuis qu'Hillary Clinton les a appelés ainsi pendant la campagne présidentielle.

«Corporate America» s'est soldé par un retour massif de capitaux vers l'Amérique. Un mois après le vote de la loi, Apple, première entreprise mondiale par la capitalisation boursière, décide ainsi de rapatrier aux États-Unis la quasi-totalité de sa trésorerie éparpillée dans le monde, soit 252 milliards de dollars, et annonce son intention d'investir 350 milliards dans l'économie américaine sur les cinq prochaines années, avec 20 000 nouveaux emplois à la clé.

Je me souviens très bien que, fin 2017, pendant les ultimes négociations au Congrès avant le vote de la loi, le message qui dominait dans les journaux et à la télévision était que 1/ cette baisse d'impôts était un cadeau aux riches, 2/ par conséquent, la réforme n'était pas populaire. Et c'est vrai que les sondages montraient alors qu'une forte majorité des Américains était contre. Mais une fois le vote acquis, la courbe s'est inversée : la baisse des impôts est redevenue populaire. Les républicains – et Trump en tête – y voient la preuve du «biais médiatique». Les médias vendeurs de *fake news* n'auraient toujours pas digéré la victoire du milliardaire. Selon eux, la presse préférerait raconter n'importe quoi, ou se focaliser sur l'accessoire plutôt que sur l'essentiel, la *big picture*, à savoir, la bonne nouvelle pour «l'Amérique oubliée» qui rame pour payer ses factures (et qui vote Trump)… D'autant que comme le poursuit Newt Gingrich, «rien qu'en janvier 2018, plus de cent entreprises annonçaient des bonus de 2 000 dollars pour leurs employés ainsi que des augmentations de salaires[1]». Le journaliste Ronald Kessler qui ne cache pas son amitié pour Trump (dont il avait, souligne-t-il, «prédit l'élection») estime quant à lui que l'accusation de «cadeau aux riches» est absurde : «20 % des gens les plus aisés paient 95 % du total des impôts. Plus vous gagnez d'argent, plus une baisse d'impôts va se voir dans votre feuille d'impôts. » Cet ancien du *Washington Post*

---

1. *Trump's America, op. cit.*

et du *Wall Street Journal*, qui a reçu une quinzaine de prix et recompenses pour ses articles et nombreux ouvrages, va ainsi jusqu'à comparer le président des États-Unis à Copernic, «penseur non conventionnel dont tout le monde s'est moqué avant de réaliser qu'il avait raison et qu'en effet la terre était bien ronde[1]…»

Trump, qui se qualifie de temps en temps de «génie très stable» (*very special genius*) ne dirait pas le contraire.

Mais où en est-on aujourd'hui ?

D'abord, contrairement aux pronostics de Mark Cuban et d'autres, l'élection de Donald Trump s'est traduite par l'envolée de la Bourse (+ 36,7 % entre le 9 novembre 2016 et le 27 juillet 2018). La perspective de baisse d'impôts a fait saliver les marchés qui, visiblement, ne se sont guère émus de l'imprévisibilité du milliardaire ni des ratés du début de son mandat. Les soubresauts qui règnent dans son cabinet, les changements permanents de personnel, n'ont eu aucun impact sur l'économie, comme s'il y avait une étanchéité entre ce qui se passe à l'intérieur de la West Wing et dans le secteur privé dans le reste du pays.

Ensuite, plus que jamais, Trump est resté l'ami des patrons, ses pairs, qui ne l'ont jamais lâché, sauf au moment des émeutes raciales à Charlottesville. J'ai été frappé par une interview que j'ai réalisée avec Jeffrey Immelt, le 7 juin 2017, cinq jours avant avant qu'il ne soit brutalement débarqué de ses fonctions de P-DG de General Electric[2]. Depuis seize ans, ce grand patron dirigeait alors ce fleuron du capitalisme américain créé en 1892, qui a racheté la branche énergie du groupe français Alstom en 2015. Ce géant (il mesure 1,93 mètre) est un industriel classique, direct, avec

---

1. Ronald Kessler, «The Trump White House, changing the rules of the game», Crown Forum, 2018.
2. Pour cause, entre autres, de cours de Bourse en berne, même si la bérézina s'est amplifiée après son départ.

un humour très américain, à la fois terre à terre et pince sans rire. Il m'avait reçu en tenue de gym à Boston, dans un immeuble qui abritait à l'époque le siège temporaire de la multinationale. Les foucades de Trump et son goût pour les dorures, ce n'est visiblement pas sa tasse de thé. Et pourtant, le discours qu'il m'avait tenu lui était étonnamment favorable[1]. Il l'a connu quand il faisait «The Apprentice», diffusé sur la chaîne de télé NBC que General Electric possédait alors. «C'était quelqu'un avec qui il était agréable de travailler, se souvient-il. Il a fait un excellent boulot. Il est une célébrité depuis les années 1980. Ceux qui n'habitent pas aux États-Unis ont du mal à comprendre que, quelque part, les Américains ont grandi avec lui.» Immelt ne se sent pas gêné par le nationalisme économique affiché par le président dans son slogan «*America First*». «Trump n'a pas inventé le nationalisme, je le vois partout: en Chine, en Europe...» Et d'ajouter: «S'il mène à bien sa réforme fiscale et son programme d'investissement dans les infrastructures, l'Amérique se portera beaucoup mieux. Depuis seize ans que je préside GE, j'ai travaillé avec[2] tous les présidents américains: Bill Clinton, George W. Bush, Barack Obama, et aujourd'hui Donald Trump.»

Dans les milieux d'affaires, Jeffrey Immelt n'est pas le seul à chanter les louanges du président, loin s'en faut. Comme le notait à juste titre en mai dernier *The Economist*, l'hebdomadaire économique britannique qui n'est pas tendre avec le maître de la Maison Blanche, «la plupart des élites américaines pensent que la présidence Trump fait du mal à l'Amérique. Les mandarins experts en politique étrangère sont terrorisés par la perspective d'une remise en cause des

---

1. https://www.parismatch.com/Actu/Economie/Les-dernieres-confidences-du-P-DG-de-General-Electric-1284920.
2. On a traduit par «travaillé avec» le terme *root for* utilisé en anglais par Jeffrey Immelt qui a une connotation de soutien.

alliances militaires. Les spécialistes de la fiscalité s'inquiètent de la politique d'emprunt "hors contrôle". Les scientifiques déplorent le rejet de la lutte contre le changement climatique. Les juristes prédisent une crise constitutionnelle imminente… Et dans ce tumulte, il y a une exception étonnante. Les chefs d'entreprise ont fait leurs comptes et, finalement, l'ère Trump, ils aiment bien[1].» Les patrons ont dans l'ensemble le moral. En juin dernier, la National Association of Manufacturers, qui représente petits et grands fabricants industriels, annonçait que 95,1 %, de ses membres étaient optimistes pour leur business, un chiffre qui «n'a jamais été aussi haut[2]». Et même la perspective d'une guerre commerciale semble ne pas les effrayer. Après tout, pensent certains, l'Amérique, dont le PIB ne dépend de ses exportations qu'à hauteur de 12 % contre 44 % pour l'Union européenne[3], a moins à perdre que le reste du monde d'une augmentation des tarifs douaniers. Et si la Chine craque et ouvre ses portes à l'importation de produits américains, ce sera quelques points de croissance gagnés en plus.

Mois après mois, l'économie américaine bat les prévisions les plus optimistes. Le 1ᵉʳ juin 2018, Trump n'a pas résisté à l'envie d'annoncer en premier (ce qui est contre l'usage) les excellents chiffres du mois de mai du Bureau of Labor, le ministère du Travail : avec 223 000 jobs créés sur la période, le taux de chômage plonge à 3,8 %. Cette fois, le doute n'est plus permis. L'économie américaine est en pleine forme. La *job machine* tourne à plein régime. Le *New York Times* «manque

---

1. «The Affair: why corporate America loves Donald Trump», *The Economist*, 26 mai 2018.
2. http://www.nam.org/Data-and-Reports/Manufacturers-Outlook-Survey/2018-Second-Quarter-Manufacturers-Outlook-Survey.
3. https://www.nytimes.com/2018/06/20/business/economy/trump-trade-economy.html.

de mots[1] » pour dire combien ces statistiques sont bonnes. Tout n'est certes pas rose dans l'Amérique, le déficit budgétaire est abyssal, les SDF sont toujours plus nombreux dans le métro de New York, mais la classe moyenne, elle, n'a plus de problème pour trouver du travail. Dans certains États, les employeurs rament pour embaucher dans le domaine de la construction, de l'énergie, du transport ou des hôpitaux. Certaines collectivités locales ont tellement de mal à trouver du personnel qu'elles en sont réduites à offrir des bonus à tout salarié parvenant à convaincre un ami de déménager pour travailler chez elles. Une stratégie de «parrainage» d'habitude cantonnée à la grande distribution pour piquer des clients à la concurrence[2]...

À Council Bluffs, dans l'Iowa, où le taux de chômage est en dessous de 3 %, Lance Fritz, le patron du géant ferroviaire Union Pacific, a affirmé en mai 2018 qu'il avait du mal à trouver des candidats à des postes non qualifiés, à tel point qu'il fallait leur verser des primes de bienvenue pour les inciter à prendre un job de contrôleur dans les trains, qui ne requiert rien d'autre que l'équivalent du bac américain – et encore, dans certains cas, la compagnie n'attend même pas que les étudiants obtiennent leur diplôme pour lancer le recrutement[3]... Dans le Wisconsin[4], État traditionnellement démocrate qui a basculé en faveur de Trump aux présidentielles (et où Hillary Clinton avait commis l'erreur de ne pas se rendre pendant la campagne), l'ouvrier Chris Bogan, père de deux enfants et seule source de revenu de sa famille, s'est remis sans encombre de son licenciement pour motif

---

1. https://www.nytimes.com/2018/06/01/upshot/we-ran-out-of-words-to-describe-how-good-the-jobs-numbers-are.html.
2. https://www.weeklystandard.com/irwin-m-stelzer/trump-economy-is-creating-jobs-at-record-pace.
3. https://www.nytimes.com/2018/06/01/business/economy/jobs-report.html.
4. Où le taux de chômage est de 2,8 %.

économique de l'usine de papeterie Appleton Coated où il pensait effectuer toute sa carrière. Le jour de son départ, il prend des cours pour passer le permis de conduire poids lourds. Quand il l'obtient, il décroche dès le lendemain un job de chauffeur aussi bien payé que le précédent dans une entreprise locale de camions[1]…

Trump est-il l'homme qui a mis en marche la machine économique américaine, comme ses partisans se plaisent à la répéter, qui oublient un peu vite qu'Obama l'avait redressée avant lui ? Pour lui, la donne a changé, en mieux. Ça s'est vu au sommet de Davos, en janvier dernier, où il a été accueilli en rock star quand l'année d'avant, au moment de son investiture, les « élites du monde » réunies à ce *world economic forum* (forum économique mondial) « parlaient de lui comme si c'était Hitler », me dit un participant. Quand il arrive à Davos, il est pourtant dans une phase délicate. Le livre de Michael Wolff *Le Feu et la Fureur* vient de sortir et il s'arrache en librairie. Melania est absente : elle aurait refusé de l'accompagner à cause de la révélation de l'affaire Stormy Daniels, cette star du porno dont l'entourage de Trump a acheté le silence, moyennant 130 000 dollars, sur la nuit qu'elle aurait passée avec lui (ce qu'il a toujours démenti) et qui aurait eu lieu quelques mois après la naissance de Barron, le fils du président et de la First Lady… Quelques heures après son arrivée à Davos, une bombe éclate : le *New York Times* révèle que Trump aurait sérieusement considéré virer Robert Mueller, le procureur spécial dans l'enquête russe, dès le mois de juin 2017 (soit un gros mois après sa nomination), et qu'il n'aurait reculé que suite à la menace de démission de son conseiller juridique, Donald McGahn. Branle-bas de combat sur les plateaux de télé suite à ce scoop. En Amérique, quand on s'endort le lundi 25 juin 2018 dans la soirée, on a

---

1. https://www.nytimes.com/2018/06/01/business/economy/jobs-report.html.

l'impression que Trump est au fond du trou, menacé par un *impeachment* imminent pour obstruction à la justice… Mais quand on se réveille le mardi matin, on entend sur les mêmes chaînes de télé le discours triomphal que le président vient de prononcer à Davos, où il annonce que «l'Amérique est ouverte au business», devant un auditoire conquis et, à côté de l'hôte, Klaus Schwab, le fondateur du sommet, qui lui déroule littéralement le tapis rouge… Ce genre de situation où une info chasse l'autre en une nuit restera l'un des aspects les plus stupéfiants de cette présidence hors norme.

Mais aujourd'hui, une seule certitude domine : ceux qui annonçaient une récession ont eu le tort d'avoir raison beaucoup trop tôt. L'économie étant cyclique, ils pourront forcément clamer un jour : «Je vous l'avais bien dit»… Il y a fort à parier que les leçons de la crise des subprimes, qu'Obama a tenté de tirer en passant des lois qui empêchent les excès des banques, ont déjà été oubliées, puisque l'obsession de Trump est de faire l'inverse de son prédécesseur. Il a d'ailleurs annulé bon nombre de réglementations dans le secteur financier mises en place par l'administration précédente.

La politique économique de Donald Trump fait débat : beaucoup l'accusent de signer des chèques sans provisions, de gonfler inutilement le déficit budgétaire pour stimuler *via* la baisse d'impôts une économie qui n'en a pas besoin et serait actuellement en situation de *sugar high*, c'est-à-dire une euphorie proche de l'éclatement. Paul Krugman, de son côté, affirme que les chiffres de croissance de 4,1 % annoncés le 27 juillet dernier «ne veulent rien dire» sur le long terme. Les pessimistes s'inquiètent de la récente hausse des taux d'intérêt qui, selon eux, annonce un retournement proche et des lendemains difficiles sur le plan de la conjoncture économique. Mais pour l'heure, la seule véritable ombre au tableau, ce sont les salaires, qui ont augmenté de 2,7 % sur un an selon les statistiques de mai du Bureau of Labor.

C'est peu, et c'est préoccupant pour Trump qui a promis qu'il remplirait les poches des Américains. Ce serait juste une question de temps, promettent certains économistes[1]. D'autres pronostiquent même un chômage à 3 % fin 2019[2]. Une bonne nouvelle pour tout le monde sauf pour les démocrates en campagne pour l'élection de mi-mandat, dont beaucoup avaient tablé sur un scénario catastrophe.

---

1. Comme Torsten Slok, de la Deustche Bank.
https://www.nytimes.com/2018/06/01/business/economy/jobs-report.html?hp&action=click&pgtype=Homepage&clickSource=story-heading&module=first-column-region&region=top-news&WT.nav=top-news.
2. Comme Michael Gapen, *chief US economist* à Barclays Investment Bank, la banque britannique, *ibid.*

Épilogue

Il ne faut pas croire les sondages

C'était censé être une simple rencontre avec des shérifs dans l'East Room, l'un des salons d'honneur de la Maison Blanche. Mais ce 5 septembre 2018, Donald Trump transforme l'événement en talk-show avec lui dans le rôle du présentateur, et les flics relégués au rang de figurants qui rient et applaudissent au moment voulu. Et il est en colère. L'objet de son courroux : la chronique anonyme publiée une heure auparavant par un «membre senior de son administration» qui affirme faire partie de la «résistance interne» au Président. Ce «maquisard» des temps modernes ne fait que confirmer ce qu'on sait déjà. Oui, il a été question d'actionner le fameux vingt-cinquième amendement qui permet la destitution du Président par son propre cabinet pour «incapacité». Il n'y a rien eu de concret, mais le sujet a été abordé par certains conseillers. Bon nombre d'entre eux continueraient néanmoins, selon cette chronique, à lutter contre les «pires penchants de ce Président [...] erratique, mesquin, inefficace, dont l'impulsivité mène à des décisions bâclées et dangereuses».

Rien de nouveau, fondamentalement : tout a été dit, d'abord dans le livre de Michael Wolff, *Le Feu et la Fureur*, puis dans de nombreux articles de presse, et enfin, tout récemment, dans *Fear* (Simon & Schuster, 2018) de Bob Woodward, le journaliste qui, avec Carl Bernstein, fit tomber un président et pas n'importe lequel. Car Richard Nixon présente de grandes similitudes avec Donald Trump. C'est Roger Stone qui le dit. «La première à avoir vu en Trump l'étoffe d'un président, c'est Pat Nixon, l'épouse de Richard. "Vous verrez, s'il voulait, il pourrait, m'a-t-elle dit un jour."» Roger Stone est un ancien conseiller de Nixon. Il l'admire tellement qu'il a tatoué son visage dans le dos, entre les deux omoplates. Son appartement est rempli de photos de lui (aux côtes de Reagan et d'autres présidents républicains[1]). Stone est, toujours aujourd'hui, un interlocuteur officieux et régulier de Trump, qu'il connaît depuis 1980 et qu'il a conseillé au tout début de sa campagne en 2015. Comme pour Nixon, pour Trump la presse est l'«ennemie du peuple». Comme son lointain prédécesseur, il est contre les gauchos et les bobos – qu'il déteste –, contre l'establishment de Washington, qui a juré leur perte, est-il convaincu.

Donald Trump s'est pris cet éditorial de plein fouet. Il n'a rien vu venir. Et le gros problème pour lui, c'est que cette fois ça vient de ses propres équipes. De gens qu'il a nommés lui-même. Difficile de le reléguer au rang de *fake news* qui proviendraient de journalistes «malveillants» ou du «deep state», cet État dans l'État qui ne sert que ses intérêts contre ceux du Président. Bob Woodward a révélé que Gary Cohn, quand il était conseiller économique en chef à la Maison Blanche, avait un jour subtilisé sur le *resolute desk*, la table de travail présidentielle dans le Bureau Ovale, une ébauche de lettre qui lui semblait dangereuse. Elle annonçait la fin des accords commerciaux entre les États-Unis et la Corée du Sud, remettant en cause un partenariat militaire stratégique destiné à protéger l'Amérique contre toute attaque de missiles nucléaires lancés par le voisin nord-coréen. Un «scoop» pareil est évidemment retentissant et susceptible

---

1. https://www.parismatch.com/Actu/International/Les-confidences-de-Roger-Stone-ami-intime-de-Donald-Trump-1075360.

de saper l'autorité présidentielle. Mais il vient de l'extérieur. L'éditorial anonyme du *New York Times* est d'une autre nature. Il ressemble à un coup d'état de l'intérieur. Seule solution pour Trump : minimiser l'attaque, qui selon lui ne peut qu'émaner d'une personne « de bas niveau »[1] dans la hiérarchie de son administration. Cette contre-offensive est désormais familière : elle rappelle celle lancée contre George Papadopoulous, l'ancien conseiller en politique étrangère pendant la campagne qui fut le premier à plaider coupable dans l'enquête russe. Il fut alors relégué au rang de *coffee boy* sans importance par la propagande présidentielle. *Idem* pour Steve Bannon, l'artisan de la victoire de Trump. « Il n'a rien à voir avec moi ni ma présidence », déclara Trump[2], après avoir découvert le brûlot de Michael Wolff largement alimenté par son ancien stratège en chef.

La réunion avec les shérifs a commencé avec une petite demi-heure de retard, ce qui est rare. La meilleure défense, c'est l'attaque, et Trump, dix minutes durant, applique à la lettre ce vieux précepte. Il dément en bloc les accusations de son accusateur et, pour faire bonne mesure, s'en prend à la presse, à CNN et au *New York Times* en particulier qui, d'après lui, n'auront plus qu'à mettre la clé sous la porte quand il ne sera plus Président. « Sans moi ils sont fichus », lance-t-il, persuadé, sans doute à juste titre, qu'il y est pour beaucoup dans les bonnes ventes du quotidien et les audiences élevées de CNN. Peu importe qu'il passe son temps à tweeter que ces deux médias sont « en déroute » : Trump n'est pas à une contradiction près. Car, au fond, cette stratégie a plutôt bien

---

1. https://www.usatoday.com/story/news/politics/2018/09/06/donald-trump-says-anonymous-new-york-times-op-ed-writer-fairly-low-level/1217346002.
2. https://www.nytimes.com/2018/01/03/us/politics/trump-statement-steve-bannon.html.

fonctionné pour lui, depuis qu'il a lancé sa campagne en descendant l'escalator de la Trump Tower, ce jour d'été 2015.

***

Alexandria Ocasio-Cortez se dit «socialiste». Elle est née dans le Bronx il y a vingt-huit ans, et, à la surprise générale, a remporté en juin dernier la primaire démocrate aux *Midterms*, l'élection législative du 6 novembre 2018, dans la 14ᵉ circonscription de New York, délogeant le député Joseph Crowley qui occupait le poste depuis 1999. Si tout va bien, elle entrera à la Chambre des représentants. Elle représente l'avenir du parti démocrate et a un point commun avec Donald Trump, son anti-modèle : personne ne l'a vue venir. Interrogée sur le secret de sa victoire par l'humoriste Stephen Colbert sur la chaîne CBS, elle répond tout simplement : «Il ne faut pas croire les sondages.» C'est le genre de discours que l'on entend d'habitude dans la bouche d'un homme ou d'une femme politique en perte de vitesse. Pas dans celle d'une gagnante. Mais Alexandria Ocasio-Cortez a raison. Quelques jours avant le scrutin, elle était seize points derrière son opposant. Le soir de la victoire, elle le battait avec un score net et sans bavure : 57 % contre 42 %

Exactement ce qui est arrivé à Donald Trump, le 8 novembre 2016. Va-t-il renouveler l'exploit ?

À l'heure où j'écris ces lignes, la partie semble bien mal engagée pour le président. Plus personne ne croit que le parti républicain peut conserver sa majorité à la Chambre des représentants. Son leader en titre, le *speaker* Paul Ryan, a pris les devants dès le printemps dernier, en annonçant qu'il ne serait pas candidat à sa propre succession, à la surprise générale. Mais tous les yeux sont rivés sur le Sénat. Fin août, les républicains, qui dominent cette assemblée, y croyaient encore. Certains espéraient même gagner «un ou deux sièges», m'expliquait alors Steve Bannon. L'élection leur est particulièrement favorable : les postes en jeu sont majoritairement situés dans des contrées conquises par Donald Trump en 2016.

Il est certain que si le président, qui bénéficiait des pleins pouvoirs en arrivant à la Maison Blanche en janvier 2017, perd la majorité dans les deux Chambres du Congrès, «le contrecoup sera terrible, car les républicains détestent l'échec», prédit début septembre le blogueur conservateur Erick Erickson[1], bon connaisseur des milieux conservateurs. L'ambition réformatrice de Barack Obama s'est arrêtée un jour de novembre 2010, lors de ses premières *Midterms* de son double mandat. Il avait fait Obamacare, qui restera son grand œuvre. À ce rythme, la principale réalisation de la présidence Trump a toutes les chances d'être cette baisse des impôts qu'il a fait voter en décembre 2017.

Mais ce n'est pas si simple.

Car historiquement, les démocrates ont une fâcheuse tendance à sous-estimer les présidents républicains. Selon eux, Ronald Reagan n'était qu'un acteur de série B à Hollywood. Ce «second couteau» a transformé l'Amérique dopée à la croissance économique et sorti le pays de la guerre froide. Il demeure à ce jour le héros des temps modernes des républicains. George H.W. Bush était censé être une «carpette» incapable d'échapper à l'ombre de son prédécesseur, le même Ronald Reagan. Il n'a duré qu'un mandat, mais lancé l'Amérique dans une première guerre du Golfe qui restera dans l'Histoire. Son fils George W. Bush était décrit comme un «type sympa» mais sans envergure. Il a parachevé l'œuvre de son père en repartant à l'assaut de l'Irak, de manière très critiquée cette fois et sans l'assentiment des Nations unies. Et il a réussi à se faire réélire contre le

---

1. «Meet the Press», 9 septembre 2018.

sénateur John Kerry, au CV impeccable mais trop terne pour se faire aimer de l'Amérique profonde.

Durant ces deux premières années, Trump a eu de la chance : l'économie a tenu bon et la Cour suprême lui a offert non pas une mais deux occasions de faire élire un membre de son choix. Voilà qui marquera l'histoire car les magistrats de cette institution sont nommés à vie. La droitisation de la Cour suprême impulsée par Trump va avoir un impact sur le long terme dans la société américaine.

Comme Reagan, Bush père et fils, Trump a été sous-estimé. Mais comme eux, il a montré qu'il n'était pas là pour faire de la figuration. Il n'y a qu'à voir son obstination à faire appliquer la loi aux frontières par rapport aux sans-papiers, quitte à mettre leurs enfants – où les mineurs qui les accompagnent – dans des «cages» : sur ce sujet-là, comme sur d'autres, le président ne plaisante pas et, s'il a perdu la partie sous la pression de son entourage familial, il n'a pas dit son dernier mot. Il n'a qu'une obsession : appliquer ce programme qui l'a fait élire en 2016, plaire à ses électeurs. Il ne faut jamais décevoir le client. Tous les businessmen le savent.

Pendant tout le début de la présidence Trump, les démocrates se sont sentis pousser des ailes sous l'effet du «chaos» qui règne à la Maison Blanche. Ils se sont laissé endormir par la stagnation du président à un niveau très bas dans les sondages d'opinions, loin derrière ses prédécesseurs, démocrates comme républicains. Et puis, progressivement, il est remonté aux alentours de 45 % en juin 2018, sous l'effet d'une économie en pleine expansion et d'un meeting avec Kim Jong-un qui a démontré que, même en politique étrangère, Trump, l'ignare, peut surprendre. Son «été pourri» l'a fait repasser sous la barre des 40 % mi-septembre dans certains sondages, mais ce yo-yo prouve que rien n'est acquis dans ce pays de la deuxième chance qui n'aime rien tant que les *come-back kids*, les revenants.

Trump peut compter sur une base électorale fidèle, contre vents et marées. De plus, l'économie pourrait dévisser d'ici à 2020, et Trump aura beau jeu de mettre ce retournement conjoncturel sur le dos des démocrates s'ils sont majoritaires au Congrès. Il est maître dans l'art de trouver des boucs émissaires, et les «cohabitations» sont toujours favorables au président, aux États-Unis comme en France.

Demeure une grosse inconnue : l'enquête russe. Elle se resserre dangereusement sur l'entourage du président, notamment son fils Donald Jr, qui, dans une interview à ABC le 12 septembre, semblait résigné à être mis en cause d'une manière ou d'une autre. Mais la stratégie de décrédibilisation engagée par Trump a pour l'instant plutôt bien fonctionné. Il est tout de même parvenu auprès d'une partie importante de sa base à jeter l'opprobre sur Robert Mueller, procureur indépendant et… républicain, et à faire passer l'enquête menée par ce dernier pour une «chasse aux sorcières» : bravo, l'artiste ! Il fallait oser, et ça a fonctionné car ses électeurs sont lassés par cette enquête à rallonge à laquelle ils ne comprennent rien. Et ce ne sont pas les juges mais le Congrès qui décidera de destituer ou non le président. Sur ce terrain-là, tout est possible, mais pour l'heure, l'*impeachment* semble relever du fantasme. Il faut atteindre le vote d'une majorité qualifiée – et *a priori* introuvable – de soixante-six pourcents des sénateurs pour l'approuver.

Surtout, Trump a un énorme atout : face à lui, il n'y a personne. Ni tête d'affiche, ni star à la Obama qui va faire chavirer les cœurs. Le parti démocrate peut bien gagner les élections du 6 novembre : il ne s'est pas remis de la défaite d'Hillary Clinton qui a provoqué un énorme vide. L'ancienne candidate, avec l'appui actif de son mari, avait verrouillé le parti. C'est ainsi qu'elle avait «tué» Bernie Sanders et empêché Joe Biden de tenter sa chance. L'ancien vice-président de Barack Obama se verrait bien prendre sa revanche en 2020. Il aura 75 ans. Trump 74. S'il a lieu, ce combat de papys sera difficile pour le challenger démocrate, qui n'a jamais été un très bon candidat. Contrairement à Trump qui, malgré le chaos, les scandales et l'enquête russe, pourrait bien créer à nouveau la surprise.

Remerciements

L'auteur tient à remercier tout particulièrement Thierry Billard, directeur éditorial des éditions Plon, sans qui ce livre n'aurait pas vu le jour.

Un grand merci, également, à Olivier Royant, directeur de la rédaction de *Paris Match*, et à Régis Le Sommier, directeur adjoint de la rédaction, sans qui cette aventure américaine n'aurait pas eu lieu.

Toute ma reconnaissance va à mes contacts américains qui m'ont reçu et fait découvrir les coulisses de la galaxie Trump, en *off* ou en *on the record*. Ils ont accepté de me parler de manière désintéressée, puisque mes lecteurs ne votent pas en Amérique. Qu'ils en soient ici vivement remerciés.

Toute ma gratitude va aussi à Caroline Lamoulie, directrice littéraire aux éditions Plon, dont la relecture avisée a été précieuse, ainsi que toute l'équipe éditoriale et plus particulièrement Marie-Laure Nolet.

Et, bien entendu, merci à Riccardo Serri, qui m'a tant soutenu dans ce projet, du début à la fin.

Table

Pour en savoir plus
sur les Éditions Plon
(catalogue, auteurs, vidéos, actualités…),
vous pouvez consulter
www.plon.fr
www.lisez.com

et nous suivre sur les réseaux sociaux

 Editions Plon

 @EditionsPlon

 @editionsplon

Cet ouvrage a été achevé d'imprimer en octobre 2018
dans les ateliers de Normandie Roto Impression s.a.s.
61250 Lonrai
N° d'impression : 1804009

Imprimé en France